Wele Wlad

Ysgrifau ar bethau yng Nghymru

Dafydd Glyn Jones

Dyma wlad wen ysblennydd,
O feirdd, wele Gymru fydd!

John Morris-Jones

2019

Argraffiad cyntaf – 2019

Rhif llyfr cydwladol (ISBN) 978-0-9955399-9-0

Cynllunio gan Nereus,
Tanyfron, 105 Stryd Fawr, Y Bala, Gwynedd, LL23 7AE
e-bost : dylannereus@btinternet.com

Cyhoeddwyd gan Dalen Newydd,
3 Trem y Fenai, Bangor, Gwynedd, LL57 2HF
e-bost: dalennewydd@yahoo.com

Argraffwyd a rhwymwyd gan Argraffwyr Cambrian,
Ffordd Llanbadarn, Aberystwyth, Ceredigion, SY23 3TN.

Wele Wlad

Rhagair

O'r un ysgrif ar hugain sydd yma, mae deunaw yn gynnyrch yr ugain mlynedd oddi ar refferendwm 1997, ac felly'n cynnwys rhyw feddyliau am fywyd ein Cymru ddatganoledig. Os gwêl y darllenydd ambell sylw sydd wedi dyddio, neu yn wir wedi ei brofi'n anghywir, edryched y dyddiad wrth droed yr ysgrif a derbynied mai teimlad y dydd a'r awr a gofnodir. Tybed yn wir a deimlir, os llwyddir i fynd drwy'r cyfan, mai meddyliau cyfnod a fu sydd yma? Cred rhai bellach fod 'rhywbeth yn digwydd' yng Nghymru. Pe gwir hynny, ni byddai neb hapusach nag awdur yr ysgrifau hyn.

Diolchaf i olygyddion *Barn*, *Y Faner Newydd* ac *Ein Gwlad* am eu caniatâd i gynnwys ysgrifau. Darlith Goffa Syr John Morris-Jones oedd yr eitem gyntaf, a chyhoeddwyd hi'n bamffled gan Undeb y Gymraeg. Traddodwyd rhif 12 fel un o gyfres 'Y Darlithoedd Cymraeg' dan nawdd Prifysgol Cymru, Bangor.

Hydref 2019 D.G.J.

Cynnwys

1.

John Morris-Jones
a'r 'Cymro Dirodres'

Yn y coleg lle bu'n athrawiaethu am ddeugain mlynedd, mae Syr John Morris-Jones yn dal yn bresenoldeb anodd i Gymro ei osgoi. Mae dau lun ohono yn y neuadd breswyl sy'n dwyn ei enw, mae o leiaf un arall yn Adran y Gymraeg, ac mae penddelw ohono yn y llyfrgell. Dros nifer o flynyddoedd bellach yr wyf innau, wrth drafod gramadeg y Gymraeg, wedi bod yn rhoi i fyfyrwyr gyngor neu anogaeth fel hyn : 'Dysgwch y rheol yma er mwyn medru pasio llun John Morris-Jones a'ch pen yn uchel'. 'Oddi wrth' – dau air ynteu un ? Nid yw o anfeidrol bwys. Nid yw'n gwneud unrhyw wahaniaeth i'r ystyr. Ond, wrth ysgrifennu, cystal inni gadw at arferiad yr iaith lenyddol. Diolch am y fath beth â chonfensiwn : mae'n ein cario ni gyda'n gilydd hyd at ryw fan. Yr un modd gyda phwyntiau llawer pwysicach, pwyntiau o gystrawen. Yn gam neu'n gymwys, mi fyddaf yn trio dweud wrthyn nhw : 'waeth ichi wybod hyn mwy na pheidio'. Unwaith y mae'r myfyriwr yn gwybod, fe all gerdded i fyny at lun Syr John, ac edrych ym myw ei lygad, a dweud : 'iawn, rydw innau'n gwybod hefyd'.

Wrth ddysgu to ar ôl to o fyfyrwyr, iawn yw bod rhywun yn ailgloriannu ei ddulliau a'i safonau ei hun o bryd i'w gilydd. Byddaf innau'n ailofyn weithiau a yw hon yn anogaeth deg a synhwyrol. Pa ots am hen lun ? Oes raid gwrogi o gwbl i athro a oedd yn ei fri ac yn ei flodau gan mlynedd yn ôl ?

Yn newydd i law ac yn dderbyniol dros ben y mae *Gramadeg y Gymraeg* gan Peter Wynn Thomas (Gwasg Prifysgol Cymru, 1996). Dyma'r cynnig mwyaf uchelgeisiol ar ddisgrifio'r Gymraeg oddi ar *A Welsh Grammar* John Morris-Jones ei hun (1913); cynnig hefyd, fel yr wyf wedi crybwyll mewn adolygiad, ac iddo'r rhinwedd ychwanegol o fod yn ddigymysg a digymrodedd Gymraeg, heb ddibynnu unwaith ar y Saesneg i esbonio term nac aralleirio ymadrodd. Yn ei bennod gyntaf, 'Ystyriaethau Sylfaenol', y mae'r awdur yn diffinio'i amcan ac yn datgan yn glir ei anghytundeb â'r traddodiad a gynrychiolir yn bennaf oll gan Syr John, y traddodiad o ramadegu deddfol, gyda'i apêl at safonau'r iaith lenyddol. A dyfynnu ei eiriau: 'fe geir yr argraff o bryd i'w gilydd mai gwarchod traddodiad hynafol yn hytrach na disgrifio iaith eu cyfnod hwy eu hunain y mae llawer o ramadegwyr y ganrif hon.' Dyma, meddai, 'y Cyfeiliornad Clasurol'; ei ganlyniad yw meithrin gor-barch, ymhlith rhai pobl, at beth a ystyrir yn 'gywirdeb', ac ymhlith eraill amharodrwydd i fentro ysgrifennu'r iaith o gwbl. Mae'n anodd anghytuno â rhai o'r enghreifftiau y mae'n eu rhoi. 'Chwe mlwydd, chwe mlynedd': y mae pob tafodiaith yn treiglo'n drwynol fel yna, a'r unig rai nad ydynt yn treiglo yw gramadegwyr. 'Dweud bod' ynteu 'dweud fod'? Mae digon o dystiolaeth o blaid y ddau, felly gadewch inni dderbyn y ddau. A oes unrhyw beth o'i le ar 'dim ond'? Yr oedd Syr John yn ei gondemnio, ond mae pawb yn ei ddweud a'i ysgrifennu! Mae'r wers a'r casgliad yn glir: gadewch inni ddilyn Syr John pan mae o'n iawn, ond dal i ofyn mewn achosion penodol 'Ydi o'n iawn?' Dyna fi wedi dweud 'pan mae'. A oes unrhyw un heblaw gramadegwyr yn dweud 'pan yw'?

Dyna ichi un farn, barn ystyriol gramadegwr cyfoes. Weithiau byddaf yn clywed barn sydd am y pegwn â hi, a barn myfyrwyr yw honno. Ar ddechrau cwrs ar 'Yr Iaith Gymraeg Heddiw' byddaf yn gosod o flaen y dosbarth bapur byr sy'n fwy o holiadur nag o arholiad. Bydd yn cynnwys fel rheol y ddau gwestiwn cysylltiedig hyn: (1) Beth yw cywirdeb? (2) Pwy sy'n pennu rheolau iaith? Mewn ateb i'r cyntaf, byddaf yn cael yn aml 'Cywirdeb yw ysgrifennu'n gywir' – sy'n mynd â ni'n ôl i'r dechrau. Ac mewn ateb i'r ail gwestiwn, 'Pwy sy'n llunio rheolau iaith?' bydd dau neu dri neu ragor ym mhob blwyddyn yn siŵr o ateb 'Syr John Morris-Jones'! Os na bydd pawb o'r dosbarth, erbyn diwedd y cwrs, wedi eu diddyfnu oddi wrth yr ofergoel yna, byddaf yn ystyried fy mod wedi methu'n ddybryd.

Gallwn ateb y ddau gwestiwn yn fyr, a bron â'r un ateb. 'Beth yw cywirdeb?' Yn y bôn, yr hyn sy'n gywir mewn iaith yw'r hyn sy'n arferol, yr hyn y cytunir arno drwy arferiad ymhlith siaradwyr yr iaith. 'Pwy sy'n pennu rheolau iaith?' Ei siaradwyr hi, wrth gwrs, drwy gytundeb tawel, greddfol. Gall penderfyniad pwyllgor neu banel bennu orgraff, sef confensiwn sillafu'r iaith, a gall pwyllgor neu banel dderbyn arweiniad un dyn os oes ganddo wybodaeth hanesyddol arbennig, fel a ddigwyddodd pan gafodd Syr John ei ffordd gydag orgraff y Gymraeg. Ond peth arwynebol yw orgraff, er cystal yw bod pawb yn dilyn yr un confensiwn: fe lunir *cystrawen* iaith, sef ei hadeiledd sylfaenol, drwy gonsensws y rhai sy'n ei siarad hi. A'r pwyslais, sylwer, ar *siarad*, yn hytrach nag ysgrifennu. Siarad yw'r peth sylfaenol, dyna egwyddor gychwynnol ieithyddiaeth fodern: nid yw ysgrifennu yn ddim ond ymgais amherffaith i gynrychioli siarad. Mae siarad yn bod ymhell cyn bod ysgrifennu, ac fe'i defnyddir gan lawer mwy o bobl. O safbwynt ieithyddiaeth, system siarad yw gramadeg, disgrifiad o'r ffordd y mae pobl yn siarad iaith arbennig.

Nid llunio rheolau y mae'r gramadegwr felly, os yw'n ddyn gonest, ond eu canfod nhw, yn arferion defnyddwyr yr iaith ; ac yna ceisio'u disgrifio fel y mae'n eu canfod. Fe ellir, wrth reswm, gael gramadegwr anonest, neu ramadegwr â rhyw chwilen yn ei ben, fel ag oedd y William Owen Pughe y treuliodd Syr John y fath egni yn ceisio dadwneud effaith ei gamsyniadau. Creu iaith o'i ben a'i bastwn a wnaeth Pughe : y cwestiwn a'r dirgelwch mawr yw sut i bu i gynifer o'i gyd-Gymry ei derbyn hi a'i defnyddio. Mae'r stori mor gyfarwydd fel nad oes raid ailadrodd dim arni : fel yr aeth Syr John ati, efo'i sebon coch a'i frws bras, i lanhau'r Gymraeg o'r amhuredd a oedd yn deillio, i raddau mawr, o ymyrraeth Pughe, ac i ailorseddu mewn Cymraeg llenyddol gywirdeb, neu – a rhoi ei enw arall arno – naturioldeb.

Ble cafodd ei safon ? Mewn dau le, ac wrth bwysleisio un efallai fod perygl inni golli golwg ar y llall. Yn sicr, fe ganfu safon yn y traddodiad llenyddol, yn y clasuron rhyddiaith o'r Mabinogi hyd at y Bardd Cwsg, yng ngwaith y beirdd hyd at Oronwy Owen, ac yn neilltuol yng ngwaith penceirddiaid y bymthegfed ganrif. 'Rhyfedd mor salw yw Cymraeg y rhan fwyaf ohonynt,' meddai am yr ugain ymgeisydd am gadair Eisteddfod Lerpwl (1900). 'Os bydd dwy ffurf ar air i'w cael, y maent bron yn sicr o ddewis y fwyaf anghywir. Ni ddilynant mo'r hen awduron na'r Beibl Cymraeg.' Yn y feirniadaeth hon y mae'n gwrthod *dyddiol* ar y tir ei fod yn 'rhy debyg i'r Saesneg *daily*', ac yn annog *beunyddiol*. 'Gair tafodieithol diweddar yw *dynes*,' meddai yn Eisteddfod y Rhyl (1904), 'rhy isel gan gyfieithwyr y Beibl i'w arfer.' Yn Aberpennar (1905) mae'n deddfu nad oes lluosog i *entrych*, ac felly bod *entrychion* yn annerbyniol. Nid iawn, felly, i bapur dyddiol ganmol dynes i'r entrychion. Mewn rhai enghreifftiau fel y rhain, gall Syr John ymddangos yn or-geidwadol ac yn or-barticlar yn ei ymchwil am warant llenyddol. Ond yr oedd ganddo hefyd safon arall, na ddylem byth ei hanghofio. Y mae'n cyfeirio'n bendant iawn ati mewn dwy ysgrif allweddol a gyhoeddodd ychydig dros ganrif yn ôl, pan oedd yn dechrau ar ei waith ym Mangor. Yn *Y Geninen*, 1890, ceir ei ysgrif 'Cymraeg Rhydychen', sef amddiffyniad o'r math o Gymraeg llenyddol a lysenwyd felly oherwydd ei ffafrio gan Syr John ei hun, a chan O.M. Edwards ac eraill o'r cyfeillion a fu gyda'i gilydd yng Nghymdeithas Dafydd ap Gwilym ac o dan ddylanwad Syr John Rhŷs. Trafod orgraff y mae yn y brawddegau yr wyf am eu dyfynnu, gan wrthateb ysgrif yn rhifyn blaenorol *Y Geninen* gan Edward Foulkes. Gwrandewch : 'Ac y mae i eiriau seiniau llenyddol wedi eu trosglwyddo i ni gan draddodiad ein tadau – y seiniau a roddir yn naturiol iddynt wrth ddarllen gan Gymro deallus dirodres.' Dyma gwrdd ag ail brif gymeriad ein darlith ni heno, a daw ei enw i fyny'n fuan iawn eto. Ymhlith nifer o bwyntiau eraill mae Syr John yn trafod sillafiad y gair 'diben', gan ffafrio'r sillafiad 'di-', sydd bellach wedi hen adennill ei dir, yn erbyn y 'dyben' a oedd mor hoff gan ysgrifenwyr Oes Victoria, o dan ddylanwad Pughe. Dyma ni eto : '... er hyn oll y mae'r hen sain lenyddol draddodiadol wedi dal ei thir, a *diben* a ddywed y Cymro deallus, dirodres hwnnw y soniais amdano.' Flwyddyn yn ddiweddarach (1891), yn ail argraffiad *Y Gwyddoniadur Cymreig*, dyma inni ysgrif hir gan John Morris-Jones ar yr iaith Gymraeg. Mae'n ei thrafod yn hanesyddol a dadansoddol ; mae'n awdurdodol iawn, ac yn eglur a choeth a darllenadwy dros ben, fel popeth a ysgrifennodd. Dyma'n wir gnewyllyn yr hyn a dyfodd yn ramadeg 1913. Yma eto fyth, mae'n sôn am yr un cymeriad (fe welir oddi wrth orgraff y dyfyniad nad oedd Syr John eto wedi mynd i'r afael â rhai pethau) :

> Sieryd Cymro dirodres y Gymraeg â'r gystrawen Geltaidd a ddysgodd gan ei fam. Ond pan gymmer hwnnw bin yn ei law, ysgrifenna chwyddiaith annaturiol y buasai arno gywilydd ei siarad. Paham ? meddwch. O blegid sieryd wrth reddf – ysgrifenna wrth ei reswm ; ac y mae greddf y gŵr yn hyn, fel llawer peth arall, yn fwy cywir arweinydd na'i reswm. Gorfoda'i reddf iddo fod i ryw raddau yn naturiol wrth siarad – a natur sy'n iawn ...

Dyma egwyddor yr ieithyddwr modern, gwyddonol : natur sy'n iawn ; greddf ac arferiad sy'n pennu rheolau iaith, ac mae'r siaradwr dirodres yn dilyn y rheini. Efallai i Syr John, mewn blynyddoedd wedyn, golli golwg ar yr egwyddor hon rai troeon, yn ei frwdfrydedd mawr dros geinder Cymraeg llenyddol, ysgrifenedig. Ond yn sylfaenol mi ddaliaf na chefnodd ef erioed arni : ac mai hynny sy'n rhoi i'w waith gramadegol yr awdurdod sydd iddo o hyd.

'Y Cymro dirodres', neu'r 'Cymro deallus dirodres'– beth a ddywedai hwnnw, yn naturiol ? Dyna'r safon, yn ôl John Morris-Jones, ganrif yn ôl. Yr wyf am godi cwestiwn ynglŷn â'r Gymraeg sy'n gyfarwydd i ni heddiw, a'r problemau sy'n codi wrth ddysgu ei hysgrifennu, a dysgu amdani. Rhinwedd moesol yw bod yn ddirodres. A chryfder cynhenid yw bod yn ddeallus. Ai rhodres, neu ddiffyg deall, neu'r ddau, yw achos pob gwyro oddi wrth reol iaith, pob 'gwall' ys dywedai'r gramadegwr traddodiadol, pob 'newid ieithyddol' chwedl geirfa fwy niwtral yr ieithyddwr modern ? Beth am y newidiadau a welwn ac a glywn ni yn y Gymraeg sy'n cael ei siarad a'i hysgrifennu heddiw ? Beth yw eu hachos nhw ? Rhodres ? Twpdra ? Ynteu rhywbeth arall ? Weithiau fe'm caf fy hun, a phosib iawn fod rhai ohonoch chwithau'n eich cael eich hunain, yn dweud 'Wel, ie, cyfuniad o rodres a thwpdra ydi peth fel hyn', er enghraifft pan glywn ni rywun yn dweud, heb gysgod gwên ar ei wyneb, 'y dylai pob person yn y gymuned werthuso'r adborth y mae'n ei dderbyn gan berson arall, a gofalu nad yw'n cael ei ddominyddu gan gysyniadau anghywir'. 'Onid oes rhyw ddylni rhyfedd ar bobl?' meddai Syr John yn Eisteddfod Caernarfon (1906), a dichon y cawn ninnau'n hunain weithiau'n gofyn yr un cwestiwn. Digon tebyg fod gennych chwithau, fel finnau, eich hoff esiampl o eirio biwrocrataidd neu o'r 'Gyfieitheg' sy'n gyrru rhywun i droi at y Saesneg er mwyn gwybod beth yn y byd mawr mae hi'n trio'i ddweud.

O hyn i ddiwedd y ddarlith, fe osgown ni ddychan, a hefyd gyfiawnder moesol. Rwy'n eich gwahodd chi i edrych gyda mi yn o bwyllog ar bum paragraff o Gymraeg. Maent yn arddangos amrywiaeth o bethau y byddid, yn draddodiadol, yn eu galw'n 'wallau': ffurfiau a nodweddion ansafonol, a chystrawennau sy'n groes i batrymau traddodiadol yr iaith. Mae gwall a gwall, fel y gwelwn ni'n syth, rhai yn bwysicach a difrifolach nag eraill. Awn at y darn cyntaf:

I

> Nid wyf yn un or bobl rheiny sy'n hoffi ffreuo, ond nid gormodiaeth i'w dweud fy mod yn tueddi gadw draw oddiwrtho. Yr oedd yn hyn na mi, ac yn rywun â deilyngau barch fel meistr ar ei gelfyddid ac eulun cynilleidfa; yr oedd yn chwareuwr medrys dros ben. Eto'i gyd teimlwn rhyw wrthdarro rhyngddo ef a minnau, ag fe'i cawn yn annodd cynal sgwrs ag ef. A'i am ein bod mor anhebyg o ran persenoliaeth? Yntau am fod ryw ysfa ynddo ef i hawlio ufudddod ag i rheolu pawb? Credai y byddai anrhefn yn y

> coleg os a'i ef oddiyno. Efallai mae darlyn anheg ohonno i'w hyn, ond felly ei gwelwn i beth bynnag. Nid oedd yn orhoff or Cymru, ac yr oeddwn wedi penderfynu ersdalwm mae'r peth gorau oedd osgoi'r testyn hwnw, rhac ofn. Ni hoffai'r Anibynnwyr chwaith. Pryn bynnag, nid enill buddigoliaeth yw popeth ym mywy dyn. Unai rhaid ir aelodau ddal yn dryw neu ddysgu byw heb eu gilydd.

Mae yn y darn hwn drigain o bethau a gyfrifid yn wallau gan y rhan fwyaf ohonom, pethau y byddai Syr John yn cael hen hwyl ar eu dyrnu. Ond bwriwch am funud fy mod yn gofyn i bawb ohonoch gau'ch llygaid neu beidio ag edrych ar y darn, a 'mod innau'n ei ddarllen yn uchel ichi: fe allech wrando arno heb sylwi fod nemor ddim o'i le. Mae'r gystrawen yn gywir drwyddo a'r synnwyr yn ddi-fai. Gwallau orgraff yw'r cyfan bron, a gallai'r darn gynrychioli gwaith Cymro naturiol nad yw'n gyfarwydd â chonfensiynau ysgrifennu'r iaith. Methodd roi collnod yn 'o'r', ond rhoddodd gollnod diangen yn 'eto i gyd', a hefyd yn 'ai' (y ferf, 3ydd person amodol), ac 'ai' (y geiryn gofynnol); yn lle rhoi hirnod yn 'hŷn', dyma'i roi ar yr 'a' perthynol yn 'a deilyngai'. Mae dyblu *n* ac *r* yn broblem iddo: 'gwrthdarro', 'annodd', 'cynal', 'anhebyg', 'bynag, 'penderfynnu', 'enill', 'Anibynnwyr': mae pob un o'r rhain yn groes i'r arfer cymeradwy, ond heb i hynny effeithio o gwbl ar yr ynganiad na'r ystyr. Mae'n cofnodi deuseiniaid mewn ffordd wahanol i'r arfer ysgrifenedig: 'gormodiaeth' (efallai mai dyna mae'n ei glywed yn ei ben), ac 'eulun'; yn 'ffreuo', 'celfyddid', 'cynilleidfa', 'chwareuwr', efallai ei fod yn fwy triw i'r ynganiad nag y byddai wrth eu sillafu'n gywir – neu, chwedl ef ei hun, yn fwy 'tryw'. Oc os ynganu 'dryw' (dryw bach) yn 'driw', pam nad ysgrifennu 'yw' yn 'i'w', neu o leiaf yn 'iw', meddech chi? Mae 'persenoliaeth' yn cynrychioli ynganiad rhai pobl, a rhai tafodieithoedd yn fwy na'i gilydd, rhai nad ydynt yn ynganu'r *o* yn rhyw grwn iawn. Mae'r awdur yn cymysgu weithiau gyda'r sain neu'r ffonem *u*, yr unig un yn Gymraeg a gynrychiolir gan ddau symbol gwahanol: 'medrys', 'darlyn', 'testyn', 'pryn bynnag' ar y naill law, a 'Cymru' (am y bobl) ar y llaw arall. Byddai wedi ennill marc drwy sgrifennu 'oddi wrth' yn ddau air, a'r un modd 'un ai'; byddai heiffen yn 'or-hoff' wedi helpu'r ynganiad, a byddai heiffen, o'i sodro yn y lle iawn, wedi datrys dryswch y tair *d* yn 'ufudd-dod'. Pwy ohonom ni a âi ar ei lw ei fod bob amser yn ynganu 'anhrefn' yn hytrach nag 'anrhefn'? A oes yma rywun nad yw'n dweud 'ersdalwm'? Yr un modd, mynd yn ôl y glust sydd wedi rhoi inni 'tueddi gadw', 'rhac ofn' ac 'ym mywy dyn'. Fe ddangosodd Syr John yn gwbl argyhoeddiadol mai 'ei gilydd' sy'n gywir, ond gallwn ddeall pam y mae rhai'n dal i sgrifennu 'eu gilydd', ac nid oes dim gwahaniaeth yn yr ynganiad. Wrth gwrs, mi fyddwn yn cywiro'r darn, mewn trigain lle, ac yn cynghori'r awdur i ymgydnabyddu â'r orgraff. Ond mae calon yr awdur yn y lle iawn. Torri confensiwn sydd yma, gydag arwyddion diffyg profiad mewn ysgrifennu a darllen. Ni welaf yma ddim o'r rhodres sy'n torri consensws siaradwyr yr iaith. Gyda'r ddau ddarn nesaf rydym yn mynd i fyd gwahanol.

II (a)

Ni wyddwn (1) os oeddwn yn y lle iawn, ond yr oedd hon yn stryd (2a) tebyg iawn i'r un yn y llun, gyda llawer o dai pobl (2a) cyfoethog; yr oeddwn i fod i chwilio am y (2b) cyfnewidfa, ond nid oedd gennyf wybodaeth (2a) digonol o'r ardal, nac o'r (2c) tri ardal arall chwaith. Yr oedd y stryd

(2ch) ynddo'i hun yn braf iawn, gydag arwyddion o lewyrch (3) y byd arian a busnes. Sylwais ar ei (4) hyd a lled, a (5) gallwn wneud dim ond rhyfeddu. Credwn (6a) yr oedd yr adeilad ar y chwith yn y pen uchaf, a disgwyliwn (6b) ef i fod yn lle urddasol. Yr oedd y gwynt yn oer, a byddwn wedi troi (7a) i mewn i ddarn o rew onibai bod gennyf gôt gynnes (7a) arnaf, ac (7a) ar fy mhen y cap blewog a gefais (7a) o'm tad. Ni allwn wneud dim (7a) am y tywydd yn y wlad hon, dim ond disgwyl (7a) nes yr haf. Aeth rhai o bobl y dref hon i fyw (7a) yn ardaloedd hollol wahanol, ac ymgartrefu (7a) mewn tawelwch y wlad. Nid yw'n bwysig (7b) yn ei hun ble mae rhywun yn byw ; rhaid i bawb wneud yr hyn sydd orau (7b) i'w hunan. Beth bynnag, cefais yr adeilad yr oeddwn yn chwilio (7b) am. Wrth y drws gofynnodd y porthor pwy oeddwn a ble roeddwn yn mynd (7b) i. Pan atebais, cefais (8) fy ngofyn i aros yn y cyntedd, a chytunais gan fy mod yn barod i (8) ufuddhau'r rheolau. Wrth ddisgwyl sylwais ar gwpwrdd a (9) safodd yn y gornel, y math o gwpwrdd a (9) ddefnyddiwyd ers talwm i gadw papurau cyfreithiol. Fe'i cefais yn anodd (10a) i gredu fod y gyfrinach yn yr adeilad hwn; ond mae'n bwysig (10a) i beidio crwydro. Diben fy ymweliad oedd (10a) i ddod o hyd i'r gwir. Bu (10b) darganfyddiad y llythyr yn drobwynt yn fy mywyd.

Yr wyf wedi rhifo a dosbarthu'r gwallau (fe'u galwn ni nhw'n hynny) yn ôl rhyw fath o system. Rwy'n eich sicrhau nad oes dim un 'gwall gwneud' yma : mae pob esiampl yn ddilys ac wedi ei chodi, o fewn y blynyddoedd diwethaf, o sgriptiau y bûm yn eu marcio. Ai gwaith efrydwyr Cymraeg yn y Brifysgol sydd yma ? meddech chwithau, yn barod i ysgwyd eich pennau mewn arswyd neu gydymdeimlad. Ie, mae arna' i ofn. I ba beth yr awn i wadu? Rwyf am bwysleisio hefyd nad anawsterau dysgwyr mohonyn nhw – mae'r rheini'n gategori ar wahân. Gadewch inni edrych ar bob gwall, a gofyn y cwestiwn ar y diwedd : beth sy'n gyfrifol ? Ai rhodres ? Ai dylni ? Ynteu rhywbeth arall ?

(1) Digon posib mai 'gwybod os', 'gofyn os', 'tybed os' a ddywed mwyafrif y Cymry Cymraeg erbyn hyn ; ac 'os mai' mewn cwestiwn pwyslais. Mae'n gyffredin ers rhyw 35-40 mlynedd, ac efallai'n wir mai ofer fydd safiad rhai ohonom dros y geirynnau gofynnol traddodiadol 'a', ac 'ai'. Mewn cwestiwn heb bwyslais, arfer yr hen Gymro naturiol oedd hepgor y geiryn gan gadw'r treiglad sy'n dangos ei ôl : 'gwybod ddaw o', 'gofyn gei di', 'tybed welodd hi'. Am fy mod yn ddigon hen i gofio hynny, mae'r 'gofyn os' yn dal i frifo fy nghlust i. Fe ddaeth o'r Saesneg *to ask if.*

(2a) 'Stryd tebyg iawn', 'pobl cyfoethog' &c &c. Mae yna fath o rodreswr sy'n rhy pwysig i dreiglo. Fe wyddoch amdano. Yr oedd adeg pan allai dreiglo'n iawn, a gallai dreiglo o hyd pe bai'n dewis. Ond mae wedi mynd yn rhy pwysig. Weithiau mae rhywun yn dweud dan ei wynt, a hwyrach y dylai ei ddweud yn uchel : 'Be haru ti'r tw-lal gwirion ? Pam na threigli di 'run fath â rhywun arall er mwyn dyn ?' Ond pwy bellach yw 'rhywun arall' ? Mae system y treigladau'n dymchwel o'n cwmpas, ac nid yw mympwy ambell ysgogyn yn ddigon i esbonio hynny. Yr un peth sydd tu ôl i holl wallau rhif 2 (a, b, c, ch). Onid enw benywaidd yw 'stryd' i bawb ? Wel nage mae'n ymddangos. Ac am y ffaith fod y gair rhyfedd 'pobl' yn fenywaidd unigol yn ei berthynas ag ansoddair, er yn cymryd berf luosog, dirgelwch i lawer ei watwar yw hynny. Nid yw'r terfyniadau '-aeth' a '-fa' yn fenywaidd i lawer o bobl erbyn hyn, felly gellir cael 'gwybodaeth digonol' ac 'y cyfnewidfa'. Yn (2a) methwyd â threiglo'r ansoddair ar ôl enw benywaidd ; yn (2b) methwyd â threiglo'r enw'i hun ar ôl bannod ; yn (2c) methwyd â rhoi rhifolyn i gytuno ('tri ardal') ; yn (2ch) collwyd y cytundeb wrth gyfeirio'n ôl ('y stryd ynddo'i hun'). Dyna ichi deulu o bedwar gwall, i gyd yn tarddu o golli'r genedl fenywaidd. Hyd yma bu'r Gymraeg yn iaith ac ynddi genedl enwau. Felly hefyd y rhan fwyaf o ieithoedd Ewrop, rhai â dwy genedl (gwrywaidd a benywaidd), eraill â thair cenedl (gwrywaidd, benywaidd a diryw neu niwtral). Ond mae un iaith fawr fyd-eang nad oes ynddi genedl enw. Saesneg yw honno, a than ei dylanwad hi mae'r ymdeimlad â chenedl yn gwanhau yn y Gymraeg. Mae cenhedlaeth wedi darganfod nad oes dim angen cenedl enw er mwyn cynhyrchu synnwyr, ac yn wir mae'n amhosibl cyfiawnhau cenedl ar unrhyw dir rhesymegol. O ganlyniad mae hyd yn oed yr enw 'merch' yn peidio â bod yn ramadegol fenywaidd, a gellir cael 'merch mawr'.

(3) 'Llewyrch y byd arian a busnes': cystrawen y fannod sy'n pallu yma. Yr hyn a ddywedai'r hen Gymro naturiol (beth bynnag am ddirodres) fyddai 'llewyrch byd arian a busnes': un fannod sydd yn Gymraeg, yn wahanol i'r Saesneg, a dangos penodolrwydd yw unig swyddogaeth honno. Yn Gymraeg nid oes angen bannod o flaen enw sy'n benodol pa un bynnag ; felly 'byd natur' (nid 'y byd natur') – onibai bod rhywbeth yn dod wedyn i amhenodoli'r enw, megis yn 'y byd natur diddorol hwn'. Ond bellach, dan ddylanwad y gystrawen Saesneg 'the world of', fe welwn 'byd arian' yn mynd yn 'y byd arian' – ac felly ymlaen. Cefais 'y Pedair Cainc y Mabinogi' mewn traethawd yn ddiweddar (*the Four Branches of the ...*).

(4) 'Sylwais ar ei hyd a lled', lle daliwn i y byddai'n well Cymraeg dweud 'ar ei hyd a'i lled'. Arfer y Gymraeg yw, neu oedd, ailadrodd y 'goleddfydd' (chwedl Peter Wynn Thomas), rhagenw meddiannol yn yr achos hwn, ac yn bendant ddigon

ailadrodd y fannod. Mae rheswm pendant a digonol am hyn: enw amhenodol yn Gymraeg yw pob enw nad oes bannod neu ryw oleddfydd arall o'i flaen. Meddyliwch am y rhestr yma: 'y drws, ffenest, cadair a bwrdd'. Mae'r drws yn un penodol, nid felly'r tri pheth arall. I drosi hyn i'r Saesneg fe ddefnyddid y ddwy fannod: 'the door, a window, a chair and a table'; neu 'the door, a window, chair and table'. Nid oes bannod amhenodol yn Gymraeg, a chymerir mai amhenodol yw pob enw heb oleddfydd o'i flaen. Petaem ni'n golygu i'r pedwar enw yn y rhestr yna fod yn rhai penodol, fe fyddem yn rhoi'r fannod o flaen pob un: 'y drws, y ffenest, y gadair a'r bwrdd'. Ond mae'r gystrawen hon yn siamsanu o dan bwysau iaith hollol wahanol, iaith sy'n arfer dwy fannod.

(5) 'Gallwn wneud dim', yn hytrach na 'ni allwn wneud dim', neu 'allwn ni wneud dim': wele enghraifft o'r hanner negyddu sy'n gyffredin bellach, lle bu'r Gymraeg yn negyddu o'r cwr. Pam? Oherwydd dylanwad y gystrawen Saesneg '*We can do nothing*'. Yr un modd 'gallwn ni ond ...' (*we can only*) &c.

(6) Gwendid sydd yma yng nghystrawen y cymal enwol neu'r is-osodiad. Arfer y Gymraeg oedd newid gêr yn rheolaidd ar ôl y brif ferf: 'Credwn fod yr adeilad ar y chwith', cyflwyno'r is-osodiad yn iawn fel yna. Bu'r Saesneg yn dweud '*I believed that the building was*', ond fe aed i ollwng y geiryn '*that*' yn y Saesneg, a phrin iawn y clywir ei golli: '*I believed the building was on the left*'. Dynwared y gystrawen hon y mae (6a) 'Credwn yr oedd yr adeilad': i'm clust i, dydi hi ddim yn gweithio, ond mae wedi dod yn hynod o gyffredin. Gwaeth eto yw (6b), 'disgwyliwn ef i fod', lle mae patrwm '*I expected it to be*' yn poenus ddisodli'r dull traddodiadol, 'disgwyliwn y byddai' neu 'disgwyliwn iddo fod'.

(7) Dyma ni ym myd yr arddodiaid, y geiriau bach sy'n

dangos perthynas dau enw, neu berthynas enw a berf. Mae gan bob iaith ei dewisiad ei hun o arddodiaid, a'i ffordd ei hun o'u trin. Os yw'r arddodiaid yn sownd, mae'r iaith yn gadarn; mae ansicrwydd gyda'r rhain yn un o'r arwyddion cyntaf o golli gafael. Ystyriwch bopeth dan (7a). 'Troi i mewn i ddarn o rew' (*to turn into ...*). 'Troi yn rhywbeth' sydd – neu oedd – yn naturiol. Byddai'r hen Gymro naturiol yn rhoi dillad *arno* yn y gwely, a dillad *amdano* i fynd allan, a gwisgo'i gap *am* ei ben; ond dyma hwn, yn ein stori, yn cerdded i fyny'r stryd a'i gôt *arno*, ac *ar* ei ben y cap blewog a gafodd *o'i* dad. 'Be haru ti'r lembo gwirion?' meddem ninnau, ond rydym yn gwybod hefyd beth sydd arno, ac ar lawer yr un fath: dylanwad trwm a diosgoi y Saesneg. Fe aeth 'gwneud dim *ynghylch* rhywbeth', neu '*ynglŷn â* rhywbeth' yn 'gwneud dim *am* rywbeth': a gellid amlhau enghreifftiau. Yr oedd greddf y Cymro yn ei arwain i ddewis yr union un o blith 'hyd', 'nes', 'hyd nes', 'tan'; ond collwyd y sicrwydd hwn, dan ddylanwad yr iaith arall, nad yw â'r un dewis o arddodiaid, a cheir 'disgwyl nes yr haf'. Doedd dim eisiau dweud wrth Gymro pryd i ddweud 'yn' a phryd i ddweud 'mewn'; roedd yr arferiad yn ddi-ffael. Ond bellach dyma roi 'yn' o flaen enw amhenodol 'i fyw yn ardaloedd', a 'mewn' o flaen enw penodol 'mewn tawelwch y wlad', gan wyrdroi'r patrwm yn hollol. Yn (7b) dyma beth gwahanol, sef methu neu anghofio rhedeg yr arddodiad; aeth 'ynddo'i hun' yn 'yn ei hun'; 'iddo'i hunan' yn 'i'w hunan'. Symleiddio mawr sydd yma, ar batrwm y Saesneg, iaith nad oes ganddi ddim ffurfiau personol ar arddodiaid, dim byd yn cyfateb i 'ynddo', 'wrthi', 'trosto' &c. Daeth 'wrth ei hun' a 'tros ei hun' yn dra chyffredin, a gellir gweld pam. Yr oedd greddf Cymro yn gwrthod gadael arddodiad yn foel ar ddiwedd cymal, ac yn mynnu cytundeb wrth gyfeirio'n ôl: ond bellach dyma inni 'yr adeilad yr oeddwn yn chwilio am' a llawer o bethau tebyg, sy'n symleiddio gan osgoi problemau cenedl a chytundeb. Yn (7c) dyma beth tipyn bach yn wahanol eto, sef camleoli'r arddodiad mewn cwestiwn, neu o leiaf ei leoli'n groes i'r arfer traddodiadol : 'ble roeddwn yn mynd i'. Cymharer 'lle ti'n dod o', 'be ti'n sôn am', 'be mae o'n edrych fel' a 'pwy ti'n mynd efo'.

(8) Mae a wnelo hyn â chystrawen y ferf, dwy enghraifft fechan o beth mawr, sef colli, dan ddylanwad y Saesneg, y cyswllt traddodiadol rhwng berf ac arddodiad. Yn Saesneg mae'r ferf '*to ask*' yn cymryd gwrthrych personol yn uniongyrchol, h.y. yn rhoi '*to ask me*' ac '*I was asked*'. Yn Gymraeg, 'gofyn i rywun', ac felly 'gofynnwyd imi': ond bellach fe welwch ôl y Saesneg ar 'cefais fy ngofyn'. '*To obey a rule*', meddai'r Sais, a'r gwrthrych yn uniongyrchol ; a'r Cymro yn 'ufuddhau i reol' : ond fe welwch y patrymu ar y Saesneg eto : 'ufuddhau'r rheolau'.

(9) Y pwnc yw amserau berfau, ac un agwedd yn arbennig. Y mae gan y Gymraeg ddau rediad gwahanol o ferfau i gyfleu, ar y naill law y gorffennol syml neu derfynedig ('safodd, defnyddiwyd'), ac ar y llaw arall y gorffennol amhenodol, y peth yr arferem ei alw'n 'amherffaith' ('safai, defnyddid'). Yr un ffurf sydd gan y Saesneg am y ddau (*stood, used*), a'r cyd-destun sy'n dweud y gwahaniaeth. Bellach dyma batrymu ar y Saesneg, a cholli'r ystyr yn y fargen : 'cwpwrdd a safodd yn y gornel', 'y math o gwpwrdd a ddefnyddiwyd ers talwm' : nodwedd dra chyffredin, a thrafferthus.

(10) Mater mawr y berfenw. Yn (10a) fe geir 'anodd i gredu', 'pwysig i beidio', 'oedd i ddod', yn lle'r cystrawennau traddodiadol 'anodd credu', 'pwysig peidio', 'oedd dod'. Un gair yw berfenw i'r Cymro naturiol – mynd, dod, sefyll, dweud, canu. Yn Saesneg mae'r *infinitive* yn ddau air – *to go, to come, to*

stand, to say, to sing. Dan ddylanwad hwnnw, dyma wthio rhyw 'i' hollol ddiangen i'r berfenw Cymraeg, ac mae'n gwichian yn boenus ar fy nghlust i – 'mae'n wir i ddweud', 'mae'n bosib i fynd', 'ei nod yw i lwyddo', 'yr unig ateb yw i brotestio'. Yn (10b) mae enghraifft o rywbeth arall pur annifyr, sef arfer enw yn lle berfenw, o dan ddylanwad y Saesneg eto. 'Bu darganfod y llythyr yn drobwynt', ddywedai'r Cymro naturiol y buom yn sôn amdano. Ond ble mae hwnnw erbyn hyn ?

Efallai ein bod ni erbyn hyn wedi cael yr ateb, neu ran go dda o'r ateb, i'r cwestiwn yr ydym wedi ei osod. Pam y mae'r Gymraeg heddiw yn newid mor gyflym, ac yng ngolwg rhai ohonom yn dirywio ? Ai am ein bod ni'n rhodresgar ? Ai am ein bod ni'n ddi-ddeall ? Ynteu am ein bod ni'n ddwyieithog ? Rwy'n amau mai'r olaf. Yn narn II (a) fe welsom y deg prif newid, neu'r deg prif wall, sy'n digwydd yn y Gymraeg heddiw oherwydd modelu uniongyrchol ar y Saesneg. Mae yna enghreifftiau eraill, ond doedd gen i ddim calon i ddisgyn i'r lefel lle mae 'fi cael' (*I have*) yn disodli 'mae gen i'. Bron na alwn i'r deg patrwm yn II (a) yn 'wallau safonol'; maent yn digwydd yn rheolaidd, ac yng ngwaith rhai nad ydynt ddibrofiad o drin y Gymraeg. Mae ynddynt gysondeb, pob un yn dangos disodli'r gystrawen Gymraeg gan gystrawen yr iaith arall.

II (b)

> Y mae adeiladwaith (1) gadarn ac uchafbwynt (2) gyffrous i'r stori hon, un o nofelau (1) fyrraf yr awdur. Daw (2a) dwy bwnc pwysig i'r amlwg yn y (2b) drydedd baragraff, ac wrth ddisgrifio'r (3a) ddigwyddiad y soniais amdano y mae'r cyffro yn ei (3b) hanterth. Y tu ôl i bob trasiedi (4a) ydyw awydd dyn i gyflawni rhywbeth ; aflwyddiannus (4b) y mae

> yn y diwedd. Mae'n (5a) ei ymroddi ei hun i ryw ymdrech fawr, ond daw rhywbeth (5b) i'w ymatal. Gwelwn ei (6) fod yn anorfod i awdur ddefnyddio'r profiadau (7a) y cafodd ei hun a'r cymeriadau (7b) a ddaeth ar eu traws ; ac wele awdur (7b) a ddylanwadwyd yn gryf arno gan y sefyllfaoedd (7c) lle bu ynddynt. (8) Dywedir rhai pobl fod y stori'n anodd : ond (9) dylir gwneud yr ymdrech i'w deall. (10) Safer y darllenydd yn y goleuni iawn. Pwy yw gwir arwr y stori, (11) nid yw'r awdur heb ddweud wrthym. Mae'n (12) ein gwneud i feddwl, ac (13) os buasem wedi derbyn ei holl awgrymiadau buasem yn deall. Edmygwn (14a) dawn yr awdur a'r ffordd y disgrifia (14b) Cymru yn oes ein teidiau, a gwelwn y dylanwadau a ffurfiodd (14b) bywyd yr oes bresennol. Y cwestiwn yn y bennod olaf yw ai'r fam (15) neu'r ferch sy'n iawn. Mae yma (16) rhyw ddirgelwch sydd yn (17) fythol deffro'n chwilfrydedd. Mae'r datblygiad yn hamddenol tra (18) bo'r diweddglo'n sydyn ac annisgwyl. Mae rhyw naws (19) Ffrangeg yn perthyn i'r stori hefyd. Nid wyf am newid fy marn (20) i.

Yn y darn hwn down at batrymau ychydig yn wahanol. Allwn ni ddim dweud bod yma fodelu uniongyrchol ar y Saesneg, fel yn II (a). Eto mae yma wanhau ar y patrymau Cymraeg, ac anodd meddwl am achos i hynny heblaw pwysau'r Saesneg. Nid disodli sydd yma, ond rhyw ansefydlogi.

(1) Mae'r awdur yn treiglo'n llawen ar ôl enwau gwrywaidd ac enwau lluosog: 'adeiladwaith gadarn', 'uchafbwynt gyffrous', 'nofelau fyrraf'. Nid yw grym terfyniadau gwrywaidd fel '-waith' a '-bwynt' yn cael unrhyw effaith arno. Fe ŵyr fod yna'r fath bethau â threigladau, ond ni ŵyr beth i'w wneud â nhw, felly mae'n eu taflu i mewn rywle rywle. Hwdiwch, dyma

ichi dreiglad. Mae ei synnwyr treiglo wedi mynd. Yr un modd yn (2); rywle yng nghefn ei gof, mae gan yr awdur syniad fod y fath beth â chenedl enw, a'r fath bethau â ffurfiau benywaidd. Pa enwau sy'n fenywaidd, ŵyr o ddim, ond mae'n mentro'r rhifolyn benywaidd (2a) a'r trefnolyn benywaidd (2b): 'dwy bwnc' a 'drydedd baragraff'. Allwch chi ddim dweud ei fod yn dynwared y Saesneg, ond fe amharwyd ar ei synnwyr cenedl gan bwysau'r iaith honno, nad oes iddi genedl enw. Yn (3a) mae'n treiglo enw gwrywaidd ar ôl y fannod ('disgrifio'r ddigwyddiad'), ac yn (3b) mae'n colli'r cytundeb wrth gyfeirio'n ôl ('cyffro yn ei hanterth').

Mae (4a) a (4b) yn dangos yr ansicrwydd sydd bellach gyda chystrawen y ferf 'bod', pryd i ddweud 'yw, ydyw, ydi' a phryd i ddweud 'mae'. A rhoi'r peth yn ofnadwy o dechnegol, mae'r awdur wedi cymysgu'r gystrawen ddibeniadol ('y tu ôl i bob trasiedi y mae') a'r gystrawen gypladol ('aflwyddiannus ydyw'), dan bwysau'r iaith arall, lle nad yw'r dewis hwnnw'n bod. Does ganddo mo'r afael oedd gan ei dad a'i daid, oherwydd mae arno bwysau mawr nad oedd arnyn nhw.

Yn (5a) a (5b) mae'r awdur yn methu trin y ferf atblygol, y math o ferf lle mae'r 'ym-' yn troi'r weithred yn ôl ar y gweithredydd. Yn (5a) mae wedi ychwanegu 'ei hun' yn ddiangen at ferf sydd eisoes yn golygu 'rhoddi ei hun'; ac yn (5b) mae wedi rhoi gwrthrych pellach i ferf atblygol: fedrwch chi ddim 'ymatal rhywun', dim ond 'atal rhywun'. Mae yma nodwedd ramadegol nad yw'n bod yn Saesneg, ac am hynny ŵyr yr awdur ddim beth i'w wneud â hi. Dylid caniatáu, wrth reswm, fod ambell ferf, fel 'ymolchi' ac 'ymestyn', wedi colli peth o'u grym atblygol, ond ychydig yw'r rheini.

(6) Dyma beth sy'n dod yn gyffredin iawn: 'ei fod yn anorfod'

lle byddai'r Cymro naturiol, tan yn ddiweddar, yn dweud 'ei bod yn anorfod'. 'Hi' oedd yr 'hi' (y rhagenw gwag, ys dywed Peter Wynn Thomas), yn 'mae hi'n oer', 'mae hi'n anodd', 'mae hi'n amlwg', 'mae hi'n anorfod'; ond dyma inni bellach genhedlaeth yn dweud 'mae o'n oer', 'mae o'n anodd dweud' &c, dan ddylanwad yr iaith arall, nad oes ynddi genedl enw. Cofiaf yr adeg pan gyfrifid hwn yn wall pathetig iawn, peth nas clywid ond gan gipar mewn drama.

Cymalau perthynol sydd yn (7). Mae'r gramadegau Cymraeg yn arfer sôn am y math rhywiog a'r math afrywiog. Efallai nad oedd ein tadau ni'n gwybod y ddau derm, ond doedden nhw byth yn cymysgu'r ddau fath. Mae'r awdur yma wedi'u cymysgu nhw, gan ddweud 'profiadau y cafodd ei hun' lle byddai ei dad yn dweud 'profiadau a gafodd ei hun' (7a) (perthynas uniongyrchol); ac o chwith yn (7b), lle dylai'r berthynas fod yn anuniongyrchol ('y daeth ar eu traws', 'y dylanwadwyd yn gryf arno'). Drachefn, nid dynwared y Saesneg sydd yma, ond methu â thrin patrymau nad ydynt yn bod yn Saesneg. Yn (7c) yr hyn sydd wedi digwydd yw cymysgu dau fath gwahanol o gymal, 'y sefyllfaoedd y bu ynddynt' (cymal perthynol) a 'y sefyllfaoedd lle bu' (cymal yn cyfosod dau enw), gan greu rhyw fwngrel o'r ddau.

Yn (8) dyma wall newydd, a ymddangosodd yn sydyn ryw bum mlynedd yn ôl a dod yn boblogaidd iawn: 'dywedir rhai pobl'. Mae'r awdur wedi gweld neu glywed ffurfiau amhersonol, ond does ganddo mo'r syniad lleiaf i beth y maen nhw'n dda; mae'n rhoi gweithredydd ar eu holau a'u defnyddio yn union fel pe baent yn ffurfiau personol. Pam? Dydyn nhw ddim yn bod yn Saesneg. Does dim arweiniad yn y fan honno beth i'w wneud â nhw. Gwall babïaidd iawn, meddem ninnau sydd wedi'n magu ar fwyd gwahanol. Ond y ffordd yna mae hi'n mynd.

(9) 'Dylir gwneud' yn lle 'dylid gwneud'. Y disgrifiad gramadegol yw mai 'berf ddiffygiol' yw 'dylid', gyda ffurf amhenodol yn gweud gwaith y presennol bob amser – wel, bob amser tan rŵan. Nid apelio at y rheol y byddai tad a thaid yr awdur hwn, ond dilyn yr arfer. Bellach mae'r arferiad yn cael ei dorri, a chenhedlaeth newydd yn methu â gweld pam na ddylai fod presennol, ac felly'n gwneud un. Fe allech ddweud mai rhesymoli sydd yma.

(10) 'Safer y darllenydd'. Pethau digon buddiol yn Gymraeg, ond cwbl ddieithr i'r Saesneg, fu'r gorchymyn amhersonol ('safer') a'r gorchymyn trydydd person ('safed'). Maent yn nodweddion Cymreig, Cymreigaidd, does dim math o arweiniad o du'r Saesneg sut i'w trin, nid yw'r dewis yn bod yn Saesneg. Felly dyma'u cymysgu.

(11) Yn II (a) cawsom enghraifft o 'hanner negyddu' (eitem 5 : 'gallwn wneud dim ond rhyfeddu'), a phatrwm y Saesneg yn amlwg iawn. Y tro yma, dyma'r gwrthwyneb i hyn, sef dwbl negyddu neu or-negyddu'r frawddeg : 'nid yw'r awdur heb ddweud wrthym', neu ar lafar 'dydi'r awdur heb ...', sy'n golygu'n rhesymegol 'mae'r awdur wedi dweud wrthym', gyda'r ddau negydd yn croesi ei gilydd allan. Nid yw'r awdur yn gweld sut mae 'heb' yn gweithio, am nad oes cystrawen o'r fath yn Saesneg.

Mae (12) yn dangos ansicrwydd mawr gyda chystrawen y ferf 'gwneud'. Mae 'ein gwneud i feddwl' yn dod yn gyffredin iawn ar draul 'gwneud inni feddwl'. Ceir 'gwneud pobl i chwerthin', 'gwneud dyn i grio', a phethau felly.

(13) Cymalau amod. Bu'r Gymraeg yn arfer cynnig dewis rhwng dau fath o amod : amod y disgwylir gweld ei chyflawni, yn cael ei chyflwyno gan 'os', ac amod ddamcaniaethol, yn cael

ei chyflwyno gan 'pe' (neu ffurfiau cywasgedig yn cynnwys olion 'pe' – ''tae', ''tasa' &c). Am nad yw'r dewis yma'n bod o gwbl yn Saesneg, mae pobl yn cloffi wrth drin y gystrawen Gymraeg, ac yn dweud pethau fel 'os buasaem ... buasem'. Mae yma fethu â manteisio ar bosibiliadau'r Gymraeg, am nad yw'r un posibiliadau yn bod yn Saesneg.

(14) Dyma rywbeth eithaf difrifol : colli treiglad y gwrthrych, a thrwy hynny golli golwg ar ba un yw gwrthrych y frawddeg neu'r cymal. Mae (14a) yn enghraifft o fethu â threiglo'n syth ar ôl y ferf : 'edmygwn dawn', ac erbyn (14b), 'disgrifia Cymru' a 'ffurfiodd bywyd' dyma hi'n waeth eto gyda'r diffyg treiglo yn troi goddrych a gwrthrych yn hollol o chwith. Mae'r drol ar ei hochr yn y ffos yn y fan hyn, ond coeliwch fi mae'n anodd iawn cael disgyblion a myfyrwyr i weld bod yma ddim o'i le. Maen nhw'n disgwyl y bydd trefn y geiriau'n dangos pa un yw'r goddrych a pha un yw'r gwrthrych, fel yn y Saesneg.

(15) Un posibilrwydd sydd yn Saesneg, '*or*'. Ond yn Gymraeg mae inni'r ddau bosibilrwydd 'neu' ac 'ynteu' (gyda'r talfyriad Gogleddol ''ta'). Mae 'neu' yn *cyfeirio* at ddewis, ond mae 'ynteu' yn *gwahodd* dewis. Dyna o leiaf yr arferiad llenyddol, ac mae llafar y Gogledd yn cytuno. 'Gymeri di de neu goffi ?' I mi, yr ateb yw un ai 'cymeraf' neu 'na chymeraf', oherwydd nid yw'r cwestiwn yn gofyn imi ddweud pa un. I mi ddweud pa un, y cwestiwn fyddai 'Te 'ta coffi gymeri di ?' Mi wn yn iawn fod arfer y De'n wahanol, ac felly arfer y mwyafrif o siaradwyr Cymraeg. Ond teclyn defnyddiol yw 'ynteu' yn yr iaith lenyddol, a thrueni fyddai ei golli. Dyna sy'n digwydd, gwaetha'r modd, gollwng adnoddau dros gof am nad oes dim cyfatebol yn y Saesneg.

(16) 'Mae yma rhyw ddirgelwch' : methu â threiglo ar ôl adferf. Ac yn (17), 'yn fythol deffro', dyma dreiglo o chwith yn y

gystrawen lle daw ansoddair o flaen berfenw. Dyma ddau achos cyffredin eto o golli golwg ar y patrwm, am nad oes dim byd tebyg yn Saesneg.

(18) Fe ysgrifennodd yr awdur 'tra bo' am ei fod yn cofio clywed 'tra bo', ond nid ystyriodd y cyd-destun. 'Tra bo dŵr y môr yn hallt', ie, am fod yr ystyr yn ddibynnol. Ond weithiau 'tra mae', neu 'tra bydd', fyddai'n naturiol a chywir. Mae gan yr awdur ryw ymwybyddiaeth o'r modd dibynnol, mae wedi gweld neu glywed gweddillion ohono. Ond ni ŵyr beth i'w wneud ag o, am nad yw'n beth gweithredol yn Saesneg.

(19) Mae'r gwahaniaeth rhwng 'Ffrangeg' a 'Ffrengig', 'Cymraeg' a 'Cymreig' yn mynd yn ddiystyr i'r awdur. Felly gellir cael 'naws Ffrangeg' a 'cig eidion Cymraeg'. Mae yma ddewis nad yw'n bod yn Saesneg.

(20) 'Nid wyf am newid fy marn i'. Lle mae'r meddiannol yr un â'r gweithredydd, nid oedd y Gymraeg yn arfer rhoi rhagenw ategol wedyn, ac eithrio lle golygid pwyslais neu gyferbyniad. 'Rydw i am wisgo fy nghôt', ond 'mi gymera' i dy gôt di'; 'maen nhw wedi gwerthu'u car', ond 'rydw i wedi prynu'u car nhw'. Bellach mae'r rhagenw ôl yn ymwthio i mewn yn gryf, ac yn ddiangen. Fe gollir darn o gyfrwystra neu gywreinrwydd yr iaith, am nad yw'r cywreinrwydd hwnnw i'w gael yn yr iaith arall.

Rhwng darnau II (a) a II (b) mi fentraf feddwl fod gennym ddarlun go gyflawn o'r mannau lle mae'r Gymraeg heddiw yn rhoi dan bwysau'r Saesneg. Petaem ni rywfodd yn llwyddo i oresgyn y deg problem ar hugain yna, fe allem ni eto godi cenhedlaeth i ysgrifennu Cymraeg di-fai cywir. Petawn i'n gwybod sut, mi fyddwn yn ei wneud. Mae dyn yn trio, a byddai'n dda ganddo allu dweud ei fod yn llwyddo'n amlach. Cofiwch, mae'r ddau baragraff yna yn dweud eu stori'n burion. Cymraeg ydyn nhw.

Allech chi ddim deall llinell ohonyn nhw heb Gymraeg. Ond maen nhw'n brifo clust y sawl sydd wedi ei fagu ar Gymraeg gwahanol. Dydyn nhw ddim yn unol â theithi'r iaith fel y mae'r rhan fwyaf ohonom ni sydd yma heno wedi arfer meddwl amdani.

Cofiwch, mae adegau pan na ellir rhoi'r Saesneg yn y doc a'i dyfarnu'n euog. Mae yna newidiadau mewnol, cynhenid ym mhob iaith : onidê byddai'r Saesneg ei hun wedi sefyll yn ei hunfan ers pum canrif. Creadures fraith, anghyson ac anystywallt yw pob iaith fyw. I'n hatgoffa o hynny, gadewch inni edrych ar ddau darn pellach.

III (a)

> Nid aiff y digwyddiad hwn o'm cof. Mae'n rhaid na adeg y rhyfel gyntaf oedd hi, a ninnau yn Gaernarfon. Pump gwaith y buo mi yno, ac fe fwynheuais fy hun bob tro er gwaetha'r poen yn fy mraich. Eistedd oeddwn i yng ngwyneb yr haul a fy nwy droed dros ymyl y gwch, yn gafael yn sownd gyda un law ac yn ceisio trin y rwyf gyda'r llall. Nid oedd yr afon yn ddyfn o gwbl, fawr fwy na ffoes. Roedd geneth fach yn chwarae ar y lan, ac hefyd ei mham a'i nhain, a ci. A gan fy mod ar ben fy hun, ceisiais fynd yn agosach at y dair, ond roedd yn anoddach na feddyliais i gan fod fy mraich ddim wedi gwella'n iawn. Ai'n Llanberis y gwelais i nhw o'r blaen ? Dechreuodd y nain ganu emynau, ac yr oedd yn nhrydedd bennill ei hemyn gyntaf pan y darganfyddodd fy mod i mewn trafferth. Gwaeddodd y fam gwnâi hi fy helpu, a daeth a chymeryd pen y rwyf wrth i fi ei hestyn. Gwelais wedyn mai nid y bobl feddyliais i oedd rhain.

Heb fynd trwy bob enghraifft, fe welwch beth y mae III (a) yn ei gynrychioli : mannau lle mae'r iaith yn gwrthod cydymffurfio â'r hyn sydd wedi ei ddiffinio gan ryw rai fel y norm llenyddol a ffurfiol. Yn y llinellau yna mae rhyw 38 o achosion lle gallwn i ddychmygu Syr John yn cyrraedd am ei bensel goch. Byddwn innau, mae'n rhaid imi gyfaddef, yn eu cywiro nhw bron i gyd: rhag i neb orfod eu cywiro ar fy ôl i, rhag i neb gael bai yn fy nisgyblion i ... ac er mwyn pasio'r hen lun yna. Mae 'ei mham', 'ei nhain' yn bethau y mae'r llaw ysgrifennu brofiadol yn gwrthod eu hysgrifennu; nid atelir llaw ddibrofiad yn yr un modd. Ryw ddiwrnod, ar ôl llyncu gwydraid o rywbeth, hidiwn i ddim â thrio gwthio'r llaw. Dyma inni dreiglad cwbl gynhenid a byw a naturiol, a does yna affliw o ddim o'i le arno. Os gwallau sydd yn III (a), dydyn nhw ddim yn yr un sir, heb sôn am yr un cae, â gwallau darnau II (a) II (b). Cymro iawn sydd yma, yn dweud ei stori'n ddigon eglur a chall, ond yn ôl rheolau sydd dipyn bach yn wahanol. Cymro a all fod yn ganol oed i hen, efallai. Gallai'r darn nesaf, a'r olaf, fod yn waith ŵyr neu wyres iddo.

III (b)

> Cefais lythyr wrth fy chwaer, wedi'w bostio yng Nghaerdydd. Roedd hi newydd wedi dod yn ôl o Lundain, lle bu'n gweithio dros y bum wythnos ddiwethaf. Yr oedd yn ymddiheuro i mi, a'n dweud y dylid fod wedi anfon ataf ers hir. Ni wyddwn os oedd hi yn yr un lle dal. Sgrifennais yn ôl a gofyn wrthi ddod yma. 'Mae'n hawsach idda chdi,' meddais, 'gan bod chdi efo car, a fwy o bres. Ond can punt ydw i efo.' Yr oeddwn yn disgwyl y byddai wedi ateb erbyn hyn, ond dydi hi ddim wedi.

Mae'r newidiadau yn y darn hwn at ei gilydd yn rhai mwy diweddar, a gallaf feddwl bod rhai ohonyn nhw'n eithaf tramgwyddus i rai ohonom ni. Yn sicr byddwn yn eu cywiro, am y rhesymau a nodais funud yn ôl. Nid mor hawdd eu holrhain nhw i'r Saesneg. Rhyw ymystwyrian neu ymbalfalu o fewn y Gymraeg ei hun sydd yma, diau oherwydd ansicrwydd ac ansefydlogrwydd ei sefyllfa, a phwysau'r Saesneg tu ôl i hynny. Fe welwch yma symleiddio a chywasgu: 'oddi wrth' yn 'wrth'; 'ac yn dweud' yn 'a'n dweud' – cystrawen newydd, ond cystrawen heb ddim byd arbennig o Seisnig ynddi chwaith. Daeth 'wedi'w' drwy gydweddiad ag 'i'w', 'gofyn wrthi' drwy gydweddiad â 'dweud wrthi', a 'dylid fod' drwy gydweddiad â 'dylai fod', ac am ei fod yn gweithio'n iawn. Mae yma gysoni a rhesymoli. Mae rhai arddodiaid yn cael eu rhedeg, felly pam nad rhedeg rhai eraill? Mae 'idda chdi' a 'cyno fi' yn dod yn bur gyffredin: rhesymoli yw hyn. 'Dydi hi ddim wedi gwneud', neu ynteu 'dydi hi ddim' fyddai dewis yr hen Gymro, a'm dewis innau; ond mae 'dydi hi ddim wedi' yn gyffredin ofnadwy, ac allwn ni ddim dweud mai cystrawen Saesneg yw hi chwaith. Mwrdro'r iaith? Mae iaith yn greadures wydn iawn, dim ond iddi gael llonydd rhesymol gan iaith arall.

Darnau II (a) a II (b), o hyd, sy'n dangos natur ein problem ni, a'i lled a'i dyfnder. Beth fyddai ateb Syr John Morris-Jones iddi, fedrwn ni ddim dweud: roedd ef yn gweld y cyfan mewn goleuni gwahanol iawn i ni, goleuni ei oes. Yn un peth roedd yn darlithio ar y pethau hyn wrth ei ddosbarthiadau yn Saesneg, heb weld dim o'i le ar hynny. Yr oedd y broblem a welodd Syr John gan mlynedd yn ôl, ac a daclodd ef mor llwyddiannus drwy ei grwsâd personol, yn wahanol yn ei hanfod i broblem yr iaith heddiw. Allwn ni byth bwysleisio gormod ar hynny. Gan mlynedd yn ôl, yr iaith lenyddol oedd yn gwla, oherwydd mympwy unigolion a gafodd ryw ddylanwad rhyfedd. Cymharol gyfyng oedd cylch y difrod, ac *yn fwriadol* yr oedd ymadroddion yn cael eu modelu ar y Saesneg, gan roi 'gwneuthur ei ymddangosiad' a phethau o'r fath. Yr oedd yr iaith lafar yn hollol sownd, a chanddi bum can mil o siaradwyr uniaith. Mae diflaniad y rheini wedi newid y sefyllfa mewn modd hanfodol. Yn ystod oes Syr John, ac efallai am ryw ddau ddegawd wedyn, yr oedd hi'n dal yn bosibl apelio at yr iaith lafar i gywiro'r iaith lenyddol. Yr oedd yr hen arfer llenyddol a'r hyn a ddywedai'r 'Cymro dirodres' mor aml yn cytuno, yn erbyn Cymraeg ysgrifenedig Pughe a'r Victoriaid. Yn ei ragymadrodd i'r *Bardd Cwsc*, er enghraifft, wrth drafod y gorddefnydd o 'pa un' ac 'yr hwn' o flaen cymal perthynol, gallai Syr John ddweud: 'Ni welir mo hynny mewn hen Gymraeg diledryw fel y Mabinogion, ac nis clywir ar lafar gwlad; nis canfyddir chwaith yng ngweledigaethau Elis Wyn'. Ac wrth gymeradwyo'r rhagenwau cysylltiol, 'minnau', 'tithau' &c, meddai: 'Arfera Elis Wyn hwynt yn hollol fel y'u clywir fyth ar dafod y Cymro syml'.

Bellach, ffarwél yr hen Gymro syml. Dyma ni yn y sefyllfa gwbl ddigynsail lle mae'r iaith lenyddol yn unig safon cywirdeb. Anfoddhaol, a dweud y lleiaf, yw unrhyw sefyllfa lle rydym yn dysgu iaith lafar o lyfr. Ddyweda' i ddim am John Morris-Jones, fel y dywedwyd am 'hen ddewin' arall o Fangor, cydweithiwr iddo, 'Nid oedd ef yno mwy, na'i lamp na'i air', oherwydd ni byddai hynny'n wir. Ond hyd at ryw fan yn unig y gall yr hen ddewin hwn ein harwain ni bellach, er cryfed ei lamp a chadarned ei air. Mae'r oes yn wahanol, a'i harwyddion yn gymysg iawn. Gallwn ddyfynnu ystadegau'n dangos ambell duedd gadarnhaol, ond clywn leisiau yr un pryd yn ein rhybuddio mai arwynebol yw peth o'r llwyddiant. Pa ddarogan sy'n iawn, dywedwch? Y darogan y gwêl ein plant a'n hwyrion ni, ar draws canol yr unfed ganrif ar hugain, tua hanner poblogaeth Cymru'n medru rhyw lun o Gymraeg? Ynteu'r darogan na fydd neb yn ei siarad hi erbyn hynny? Gwnaed y ddau yn ddiweddar gan sylwedyddion yr un mor wybodus â'i gilydd. Mae i ni, fel aelodau a chefnogwyr Undeb y Gymraeg, dri dewis. Rhoi'r gorau iddi, dal i gredu, neu ddal ati heb gredu. Yn foesol, nid oes unrhyw wahaniaeth rhwng yr ail a'r trydydd, ac mae enghreifftiau mewn hanes o fod yn llwyddiannus iawn ar ôl dal ati heb gredu. Anodd gen i, yn y cyfwng presennol sydd arnom fel pobl, feddwl am ddim byd gwell nag egwyddor fawr y 'New Deal', a esboniodd Roosevelt i'w gydwladwyr yn y geiriau anfarwol: 'Trio rhywbeth, ac os nad ydi o'n gweithio, trio rhywbeth arall'. Angen mawr iaith yn y cyflwr a'r cyfwng y mae'r Gymraeg ynddynt heddiw yw tipyn o sefydlogrwydd. Llwyddiant diwylliannol mawr y chwarter canrif diwethaf yng Nghymru Gymraeg fu'r papurau bro. Rhoddodd y rhain hyder i bobl y gallant ddarllen Cymraeg; gwnaethant hynny heb ymyrraeth â'r iaith, dim ond defnyddio Cymraeg llenyddol, sef y Cymraeg hawsaf i'w ddarllen, gyda thipyn o arlliw tafodiaith fel y bo'n addas, heb greu problem o gwbl o'r peth. Maent wedi cyfrannu at sefydlogi'r iaith. Dyma, yn anad yr un, y sail y byddai'n briodol ac addas adeiladu arni, ac adeiladu ar raddfa fawr. I wneud hynny byddai angen arian mawr. Heb gredu, mi ddaliaf i drio'r hen lotri 'na, – petai ond o barch i goffadwriaeth Syr John Morris-Jones.

(Darlith yn Llanfairpwll, 1997, cyhoeddwyd yn bamffled.)

2.

Twm o'r Nant a'r Gymru Newydd

Eitem a adewais allan o'r gyfrol *Canu Twm o'r Nant*, am fod yno eisoes amryw o bethau tebyg, yw 'Cerdd yr Ystiwardiaid', a gyhoeddwyd yng Nghaernarfon fel taflen neu 'faled', rywdro tua 1850 mi dybiaf. Mae iddi saith ar hugain o benillion deg llinell, digon bywiog a digon nodweddiadol o'r bardd, ac efallai y daw cyfle i'w chynnwys mewn rhyw gasgliad rywdro eto. Yr hyn yr wyf am ei grybwyll yn arbennig yn awr yw fod iddi ragymadrodd rhyddiaith gan awdur dienw, ar ffurf ymddiddan rhwng dau wladwr, Guto'r Gors a Rhys Gribin: dyfais nid annhebyg i ymddiddanion 'Bugeiliaid Epynt' gan David Owen (Brutus) ac ambell awdur arall o'r cyfnod, ac adlais o hen, hen gonfensiwn. Trafod cyflwr y byd a helyntion yr oes y maent, yn unol â'r arfer. Ac meddai Rhys:

> Gwyn fyd na fuasai Twm o'r Nant yn y byd y dyddiau presenol. Y mae o Abermaw i Aber Conwy ac o Bont Caer i Bont Menai, lawer o droiau budron yn cymeryd lle, a llawer gweithred isel orthrymus yn cael ei gwneyd ac yn cael ei dioddef, a fuasai'r hen Dom yn eu dynoethi ac yn fflangellu y gwneuthurwyr yn ddiarbed.

Dyna broc i Guto ganu'r gerdd 'a wnaeth yr hen Domas o'r Nant o ddeutu deugain mlynedd yn ôl'.

Gan ddechrau ag erthygl gan William Williams (Caledfryn) ym 1852, a bron hyd ddiwedd Oes Victoria wedyn, bu olyniaeth o sylwebyddion, parchusach a diau gwell eu byd na Rhys Gribin a Guto'r Gors, yn trafod yr un cwestiwn, 'a oes eisiau Twm o'r Nant yng Nghymru bellach?' Yn rhagymadrodd y gyfrol dyfynnais beth o farn Caledfryn, John Peters (Ioan Pedr), Isaac Foulkes, Owen Jones (Meudwy Môn), Charles Ashton ac awdur dienw erthygl yn y *Gwyddoniadur* (Thomas Gee ei hun, efallai, neu'r golygydd John Parry). Mae eu dyfarniad bron yn unfryd: wfftio at y disgrifiad 'the Cambrian Shakespeare', ac eto gorfod cydnabod 'athrylith' Bardd y Nant; cytuno iddo wneud daioni yn ei ddydd, a bod ganddo bethau gwerth eu cadw; ond gresynu fod ei awen mor arw, ei fod yn taro mor galed a'i fod mor brin o dynerwch. Rhyddfrydwyr oedd y gwŷr hyn i gyd, ac mae'n debyg y cyfrifem ni Galedfryn, Ioan Pedr neu Isaac Foulkes yn bobl fwy blaengar na Thwm o'r Nant, mwy 'i'r chwith' nag ef fel petai. Eto yr oedd ofn yn gymysg â'u hedmygedd ohono, a gellir tybio mai croeso amodol a gâi 'yr hen Domas' petai'n ailymweld â Chymru 1850-1900. Credai Ioan Pedr (sylwedydd galluog a goleuedig ar sawl cyfrif) fod y gwaith o buro Cymru wedi ei wneud, a diolcha 'nad oes angen Twm o'r Nant yn yr oes hon'.

Beth pe dychwelai Twm yn y flwyddyn 2010, ddeucan mlynedd wedi ei ddaearu ym mynwent yr Eglwys Wen? Deuai i Gymru dlotach o ran dychan a beirniadaeth nag a welsom ers tro byd. Nid prinder testunau a fyddai'n esbonio iddo'r tlodi hwn, ond pethau eraill: llesgedd y wasg Gymraeg a Chymreig, y pall a ddaeth ar y mudiad gwleidyddol cenedlaethol, teneuo'r iaith ei hun. Mae pluen a phin, cledd a phastwn, ymhlith arfau traddodiadol a phriodol y dychanwr, a thebyg fod y dychanwyr gorau yn medru eu hamrywio. Efallai y clywai Twm sibrwd yn ei glust y cyngor i arfer llai ar y pastwn, mwy ar y bluen, ond byddai ef yn ddigon o hen wàg i holi ynghylch cymhelliad y cynghorwr, ac i ddehongli ei anogaeth fel 'goglais fi'n reit dyner o dan fy ngên yn lle fy mhastynnu, a phastynnu'r drefn yr wyf yn gysurus o dani, fel yr ydym yn ei haeddu'.

Mae pob dychanwr yn adweithio i'w oes, ac mae'r dychanwyr mwyaf yn boenus ymwybodol hefyd o ryw wendidau a rhyw ffolinebau diosgoi, dirwymedi sydd i'w cael lle bynnag y mae dynion. Ydyw, mae rhan – rhan helaeth – o ddychan Twm o'r Nant yn gynnyrch ei genhedlaeth a'i ddosbarth, a diau yn gynnyrch amgylchiadau nas atgynhyrchwyd yn union yr un fath mewn unrhyw oes ddiweddarach. Llais carfan o'r werin wledig, carfan yn cyfuno'r crefftwyr, y tyddynwyr a'r mân ddynion busnes, sydd yn ei ymosodiadau ef ar broffesiynau'r stiward, yr offeiriad a'r cyfreithiwr. Yn y man fe ddaeth newid, gyda lladd ar 'y dosbarth canol' yn dod yn weithgarwch dosbarth canol ynddo'i hun, gan barhau felly hyd heddiw. Rhan o'r 'dychan dosbarth' hwn gan Dwm o'r Nant yw ei ymosodiadau ar yr hyn y mae ef yn ei alw'n 'gormod ddynion', sef gormod o swyddogion :

> A'r rhai sy'n cael y cyflog penna,
> Ym mhob lleoedd, sy'n gwneuthur lleia ...

'Ddeddf Parkinson' y doed i alw hyn mewn cyfnod diweddarach, ac er cyhoeddi'r ddeddf honno dros hanner can mlynedd yn ôl, mae'r broblem i'w gweld yn parhau ac yn dwysáu, fel na byddai raid i'r Bardd newid dim ar ei eiriau. Mae llywodraeth newydd San Steffan yn addo camau i gywiro'r drwg. Nac Amddiffynnwn Ninnau Gymru rhag y Toriadau Hyn !

Pe dôi'r Bardd yn ôl i fwrw'i olwg ddeifiol ar Gymru, diau

y gwelai ddigon o bethau a chanddo eiriau'n barod ar eu cyfer:

> ... balchder Cymry ffolion
> I ymestyn ar ôl y Saeson –

digon o hwnnw bob dydd. Ac o ledu ei olygon ar y byd, gwelai, dros rannau helaeth ohono, yr un sefyllfa:

> Balchder gwŷr mawr yn gwasgu'r gwan,
> Mae hynny'n rhan erwinol.

Yn lle 'gwŷr mawr' gallem roi 'gwŷr a gwragedd bychain gyda llawer gormod o awdurdod', ond yr un yw'r camwedd. Gorthrwm y stiwardiaid oedd ganddo mewn golwg pan ysgrifennodd:

> Rhaid i ddyn ddysgu pratio,
> Tynnu het a mynych fowio,
> Ac edrych sut yr egorir ceg,
> A dweud yn deg rhag eu digio.

Ond mae digon o sefyllfaoedd eraill ac ynddynt yr un rhaid, gyda gormeswyr mwy cyfrwys efallai.

Disgrifiais Dwm o'r Nant yn y gyfrol fel 'eithafwr y ffordd ganol'. Y tu ôl i'w eiriau cryfion a'i ffordd ysgubol o'i fynegi ei hun, mae hen ddelfryd o gymedroldeb, 'y Cymedr Euraid' (*the Golden Mean*) fel y gelwir hi'n aml; arfer gan haneswyr ei holrhain i *Foeseg* Aristotlys, ond diau ei bod yn llawer hŷn na hynny. Golyga, yn ymarferol, ochel temtasiynau Cyfoeth a maglau Tlodi os gallwn fodd yn y byd, peidio ag ymgolli mewn Pleser nac ildio'n ormodol i Ofid chwaith. Yn wir, mae llawer i'w ddweud drosti, heddiw fel erioed, ac fe ddaw i'm meddwl yn awr wrth atgofio dau o ddigwyddiadau gwanwyn 2008. Y cyntaf o'r rhain oedd 'Brad *y Byd*', cyhoeddiad y llywodraeth ar 8 Chwefror y flwyddyn honno, ac yn fwy cyffredinol y methiant i osod seiliau gwasg ddyddiol Gymraeg. Yr oedd rhan o'r bai am y methiant hwnnw ar wleidyddiaeth anonest, ond rhan fawr hefyd ar grintachrwydd dosbarth cefnog o Gymry sy'n ddibynnol ar y Gymraeg am eu llewyrch a'u llwyddiant bydol. Yn eu golwg eu hunain mae aelodau'r dosbarth hwn yn bobl lyfnion, soffistigedig, gaboledig, ond crafer ychydig dan yr wyneb ac fe'u datgelant eu hunain yn ddisgynyddion uniongyrchol i gybyddion crablyd, chweinllyd, drewllyd fel Rhinallt Ariannog, Arthur Drafferthus a Siôn Lygad y Geiniog – dim ond bod y rheini, yn anterliwtiau Twm o'r Nant, yn 'gweld eu gwall' ac yn edifarhau. Bu'r ail ddigwyddiad ryw bum wythnos yn ddiweddarach. Ar nos Sadwrn, ganol Mawrth, os yw adroddiadau'r wasg i'w coelio, fe wariodd y Cymry, pobl na allent fforddio peth mor sylfaenol i fywyd cenedl â phwt o bapur newydd dyddiol yn eu hiaith, y swm o bymtheng miliwn o bunnau, ac yn ninas Caerdydd yn unig, ar ddathlu ennill Pencampwriaeth y Chwe Gwlad mewn rygbi ! *Cybydd-dod ... ac Oferedd :* mae'r teitl gan yr anterliwtiwr yn barod.

Bu farw hanner cant o geffylau Twm, meddai ef yn ei hunangofiant (sy'n awgrymu, gyda llaw, nad dyn tlawd oedd ef ar bob adeg yn ei yrfa, er amled a chaleted y bu raid iddo ymaflyd codwm â Gwiddanes Tlodi). Mae'n debyg mai claddu'r ceffylau a wnaeth. Pa ddiben gwastraffu egni ar eu cicio ? Beth a wnâi ef, tybed, â'r holl geffylau sy'n gorwedd o'n cwmpas heddiw a'u traed yn yr awyr – sianel deledu, gorsaf radio, gwasg, mudiad cenedlaethol (yn cynnwys plaid wleidyddol heb iddi enw), yr ardaloedd Cymraeg gynt, teuluoedd y Cymry, yr holl gymdeithas y ganed fy nghenhedlaeth i iddi, y genedl? A fyddai ambell gic go galed yn eu dadebru? Ynteu a oes angen rhywbeth mwy taer, mwy sylfaenol, galwad rhyw Eseciel yn Nyffryn yr Esgyrn Sychion? Fel dychanwr, mae'n debyg y byddai Twm yn ceisio hoelio rhyw rai i'w dal yn gyfrifol. Gallai, i fwy pwrpas efallai, droi min ei ddychan ar y rhai a hoffai inni gredu nad oes dim byd o'i le.

Cynghorwyd fi y byddai 250 copi o *Canu Twm o'r Nant* yn hen ddigon. Yn y diwedd argraffwyd 270. Yng Nghymru dlawd 1790 cyhoeddodd Twm ei gyfrol *Gardd o Gerddi*. Ar sail chwe chant o danysgrifiadau, gwerthodd ddwy fil. O'r gorau, efallai mai dyma Lyfr y Flwyddyn, 1790, ac nad oedd llawer o gystadleuaeth. Ond wedyn ... Yr oedd Twm, dyna'r gwir, yn annerch cymdeithas a chenedl a oedd yn ymysgwyd, yn deffro. A ninnau heddiw ...? Wn i ddim wir. Ac yng nghanol yr ansicrwydd hwn gellir gofyn, ac fe'i gofynnaf i mi fy hun, pam trafferthu lansio cyfres dan yr enw 'Cyfrolau Cenedl'? Mae'r ateb, os oes ateb, i'w weld yn llinell olaf cerdd olaf y gyfrol.

(*Barn*, Tachwedd 2010.)

3.

Emrys ap Iwan a'r Gymru Newydd

Yr adeg yma'r llynedd, yn dilyn cyhoeddi *Canu Twm o'r Nant*, gwahoddwyd fi gan olygyddion *Barn* i geisio dyfalu beth fyddai ymateb Bardd y Nant pe gallai ymweld â'n Cymru ni, ddau gan mlynedd ar ôl ei farw. Gyda golygiad newydd o *Breuddwyd Pabydd wrth ei Ewyllys* yn awr yn y siopau, beth am gynnal ymarfer tebyg gydag Emrys ap Iwan ? Bu'r Pabydd wrthi'n breuddwydio yn ystod y blynyddoedd 1890-2, a chafodd ragweledigaeth o Gymru 2012. Dwy brif nodwedd y Gymru honno oedd ei bod wedi ennill ymreolaeth ac wedi colli ei chrefydd Brotestannaidd.

Drwy gyd-ddigwyddiad, 1890 hefyd a welodd gyhoeddi *News from Nowhere*, gweledigaeth y llenor a'r artist William Morris o Loegr sosialaidd yn y 1950au. Cynulleidfa o 'tua dau gant o feibion a merched gweini, heblaw aml feistr a meistres, ynghyd â'u plant' a welodd Pabydd Emrys ap Iwan yn gwrando darlith yn 2012. Fel un nad oedd o'r Chwith nac o'r Dde mewn unrhyw ystyr gonfensiynol, nid ymddengys fod Emrys yn rhagweld unrhyw newid o bwys yn nhrefn cymdeithas nac ym mherthynas dosbarthiadau. Rhagwelai barhad gwerin ddiwylliedig, debyg i eiddo'i oes ei hun, ac mae'n debyg mai tosturio a wnâi wrth ddarlithydd o Gymro heddiw gyda'i gynulleidfa denau, dila o bennau gwynion.

Ysgogiad *Breuddwyd Pabydd wrth ei Ewyllys*, fel y rhan fwyaf o feddwl a gweithred Emrys ap Iwan, oedd ei gweryl â'r 'Inglis Côs', fel y gelwid ef, sef y symudiad o fewn y cyrff Ymneilltuol, ac yn arbennig ei enwad ef ei hun, y Methodistiaid Calfinaidd, i agor capeli Saesneg. Dadleuai hyrwyddwyr y symudiad hwn, sef holl arweinwyr yr enwad, mai fel hyn y gwasanaethid yr efengyl, a diamau fod o leiaf rai ohonynt yn gwir gredu hynny. Daliai Emrys ap Iwan nad oedd yn gwasanaethu dim ond snobyddiaeth a thaeogrwydd. Am iddo fynnu dweud hynny ar goedd, a gwrthod addo nas dywedai eto, condemniwyd ef yn Sasiwn Llanidloes, 1881, a nacawyd ei ordeinio'n weinidog. Yr oedd y digwyddiad yn un hynod iawn. Yr ydym yn gyfarwydd, o'r ddrama *Antigone* ymlaen, â'r sawl sy'n gwrthod ufuddhau i orchymyn gwladol am ei fod yn gosod gorchymyn crefyddol yn uwch nag ef. Ond geiriau Emrys yn Llanidloes oedd: 'Yr wyf fi yn Gymro yn gystal ag yn Fethodist, ac ni fynnwn addaw dim fel Methodist a'm rhwystrai i deimlo ac i siarad fel Cymro.' Gwrthwynebiad gwladol i orchymyn crefyddol sydd yma, peth anghyffredin yn hanes crefydd a diwylliant, ac yn hanes Cymru. Rhedai'n gwbl groes i brif duedd y meddwl Ymneilltuol Cymraeg dros dair neu bedair cenhedlaeth, sef y duedd honno i feddwl mai trwy fod yn grefyddwr yr oedd bod yn Gymro. Mae'r geiriau, a holl safiad Emrys ar yr achlysur hwnnw, yn hawdd i'w camddehongli; rhag gwneud hynny byddai'n dda inni ddarllen ei ddwy homili, 'Crefydd a Gwareiddiad' a 'Y Ddysg Newydd a'r Hen', a hefyd ddarlith R.Tudur Jones, 'Ffydd Emrys ap Iwan'.

Credai Emrys ap Iwan, yn gywir neu fel arall, fod y teimlad 'cenhedlig' (efallai y dywedai rhai ohonom 'ethnig') yn sylfaenol mewn dyn, ac mai methu a wnâi unrhyw symudiad a drawai yn ei erbyn. Yr oedd yn 'hanfodolwr' yn yr ystyr y credai mai y Gymraeg yw hanfod cenedligrwydd Cymru, yr unig wir wahaniaeth rhyngddi ac unrhyw genedl arall; yr oedd yr un pryd yn 'ddirfodwr' i'r graddau y credai mai trwy ddewisiadau personol y diogelid yr hanfod hwnnw. Yr union gyfuniad hwn a nodweddai genedlaetholdeb Cymreig modern yn ei gyfnod ffurfiannol. Rhagwelai Emrys hefyd mai rhyddhau gwledydd caethion fyddai prif symudiad y ganrif a oedd i ddilyn, ac mai tranc a fyddai'n wynebu Ymneilltuaeth Cymru pe gosodai ei hun yn erbyn y symudiad hwn. Yn fyr, ofnai y byddai'r 'Inglis Côs' yn lladd Ymneilltuaeth. A chan nad oedd wedi rhagweld o gwbl rym y llanw seciwlaraidd a fyddai'n llifo drwy'r rhan fwyaf o'r ugeinfed ganrif, tybiai mai'r Eglwys Gatholig a gamai i'r bwlch.

Gŵyr pawb call mai gwahodd trwbwl yw honni gweld y dyfodol. Ond os oes un peth yn hanes dyn y gellir ei ragbroffwydo'n weddol ddiberygl, cwymp ymerodraethau yw hwnnw. Rhagwelodd Emrys ryfel mawr ar wastadeddau Belg a brofai yn andwyol i Loegr a'i hymerodraeth, ac mae'n rhydd inni ofyn ai 'wrth ewyllys' ynteu o ganlyniad i resymeg y daeth hyn yn rhan o'r stori. A fu 'rhyddhad cenhedloedd' yn brif symudiad yr ugeinfed ganrif? Do, mewn dwy ystyr. Yn gyntaf fe gododd nifer o genhedloedd Canol a Dwyrain Ewrop o chwalfa Ymerodraeth Awstria-Hwngari, cyn eu trawsfeddiannu wedyn am flynyddoedd blin gan ymerodraethau llawer gwaeth. Ac yn ail, bu raid i Loegr, Ffrainc, yr Iseldiroedd, Belg a Phortiwgal ollwng gafael ar eu tiriogaethau dros y dŵr, – rhai o'r rheini yn genhedloedd hanesyddol neu'n ymdebygu i hynny, eraill yn unedau a wnaed drwy dynnu llinellau syth ar y map.

Pe dôi i Gymru 2012 câi Emrys ap Iwan ei gweld, nid yn annhebyg i forgrugyn cloff Culhwch, yn hercian wrth gwt gorymdaith y gwladwriaethau annibynnol, ac yn ansicr iawn pa faint pellach y gall fynd. Gwelai hi heb ystyried fawr eto ar sut y gallai datblygiadau yn yr Alban effeithio arni hi, a heb ddechrau cynllunio ar gyfer yr 'ymdaith wysg ei chefn tuag at annibyniaeth' a ragwelodd Harri Webb. Tebyg y câi Emrys, bathwr y gair 'ymreolaeth', beth boddhad o ymweld â'r adeilad newydd ym Mae Caerdydd. Câi groeso yno (ond iddo beidio dod â'i gyllell boced, i blicio afal nac i wneud min ar bensel). Ond petai'n digwydd bod wedi ei wahodd ryw brynhawn i roi tystiolaeth i bwyllgor ar bwnc addysgol neu ddiwylliannol, a dweud ambell beth a fyddai'n newydd ac anghyfarwydd i garfan o'r Aelodau, fe allai fod yno dipyn o hwyl.

Fel gramadegwr, bathwr geiriau ac un yn ymddiddori yn esblygiad iaith, fe gâi gyfle i roi ffon fesur ar rai pethau. Rwy'n credu y byddai'n hapus iawn ar y ffordd y mae'r Gymraeg wedi ymaddasu, ac yn dal i wneud, i gwrdd ag anghenion yr oes. Fe ddangosai rhywun iddo beth o'r enw 'cyfrifiadur', a'i holl dylwyth o declynnau a dyfeisiau. Byddai'n debyg o gydnabod, yn y modd yr ymgartrefodd y Gymraeg yn y maes hwn, drwy fathu a chymhwyso prydlon a phwrpasol, un o lwyddiannau diwylliannol y chwarter canrif diwethaf. Fe'i cadarnheid yn ei gred nad oes dim byd o gwbl o'i le ar y Gymraeg ynddi ei hun, ac mai gwleidyddol o hyd yw gwraidd ei phroblemau.

Fe edrychai ar Ymneilltuaeth, a'i gweld yn rhyw fudr, fudr fyw. Byddai'n rhaid iddo gydnabod nad yr Inglis Côs a ddaeth â hi i'r cyflwr hwn – twymyn oedd honno a aeth heibio gan adael yr eglwysi a'r cyrff Ymneilltuol, er cymaint eu llesgedd, yn sefydliadau cyson a naturiol Gymraeg o hyd – ond yn hytrach gymhlethdod o bethau eraill, ac yn bennaf trai Cristnogaeth ei hun. Ond beth a feddyliai tybed am dymer newydd ymosodol y grefydd Foslemaidd, a'r diddordeb newydd y mae hynny wedi ei ysgogi mewn crefydd o bob math, ledled y byd?

Ond nid Emrys ap Iwan fyddai ei enw pe na bai'n mynnu edrych dan yr wyneb. Fe welai awdurdodau gwladol a lleol a chyrff cyhoeddus lawer â chanddynt 'bolisïau iaith'. Fe allai fynd o'u cwmpas i gyd a gofyn 'a gaf i'r swydd ar yr addewid o ddysgu Cymraeg ?'. Wedi clywed 'cei, wrth gwrs', fe âi i ffwrdd dan chwerthin. Fe welai amrywiaeth o gyrff ac asiantaethau ag iddynt y swyddogaeth o hyrwyddo'r Gymraeg ; ond o stilio'n fanwl fe allai ddechrau magu rhyw amheuon mai ystyr 'ei hyrwyddo' yw 'ei chadw yn ei lle'.

Tybed, yn y diwedd, nad canlyniad pwysicaf ymweliad Emrys ap Iwan â Chymru 2012 fyddai peri iddo ailfeddwl tipyn am ei oes ei hun a'i ymateb yntau iddi ? A gofiai am rai pethau na feddyliodd eu dweud, ar y pryd ? Dyma un enghraifft hynod. Wrth ailddarllen llawer o'i waith yn ddiweddar yr wyf yn sicr nad wyf wedi dihysbyddu popeth. Ond ym mhopeth a ddarllenais, rwyf bron yn sicr na welais yr un cyfeiriad at y *Welsh Not*. O.M. Edwards, nid Emrys ap Iwan, a aeth i'r afael â hwnnw. Mae'n debyg y rhesymai Emrys nad oedd cenedl a ddyfeisiodd yr Inglis Côs yn haeddu dim gwell na'r *Welsh Not*.

Gallai adnabod un nodwedd ar Gymru 2012 a fyddai'n gyfarwydd iawn i ymwelydd o Oes Victoria. Honno yw'r bri a osodir unwaith eto ar 'Ddyrchafiad Arall i Gymro', sef ar lwyddiant personol Cymry unigol yn y byd Seisnig. Tybed na orfodid ef i fynd ymhellach, ac i adnabod yng Nghymru dechrau'r unfed ganrif ar hugain ryw Oes Victoria newydd heb yr egni creadigol, y fenter a'r dyfeisgarwch ? Oni welai ef, dros ysgwydd yn 2012, rai agweddau cadarnhaol ar ei genhedlaeth ei hun nad oedd ef, fel dychanwr yn anad dim, yn eu gwerthfawrogi ar y pryd ? Testun sbort i Emrys ap Iwan oedd '*Kumree Fidd*'. A gydnabyddai ef heddiw fod hwnnw, er ei wendidau, yn amlygiad o rywbeth mwy, yr awydd a'r penderfyniad i greu sefydliadau cenedl, yn Brifysgol a chyfundrefn addysg, yn Llyfrgell, yn Amgueddfa? I'r gwrthwyneb, oes o ddymchwel, dadfeilio a chau sefydliadau yw hi heddiw, y cyfan dan ambarél lled-ymreolaeth wleidyddol. Yr oedd rhywrai o fewn S4C wedi pwyso'r botwm hunan-ddinistr cyn i weinidog llywodraeth yn Llundain ddweud gair, ac am iddi gael ail gyfle gweddol deg, nid oes dim diolch i'r cyfryngwyr Cymraeg gydag un neu ddwy yn unig o eithriadau gwiw. Rhyngddynt, fe gyflawnodd gwŷr a gwragedd doeth ein sector addysg uwch y gamp unigryw mewn hanes o ddinistrio prifysgol, gan aberthu ar un trawiad, drwy fwnglerwaith eithriadol, y llwydd a'r anrhydedd a ymddiriedwyd i'w gofal. Nid pawb sy'n deall pa mor agos y daeth yr Eisteddfod Genedlaethol, yn ystod 2004-5, at ei thanseilio'i hun drwy wneud yn bosibl ollwng ei rheol Gymraeg. Mae esiamplau eraill, a gallai'r ysfa hunanddinistriol hon drwy ein sefydliadau heddiw fod yn destun dadansoddiad helaeth gan y seicolegydd cymdeithasol. Beth – pwy – sydd y tu ôl iddi? Oni allai Emrys ap Iwan heddiw, wedi ystyriaeth bwyllog, gael ei orfodi i alw, 'tyrd yn ôl, *Kumree Fidd*'?

O leiaf yr oedd '*Kumree Fidd*' – ynganer ef fel y mynner – yn gwneud synnwyr cystrawennol. Beth a ddywedai Emrys ap Iwan, a oedd ymhlith y cyntaf i drafod creu plaid wleidyddol annibynnol Gymreig, am yr enw 'Plaid' (ynteu *Plaid*?), nad yw'n gwneud synnwyr mewn unrhyw iaith? Pa rai bynnag yw problemau cymdeithas arbennig ar adeg arbennig, yr oedd Emrys yn greadur digon diedifar o boliticaidd i gredu na bydd ateb iddynt heb arweiniad gwleidyddol diysgog. Mae'n beryg mai ysgwyd ei ben a wnâi wedi clywed hanes rhyfedd, cau-mynd-i-ffwrdd *Y Byd*, a hanes Ysgol Fomio Sain Tathan, a gofidio'n gyffredinol uwchben plaid a lwyddodd, dros y blynyddoedd diwethaf, i belydru ansicrwydd ac anonestrwydd i bob cyfeiriad o'i chwmpas. Hwyrach yr hoffai oedi ychydig fisoedd i weld a ddôi rhyw hygrededd yn ôl iddi gydag arweiniad ffres a gwahanol.

Beth petaem yn ei wahodd i sgrifennu breuddwyd arall, dyweder yn rhagweld Cymru ymhen canmlwydd eto? Cyn cytuno, gallai yn deg ofyn, 'Pa gylchrediad yr ydych yn ei addo imi?'. Dywedaf yn awr beth na bydd cyhoeddwyr yn barod i'w ddweud bob amser, faint a argraffwyd o'r golygiad newydd hwn o *Breuddwyd Pabydd.* Dau gant a deg ar hugain yw'r ateb, ac os gwerthwn hwy o fewn y flwyddyn byddwn yn weddol fodlon. Beth oedd cylchrediad yr hen *Geninen*, lle'r ymddangosodd y 'Breuddwyd' yn bum rhan ddechrau'r 1890au? Pedair mil? Pum mil? Miloedd yn sicr. Mae'r genedl lythrennog, ystyriol wedi mynd yn fechan, fechan fach. Dyna ffaith arall i'r proffwyd dychweledig fyfyrio arni ar ei daith drwy'r Gymru newydd.

(*Barn*, Chwefror 2012.)

4.

Dychweliad Arall i Gymro

Yn dilyn cyhoeddi peth o waith Twm o'r Nant ac Emrys ap Iwan yng nghyfres 'Cyfrolau Cenedl', bu inni gynnal yr ymarfer yn *Barn* o ofyn beth a ddywedai'r naill awdur a'r llall am rai pethau yng Nghymru heddiw petaent yn gallu rhoi tro amdanom. Gyda chyhoeddi *Dramâu W. J. Gruffydd : Beddau'r Proffwydi a Dyrchafiad Arall i Gymro* (rhif 7 yn y gyfres), beth am roi cyfle i'r Athro o Fethel daflu llygad dros y Gymru newydd hon a bwrw'i fol fel y gwelai angen ? Petai, am ysbaid, yn gadael cysgod yr hen Ywen, fel y dyrfa honno gynt yn ei stori 'Dygwyl y Meirw', pa bethau a fyddai debycaf o daro'i lygad a'i gynhyrfu i ddweud gair ? Llefarodd Gruffydd ar amrywiaeth o destunau, a gwell efallai inni osod terfyn arno o ddeg pwnc. Fel rheol fe amrywiai ei ymatebion rhwng dau eithaf, un ai ffrwydrad o gynddaredd neu hwrdd o ddigalondid du ; un ai 'ni allaf ymatal ymhellach' neu 'tewi sydd orau'. Pa un a ddigwydd amlaf y tro hwn tybed ? Yr oedd digon o hiwmor yn Gruffydd, a gwythïen gref ohono yn rhedeg drwy'r *Hen Atgofion*, ond difrif yw tôn ei feirniadaeth drwodd a thro ar ddiwylliant, cymdeithas a bywyd Cymru, yn enwedig yn nodiadau golygyddol *Y Llenor*. Ys gwn-i a allwn ni wneud iddo chwerthin unwaith cyn troi'n ôl am Landdeiniolen yna ? Gadewch inni weld ...

Cyn agor y rhestr, dyma nodi un peth na bydd arni. Ni byddwn yn gofyn ei farn ar farddoniaeth Eisteddfodol y trigain mlynedd diwethaf, nac ar farddoniaeth Gymraeg o unrhyw fath yn yr un cyfnod, oherwydd ni allem ymddiried o gwbl yn ei ateb. Dyma'r dyn a nacaodd goron Eisteddfod Aberystwyth i Harri Gwynn am ei fod yn grediniol mai Bobi Jones oedd biau'r bryddest. Marc du annileadwy yn erbyn Gruffydd, un o'r ddau beth cwbl ddiegwyddor y gwyddom iddo'u gwneud yn ei yrfa. (Y llall oedd derbyn cefnogaeth y Sefydliad Mandarinaidd yn isetholiad chwerw Prifysgol Cymru, 1943, ar ôl dweud i ddechrau y byddai'n sefyll fel ymgeisydd annibynnol. Nid yw hyn yr un â dweud nad oedd ganddo hawl i'w farn, neu nad oedd yn gywir ynddi. Yr oedd ei ddarlleniad o amgylchiadau enbyd y dydd yn llawer cywirach nag eiddo'i wrthwynebydd galluog, dyna'r gwir mae'n beryg.)

Fesul pwnc felly.

1. *Capel a chrefydd*. Meddai Gruffydd yn *Hen Atgofion* am 'ddydd y Saboth llon', fel y galwyd ef gan Gristion mwy hwyliog: 'diwrnod o gosb a dioddef ydoedd, ac yr oedd tymherau pawb yn waeth ar y Sul nag ar unrhyw ddiwrnod arall; byddem i gyd yn fwy beirniadol o'n gilydd ac yn llai dioddefgar o golledion pobl eraill.' Do, fe gymerodd yn ffyrnig yn erbyn rhai pethau yn ei fagwraeth Ymneilltuol, yn cynnwys agweddau ar gadwraeth y Saboth ac agweddau ar y mudiad dirwest. Eto ni pheidiodd erioed â datgan ei ddyled i'r fagwraeth honno; fel pethau eraill yn ei gefndir ni allai, chwedl yntau, 'byth ei deol o'm hanes a'm personoliaeth'. Ar un gwastad, tystiai mai beirniadaeth Feiblaidd a diwinyddiaeth oedd ei brif hobi; ac ar wastad arall fe ddaliodd trwy ei oes i uniaethu'n gryf â charfan o blith yr Annibynwyr, 'Plaid Llanbrynmair', a oedd yn lled gyfystyr â 'Phlaid yr Hen Gyfansoddiad' hefyd.

Wrth edrych ar stad Ymneilltuaeth heddiw, beth fyddai ei

ymateb? Rwy'n rhyw feddwl mai rhyfeddod, ei bod hi'n budr fyw cystal ag y mae, a'r ysgogiad bywiol wedi hen fynd. Go brin y byddai ganddo awgrym sut i'w hadfer. Beth am y syniad o ddwyn yr enwadau ynghyd? Dyfalu yr wyf, ond seiliaf y dyfaliad ar ddwy ystyriaeth. Ar y naill law, yr oedd Gruffydd yn bendant ei feddwl pa fath o Annibynnwr oedd ef ei hun; ar y llaw arall yr oedd yn rhydd iawn o ragfarn enwadol, – y tu yma i Gatholigiaeth o leiaf. Yn y diwedd rwy'n tybio y byddai ei wybodaeth a'i ddealltwriaeth o hanes, ac o ysgogiadau cymdeithas, yn dal i ddweud wrtho mai yn a thrwy bedwar prif gorff, ynghyd â chwpl o rai llai, y bodolodd Ymneilltuaeth, ac mai prysuro'r diwedd fyddai ceisio'u gwneud oll yn un. Yr ymateb terfynol? Ffrwydrad? Digalondid? Tebyg iawn mai'r ail.

2. *Ysgolheictod a beirniadaeth.* Credaf y byddai cyfrolau *Llên Cymru* a *Dwned* y blynyddoedd hyn wrth ei fodd, ac y byddai'n gwerthfawrogi gwaith y Ganolfan Uwchefrydiau yn Aberystwyth a gwaith unigolion hwnt ac yma mewn ysgolheictod llenyddol. Ond chwith hefyd, gallai deimlo, nad oes dim byd heddiw *cweit* cystal â 'Mabinogi Mr. Timothy Lewis' i ddyn gael ei ddannedd ynddo. Gwell iddo beidio ag edrych ar *Tu Chwith* na hyd yn oed ar *Taliesin*, rhag ofn y gwelai ynddynt bethau 'ffasiynol'!

3. *Cyflwyno llenyddiaeth Gymraeg.* Cyn iddo'i throi hi yn ôl am Landdeiniolen, tybed a fyddai'n fodlon (fel hen arholwr o hir brofiad) edrych ar adroddiad diweddar ar ddysgu llenyddiaeth Gymraeg yn yr ysgolion, ac yn arbennig ar yr hyn a welir fel diffyg apêl y pwnc i ddisgyblion Lefel A ('Yr Higher', fel y byddai ef yn ei chofio). Bwriwch olwg ar hwn, Athro Gruffydd: 'Y canfyddiad o'r Gymraeg fel pwnc academaidd a'r ffactorau sy'n cyflyru dewisiadau yn ei chylch'. Darllen paragraff, troi tudalen. 'Nefoedd annwyl, dydi hwn ddim dipyn yn *bounderish*,

deudwch ? Be dâl rhyw *tawdriness* fel hyn ? Llwyth o lol ! Nonsens anfad ac adwythig hefyd ! Be haru pobol ?' Mewn pum munud fe welai Gruffydd mai esgusion, ffrwyth teimlad o israddoldeb, neu 'feddwl y taeog' (ei ymadrodd ef), yw sylwedd yr atebion. Ac fe sylwai yn arbennig ar y gŵyn o 'ddiffyg hiwmor' yn y testunau Cymraeg. 'Sut yr awn ni ati, deudwch, i wneud Dafydd ap Gwilym neu Dwm o'r Nant yn ddigrifach, neu hanes yr hen Domos Bartley, ddywedwn ni ? O ran hynny, ble'r es i o chwith wrth sgwennu'r hen bennod honno, "Meibion y Proffwydi" ? Well imi fynd yn ôl at straeon Gruffudd Jones y Deryn Mawr, a thrio'u gwneud nhw'n fwy joli, fel *y Brenin Llŷr* neu *Antigone* rŵan ?' Yn y diwedd ? Ffrwydrad !

4. *Y wasg a thrafodaeth gyhoeddus*. Bu bron i'r Gruffydd ifanc fynd i Lundain i ddilyn gyrfa newyddiadurwr. Yn nes ymlaen bu'n olygydd arbennig lwyddiannus ar gylchgrawn llenyddol. Yn ystod hanner cyntaf ei oes ef yr oedd digon o bapurau Cymraeg wythnosol fel y gallai dyn gael un bob dydd, ac un neu ddau ychwanegol : *Y Brython*, *Y Faner*, *Y Cymro*, *Y Genedl*, *Yr Herald*, *Tarian y Gweithiwr*, *Papur Pawb*, *Y Gwalia*, *Y Werin*, *Yr Eco*. Peryg mai ysgwyd ei ben a wnâi uwchben y wasg Gymraeg heddiw, wedi crebachu mor enbyd, a'r ysgogiad radicalaidd wedi mynd. Yn hyn byddai'n cynnwys y wasg enwadol, yn bapurau a chylchgronau. Byddai llawer o bethau yn honno ers talwm yn ei wylltio, ond fe welai golli ei hamrywiaeth. Fel dyn a 'neb yn fwy ymwybodol nag ef o'i wreiddiau', byddai'n falch o ddeall am y papurau bro a'r modd y maent wedi dal eu tir dros ddeugain mlynedd. 'Be ydi'r "Brad y Byd" 'ma hefyd, deudwch ?' (Wedi clywed rhywbeth mae'n rhaid.) Byddai raid esbonio'n fyr.

Bu Gruffydd yn aelod o banel *The Brains Trust*, mam pob seiat holi ar radio a theledu, a chafodd y fraint amheus o ddal pen rheswm â dau wrth-Gymreigiwr o fri, Bertrand Russell a C.E.M. Joad. Beth fydd ei farn am *Pawb â'i Farn*, ddywedwn ni ? 'Chi bobol ifanc yn fan hyn, be ydach chi'n feddwl ?' 'Wel ... ym ... fatha, i fi fel person ifanc, dydi o ddim yn rîli rîli pwysig i, fatha, sort o, person ifanc fatha fi. So. Mbo.' Credodd Gruffydd unwaith mai gan yr ifanc yr oedd 'y Broffwydoliaeth'. Ffrwydrad !

5. *Rhyddfrydiaeth.* Fel un o Blaid Llanbrynmair (sef carfan wleidyddol yn ogystal â chrefyddol), ac Aelod Seneddol Rhyddfrydol, fe ddylai fod gan Gruffydd rywfaint o ddiddordeb yn hynt a helynt Rhyddfrydiaeth. Byddai'n rhaid ceisio crynhoi'r stori iddo, fel yr aeth y Blaid Ryddfrydol yn ystod y 1980au i gynghrair â phlaid newydd y Democratiaid Cymdeithasol, a darddodd o blith adran fwyaf adweithiol gwleidyddiaeth Prydain, sef adain Dde'r Blaid Lafur ; ac fel yr aeth y ddwy blaid wedyn yn un gan roi inni 'Y Democratiaid Rhyddfrydol'. A fyddai'n rhyw gysur iddo, tybed, fod y blaid hon wedi ennill yn ôl hen sedd seneddol Ryddfrydol Ceredigion ? Fe gofiai Gruffydd ymadrodd yr hen fardd, *rerum cognoscere causas* (adnabod achosion pethau), ac fe welai'n fuan iawn nad oedd a wnelo'r fuddugoliaeth hon ddim oll ag 'Egwyddorion Rhyddfrydiaeth' fel y deellid y rheini gan ei dad a'i daid ym Methel, a bod a wnelo hi bopeth â'r Mewnlifiad ac â phresenoldeb dau goleg – dwy brifysgol yn wir – o fewn yr etholaeth. Y cenedlaetholwyr Cymreig yn mwydro am 'genedlaetholdeb sifig', a myfyrwyr Aberystwyth yn fotio'n ethnig hapus braf ! Ffrwydrad !

6. *Y Gymraeg*. Gruffydd oedd prif ysgogwr ac awdur adroddiad *Y Gymraeg mewn Addysg a Bywyd* (1927). Dyma'r adroddiad llywodraeth cyntaf erioed i gymryd golwg eang ar y Gymraeg gan annog ei hyrwyddo. Byrdwn Gruffydd y blynyddoedd hynny, yn ei ysgrifau yn *Y Llenor* yr un modd, oedd na thalai dibynnu

ar yr aelwyd a'r capel (fel y mynnai llawer o bobl) i ddiogelu'r iaith; bod cyfrifoldeb mawr ar y gyfundrefn addysg hefyd. Erbyn heddiw, hwyrach y gwelai fod rhyw dro rhyfedd iawn wedi digwydd. Rhown hi fel hyn. Meddai ef yn *Hen Atgofion* am ysgol Bethel a holl ysgolion eraill Cymru ei genhedlaeth: 'Dysgid plant Cymreig mewn iaith estron nad oeddym yn deall ond ychydig iawn arni.' A goelia ef ein bod ni heddiw, rywsut neu'i gilydd, wedi creu sefyllfaoedd lle dysgir plant di-Gymraeg, mewn ysgolion swyddogol Gymraeg neu ddwyieithog, mewn iaith na ddeallant ddim arni, sef y Gymraeg, a'u gollwng allan ar derfyn tair blynedd ar ddeg heb fedru sillaf? Sut y daeth hi i hyn? Yr ysgol yn gwneud rhyw lun o ymdrech a'r aelwyd yn methu, dyna *ran* o'r darlun. Sut y byddai Gruffydd, fel y dehonglwr gorau erioed ar ysgogiadau cymdeithasol a diwylliannol yng Nghymru, yn dehongli heddiw yr hyn a ymddengys yn ddyhead parhaol a chynyddol y Cymro i fod yn Sais? Gwelai, ganol y 1930au, 'brysuro'r dydd pan fydd yn rhaid i ni Gymry ymladd yn y ffos olaf dros ein hen iaith a'n hen ddiwylliant'. Feiddiwn ni ddangos ystadegau iaith 2011 iddo? Gwell gwneud mae'n debyg. Cyfle iddo ef, fel dyn craffach na'r rhan fwyaf ohonom, geisio meddwl beth aeth o'i le yn ystod y degawd cyntaf o led-ymreolaeth ...

Ffrwydrad? Digalondid? Yr ail, yn bendifaddau. Cwmwl mawr du.

7. *Archesgob Cymru*. Dyma destun mwy nag un sylw ffrwydrol yn 'Nodiadau'r Golygydd'. Tystiai Gruffydd bob amser, ac nid oes reswm dros ei amau, ei fod yn ewyllysiwr da i'r Eglwys yng Nghymru ac yn 'un sy'n dymuno'r gorau iddi yn ei hadfywiad'. Yr un pryd yr oedd yr Archesgob cyntaf, A.G. Edwards, yn ei wylltio tu hwnt i fesur pan fyddai 'wedi bod wrthi eto', ar fater y Gymraeg. Go brin y byddai'n dymuno cweryla

heddiw am y rheswm hwnnw â'r Archesgob Barry Morgan. Ond beth petai'n digwydd gweld rhifyn o'r *Western Mail* fis Hydref 2011, gyda llun mawr o'r Archesgob mewn ystum weddigar – dros lwyddiant tîm rygbi Cymru, yn yr union ddyddiau pan oedd y Brifysgol ac yntau'n Ddirprwy Ganghellor arni yn dymchwel o gwmpas ei glustiau ? Oni welai yma lun gwirionaf yr unfed ganrif ar hugain hyd yn hyn, a darlun o genedl wedi colli pob synnwyr blaenoriaeth ? Fel un a roddai bwys ar gywirdeb cyfansoddiadol, gallai Gruffydd ofyn hefyd ai priodol fod pennaeth parhaol *unrhyw* gorff crefyddol hefyd yn bennaeth lleyg ar Brifysgol y bwriadwyd iddi, ar ôl ystyriaeth hir, fod yn gorff cenedlaethol, anenwadol. Down yn ôl at bwnc Prifysgol Cymru. Yn y cyfamser, ffrwydrad.

8. *Addysg golegol.* Ym 1935 eto, ysgrifenna Gruffydd : 'nid gwobr anodd i'w chipio yw addysg bellach, ... ond cyfundrefn gyhoeddus aruthr ei maint, wedi hel ati ei hunan bob math o ystyriaethau allanol a dieithr, ac nid ar y gwaith y rhoddir y pwys heddiw ond ar y peiriant.' Ar dro heddiw o gwmpas colegau Cymru, a wêl ef ynddynt gyrsiau newydd CYFFROUS ? A oes yno FRAND ? Ai ASEINIADAU a wêl ef, lle gynt y byddai tasgau a thraethodau ? A oes yno ARFER DA ? Ynteu dim ond arferion drwg ? Sut y bydd ef yn edrych ar fyd yr arsylwi a'r arfarnu, y monitro, y meincnodi a'r gwerthuso, y rheoleiddio a'r achredu, y mewnbwn a'r allbwn a'r adborth, y cynaladwyedd a'r argaeledd a'r hygyrchedd, y datganiadau cenhadaeth, y cynlluniau busnes, yr asesiadau ymchwil, yr adroddiadau bodlonrwydd, y mesuriadau ardrawiad, y sgiliau sylfaenol, y swyddogion datblygu a galluogi ... ? Ymhell cyn inni orffen y rhestr, byddai'r ffrwydrad wedi dod.

Addefai Gruffydd ei fod yn ddarlithydd coch. A barnu wrth

eu tystiolaeth yn y *'Llenor Coffa'* a mannau eraill, yr oedd ei fyfyrwyr yn cytuno. Yn hynny o beth yr oedd yr un fath ag o leiaf hanner holl ddarlithwyr y byd erioed. Beth yw'r ateb ? Yn wir ni wn innau ddim, ar ôl treulio blynyddoedd go dda yn y busnes. Hyd yma nid oes neb wedi dyfeisio dull priodol o 'ddatblygu' staff academaidd ; mae hi 'gan' rai, ac nid yw gan eraill. Beth petai rhyw arolygydd 'dysgu ac addysgu' yn taro i mewn i un o ddosbarthiadau Gruffydd ? Beth petai rhyw swyddog datblygu staff yn dod â gair o gyngor ryw ddiwrnod ? Ffrwydrad ? Na, nid hynny chwaith. Oherwydd dyma sefyllfaoedd hollol ddamcaniaethol. Ni byddai'r un o'r rhain yn beiddio dod o fewn canllath iddo.

9. *Prifysgol Cymru.* Er gwaethaf ei radicaliaeth ddiamynedd a'i duedd naturiol at anarchiaeth, deallai Gruffydd werth sefydliadau ac yr oedd yn fodlon ymroi i'w cynnal a'u cryfhau. Fel pawb o'i gwir garedigion, beirniadodd ddigon ar Brifysgol Cymru, y cyfan am ei fod yn dymuno'i llwyddiant. 'Sut mae'r hen Brifysgol Cymru y dyddiau yma ?' Byddai'n rhaid i rywun grynhoi iddo stori waradwyddus – 'anfad' fyddai'r gair Gruffyddaidd eto – y blynyddoedd diwethaf, yn arwain at benderfyniad ei Chyngor ar 21 Hydref 2011, i'w 'diddymu' yn ôl rhai, ond yn fwy manwl i'w chyfuno â chyn-athrofa Anglicanaidd, cyn-goleg hyfforddi athrawon a chyn-goleg technegol – sef, yn ymarferol, ei diddymu yn y pen draw. 'Rŵan 'rhen hogia, rydach chi'n tynnu 'nghoes i. Mae hyn tu hwnt i ddychmygion mwyaf ehedog y Deryn Mawr.' Na, Athro Gruffydd, dyna'r cyfiawn wir ichi. 'Ydach chi'n golygu felly mai rhith oedd holl dyfiant a goleuni'r hanner canrif diwethaf yng Nghymru ? Ai ofer felly ein holl ymgais ?' Digon posib, byddai'n rhaid inni addef. 'Pwy *wnaeth* hyn ?' A byddai raid enwi unigolion. Ysgrifennodd Gruffydd ym 1936 :

'Oni bai am y Siarter, fy marn i yw y buasai Prifysgol Cymru yn deilchion ers tro.' Rhaid esbonio iddo fel y gwnaed hyn drwy dorri'r Siarter ei hun.

Anferth o ffrwydrad. Cyfle i bethau dawelu ychydig. Tanio'i getyn efallai (ond cofio nad mewn lle cyhoeddus). 'Deudwch i mi, sut mae pethau tua Bangor?' O, Bangor ydi'r 'Brifysgol Gynaliadwy' rŵan. 'Nefoedd drugaradd!' Saib. 'Pwy sy wrthi tua'r Aberystwyth 'na?' Gwyddom ystyr ei gwestiwn. 'Wel, mae yno ryw symudiad rŵan, o'r diwedd, Athro Gruffydd.' 'Symudiad? O'r diwedd? Be ydi hyn felly?' A byddai raid esbonio iddo mai cadair wag fu cadair Gwynn, a chadair Parry Bach hefyd, ers amser, a simsan iawn megis, gyda'r awdurdodau un ai yn methu neu yn gwrthod eu llenwi.

Digalondid llethol.

10. *Yr Eisteddfod Genedlaethol.* Fel gyda'r Brifysgol, felly gyda'r Eisteddfod, bu Gruffydd yn feirniadol dros ben ohoni, ond fe ymrodd, gydag eraill, i'w chryfhau a'i diwygio. Ef a'i galwodd 'y gaer fechan olaf sydd gennym'. Ef yw awdur ei chyfansoddiad, sydd mewn grym oddi ar 1937, seiliedig ar ddealltwriaeth dda rhwng y Cyngor a'r Orsedd, ac sydd wedi ei gwasanaethu'n ardderchog drwodd a thro. Ef hefyd, gyda chefnogaeth Cynan ar y naill law a Lloyd George ar y llall, a fynnodd sefydlu'r Rheol Gymraeg. Rhybuddiodd ym 1939 'ei bod yn llawn bryd i rywun wastrodaeth y cerddorion', – rhybudd amserol ym mhob blwyddyn bron.

'Sut mae'r hen Steddfod heddiw?' O, dal i fynd, weithiau i fyny, weithiau i lawr. A byddai raid inni ddod at y bennod gyfredol, hanes y 'Tasglu' a sefydlwyd gan gyn-Weinidog Addysg a chanddo ofal hefyd am y Gymraeg, 'Grŵp Gorffen yr Eisteddfod' fel y gelwir ef weithiau, 'Y Dwsin Doeth' dro arall. 'Ydach chi'n meddwl deud wrtha' i, hogia, fod y Steddfod i gael ei chosbi'n ariannol os na fydd hi'n ufuddhau i'r Dwsin 'ma?' Dyna oedd y sôn, Athro Gruffydd. Sut bydd hi rŵan, efo Gweinidog newydd, wyddom ni ddim eto. 'Wel pwy ydi'r Dwsin? Dowch imi weld yr enwau.'

Saib. Tynnu ar y cetyn.

A thybed nad yma y rhoddai Gruffydd o'r naill du ei gynddaredd a'i ddigalondid fel ei gilydd, ac ymollwng o'r diwedd i chwerthin yn harti, chwerthin o'i fol nes bod y dagrau'n powlio, chwerthin fel na chwarddodd o'r blaen ers y diwrnod y bu'n adrodd hanesion Gruffudd Jones a Ned Cando, hen gymeriadau smala Llanddeiniolen?

'Wyddoch chi be hogia, roedd hi'n werth dŵad ar sgawt er mwyn cael chwerthin fel'na! Oedd wir ddyn! Hwyl ichi rŵan hogia bach!'

(*Barn*, Mehefin a Gorffennaf-Awst 2013.)

5.

Llond Twb o Swigod

I law wele *Dyfodol Llwyddiannus*, sef *Adolygiad Annibynnol o'r Cwricwlwm a'r Trefniadau Asesu yng Nghymru,* wedi ei baratoi gan yr Athro Graham Donaldson a thîm o ymchwilwyr ar gais y llywodraeth.

Ydyn, maen' nhw i gyd yma : seilweithiau, gwerthusiadau, pwysoliadau, cynaliadwyedd, capasiti, sybsidiaredd, strwythur, mesuriadau perfformiad, mewnbwn, cymwyseddau, addysgeg, empathi, sgiliau allweddol, sgiliau bywyd, continwwm dysgu, creadigrwydd (entrepreneuriaeth), mecanweithiau atebolrwydd, addysg berthnasol, adborth rheolaidd a chraff, dysgu symbylol a deniadol, arferion gorau, asesu ffurfiannol, cyfeiriadedd byd-eang, ymdrech ddisgresiynol ychwanegol, e-bortffolios ac e-fathodynnau personol, metawybyddiaeth neu 'dysgu i ddysgu', lefelau uwch o gymhwysedd digidol, ffocws cyffredinol ar gyfer atebolrwydd a gwella, briff clir ar gyfer llunio'r Deilliannau Cyflawniad, – oll yn cydweithio i roi inni 'ddyfodol cyffrous' mewn 'Cenedl Ddigidol-Agile'. (Ie, fel'na.) Mae yma nid yn unig asesu, arsylwi, gwerthuso a monitro ; mae yma hefyd reoli risg, wynebu heriau, hybu cydlyniant, ffurfio perthnasoedd cadarnhaol, datblygu fframwaith cydlynol, prawfesur y cwricwlwm, dehongli data, cymhwyso cysyniadau, gwerthuso canfyddiadau, chwarae rolau, datblygu lefelau cymhwysedd uchel, meithrin cyfalaf proffesiynol, mireinio sgiliau metawybyddol, syntheseiddio a gwerthuso syniadau a chynhyrchion, alinio'r asesu â'r dibenion dysgu i asesu beth sy'n bwysig, creu cyd-destunau strwythuredig ar gyfer cyflwyno adborth adeiladol, datblygu'r capasiti ar gyfer sytem hunanwella, ac (olaf ond nid lleiaf) gwella'r synergedd rhwng trefniadau ar gyfer y cwricwlwm, asesu ac atebolrwydd. Hyn i gyd. Ond dim fictimeiddio. Diolch am hynny.

Fel pob Adroddiad Addysg ers deugain mlynedd, mae hwn eto'n darllen fel sgit ar Adroddiad Addysg. Gall atgoffa rhai ohonoch, fel mae'n f'atgoffa innau, o barodi a ymddangosodd unwaith yng ngholofn 'Sêt y Gornel' yn *Y Cymro*, cyn atal y golofn honno (fel y daeth i'r golau wedyn) gan flacmel o Goleg Aberystwyth. Nid yw pobl sydd, heb wên ar eu hwynebau, yn gallu sgrifennu peth fel hyn yn deall beth yw parodi na sgit na dychan nac eironi. Ni allant eu hadnabod eu hunain mewn cartŵn. Robotiaid ydynt, bodau heb fod o gig a gwaed, wedi eu cloi yn eu byd eu hunain o hocws-pocws. Am yr eirfa y dyfynnais ddigon ohoni uchod, dywedaf hyn. Y tro nesaf y bydd unrhyw rai ohonoch yn sgrifennu dogfen ar addysg, triwch beidio'i defnyddio. Mwy na hynny, peidiwch â defnyddio yr un gair ohoni o gwbl, byth, mewn unrhyw beth ysgrifenedig nac ar lafar. 'Pam ?' meddech chwithau. Am ei bod yn arwydd o wendid moesol a seicolegol. Jargon ydyw a ddyfeisiwyd oddeutu'r 1960au gan siarlataniaid byd Addysg, ac a ailadroddir gan grafwyr a llyfwyr y byd hwnnw am fod y rhai uwch eu pennau yn ei hailadrodd ar ôl rhywrai eraill. Digon ! Dim mwy !

Ymaith hefyd â'r defnydd anghywir, anfad o 'addysgu' (addysgu llythrennedd a rhifedd &c), un arall o ffolinebau'r 1960au. Nid oedd amwysedd traddodiadol y gair 'dysgu' yn dramgwydd i unrhyw Gymro, ac ni bu creu amwysedd newydd yn help yn y byd i neb.

Wedi dweud cymaint â hyn am yr ieithwedd, a oes ddiben dweud unrhyw beth am y cynnwys? Mi ddywedaf beth neu ddau, rhag ofn imi wneud cam. Bydd gennyf bedwar pennawd: (1) Cytuno. (2) Amau. (3) Dychryn. (4) Anghytuno.

§

(1) CYTUNO

Mae'r gefnogaeth i ddysgu'r Gymraeg a gwreiddio'r disgyblion yn niwylliant Cymru yn ddigon cyson a chadarnhaol drwy'r adroddiad. Cwestiwn na ddeuir ato yw pam nad ydym yn llwyddo'n well yn hyn. Pam, er enghraifft, y mae'r Gymraeg yn 'bwnc amhoblogaidd' erbyn cyrraedd dosbarthiadau uchaf yr ysgol? A oes a wnelo hyn mewn unrhyw ffordd â'r cwricwlwm? Fel yr awgrymais beth amser yn ôl (gweler fy llyfr *Meddyliau Glyn Adda*, t. 45), gall fod a wnelo i ryw fesur â pheth arall, cysylltiedig ond ychydig yn wahanol, sef y sylabws neu'r maes llafur. Cyfeirio'r oeddwn at benderfyniad rhywrai i osod testunau Cymraeg 'modern' neu 'gyfoes' disylwedd ar gyfer yr arholiadau cyhoeddus, a'r rheini'n troi ymaith rai o'r disgyblion galluocaf lle gallai rhai o'r hen glasuron ennyn eu sylw a'u serch yn well. Ond esboniad rhannol iawn yw hyn.

(2) AMAU

Fel pob Adroddiad Addysg mae hwn hefyd yn amcanu bod yn flaengar. Mae ynddo, medd ef ei hun, 'gynigion radical a phellgyrhaeddol'. Er chwilio, ni allaf yn fy myw weld pa rai yw'r rheini. 'Os ceir amharodrwydd i ildio agweddau ar y cwricwlwm sydd heb fawr o berthnasedd wrth ychwanegu disgwyliadau newydd yr un pryd, gall hynny roi pwysau cynyddol ar ysgolion ac athrawon.' Ond a ddywedir beth yw'r hen sbwriel amherthnasol sydd i fynd allan drwy'r ffenest ? Na ddywedir yn unman, hyd y gwelaf i. Mae yma beth cyferbynnu rhwng (a) 'pynciau' yn ôl y dull traddodiadol o'u dosrannu, a (b) 'meysydd dysgu a phrofiad'. Ond pan eir i edrych mae'r gwahaniaeth rhwng y rhestrau o'r naill ac o'r llall mor fychan fel nad oedd yn werth treulio amser uwchben y peth o gwbl. Does dim byd terfynol na chysegredig ynghylch arlwy draddodiadol y pynciau, a da o beth yn sicr yw ceisio gweld pethau'n gyfannol, neu'n 'draws-gwricwlaidd' chwedl yr adroddiad ; ond i athro a chanddo dipyn o sylwedd a diwylliant fe ddaw hynny'n naturiol. Hen gân o'r 1960au eto yw cyferbynnu'r 'pwnc-ganolog' â'r 'disgybl-ganolog' gan ffafrio'r ail. Ond dywedaf hyn, o beth profiad. Yr athrawon gorau yn fy nghof i, yn cynnwys y rhai y cefais i gymorth ac ysbrydoliaeth fawr o'u harweiniad, oedd y rheini a chanddynt wybodaeth ddofn o'u pynciau. O ddyfnder yr wybodaeth y dôi'r awydd i rannu a throsglwyddo'r wybodaeth honno, ac o hynny wedyn yr awydd i weld ein llwyddiant ni ddisgyblion. Dylwn ddweud mai am athrawon ysgol yr wyf yn sôn, a phetawn yn eu rhestru gallwn gynnwys y rhan fwyaf o ddigon o'r athrawon uwchradd a ges i, chwarae teg iddyn nhw. Am ryw reswm ni bu ac nid yw hi yr un fath yn y prifysgolion. Yno, nid yw dyfnder dysg yn arwain bob amser na'r rhan amlaf at sêl dros fyfyrwyr, nac at unrhyw ddiddordeb ynddynt. Beth sy'n gyfrifol am y gwahaniaeth, wn i ddim. Prin mai'r flwyddyn o hyfforddiant athro.

Un ffordd o fod yn flaengar yw dweud 'digidol' yn ddigon aml. Ond mae'r bregeth hon hefyd yn ddeg ar hugain oed, ac arwydd o naifder yw rhygnu arni. (Yr un modd, a'r unfed ganrif ar hugain bellach heb fod mor ifanc, onid yw'n bryd rhoi'r gorau i sôn am lusgo'r peth yma a'r peth arall i mewn iddi ?) Yn amlwg bu plant clyfar-clyfar yn cwyno am eu hathrawon wrth aelodau'r pwyllgor. 'Un testun pryder a godwyd droeon gan y plant a phobl ifanc a siaradodd â Thîm yr Adolygiad oedd eu canfyddiad bod y cwricwlwm ysgol presennol wedi dyddio mewn perthynas â thechnoleg ddigidol. Cyfeiriwyd at ffyrdd llafurus o'u haddysgu i drin meddalwedd a oedd yn hawdd ei defnyddio'n reddfol neu a oedd wedi dyddio'n barod yn eu barn nhw.' Hynny yw, mae'r plant yn medru gwneud rhyw fabolgampau cyfrifiadurol sydd y tu hwnt i allu a phrofiad eu hathrawon crydcymalog. Os felly, gadawer iddynt. Pa angen eu dysgu?

Mae'r gŵyn, fe ymddengys, yn ehangach eto. Roedd rhai o'r plant am gael gwersi sy'n fwy perthnasol a diddorol, mwy o wersi ymarferol, mwy o hwyl. Go dda yntê? Llai o waith hefyd efallai. Efallai na wyddai awduron yr adroddiad mai dyma'r math o beth a ddywedir gan blant digywilydd heb fawr yn eu pennau, plant y dylid eu cynghori i gau eu cegau os nad oes ganddynt rywbeth o werth i'w ddweud. Hanfod dysgu, meddai fy nhad-yng-nghyfraith – a wyddai beth neu ddau am y maes – yw dweud wrth y to sy'n codi am eistedd i lawr. Dywedaf eto, oherwydd dyfnder dealltwriaeth ein hathrawon o'u pynciau, fe gawsom ni, blant ffodus y 1950au, ddogn go lew o'r pethau ychwanegol hynny ym mhen gwybodaeth – diddordeb, diddanwch, ysbrydoliaeth, ie hwyl hefyd. Fe gawsom ar ambell awr – er fy mod yn petruso ddefnyddio'r gair – brofiad bach o gyffro'r deall. (Petruso, am mai gwedd ar wiriondeb ein hoes, a digon ohoni yn yr adroddiad hwn, yw'r disgwyl i bob peth fod yn 'gyffrous'! Gadawer i rai pethau beidio â bod yn gyffrous.)

Weithiau daw'r hen sgeptig i sibrwd yn y glust, a rhaid maddau iddo. Mae'n demtasiwn aralleirio ambell frawddeg a gweld beth a ddywedid mewn iaith fwy plaen. 'Mae beiau'n codi'n aml wrth asesu mewn cysylltiad â manylebu, dilysrwydd, dibynadwyedd a chymhwysedd athrawon.' Edrycher ar y geiriau un ac un. Onid yr hyn a feddylir yw fod athrawon – rhai, beth bynnag; gormod, a barnu wrth y gair 'aml' – yn ffwrdd-â-hi, yn gelwyddog, yn annibynadwy ac yn dwp?

Teimlad yr hen sgeptig eto am y pedwar nod sy'n fyrdwn yr adroddiad. Dyma'u dyfynnu, rhag ofn fy mod yn gwneud unrhyw gam â hwy yn yr hyn a ddywedaf:

> 'Dibenion y cwricwlwm yng Nghymru yw ceisio sicrhau bod plant a phobl ifanc yn datblygu:
> – yn ddysgwyr uchelgeisiol, galluog sy'n barod i ddysgu drwy gydol eu hoes.
> – yn gyfranwyr mentrus, creadigol sy'n barod i chwarae eu rhan yn llawn yn eu bywyd a'u gwaith.
> – yn ddinasyddion egwyddorol, gwybodus yng Nghymru a'r byd.
> – yn unigolion iach, hyderus sy'n barod i fyw bywyd gan wireddu eu dyheadau fel aelodau gwerthfawr o gymdeithas.'

Iawn, mae'n debyg. Digon diniwed. Digon clodwiw rywsut. Ond beth am y trydydd nod? Os na ddigwydd rhyw chwyldro diwylliannol mawr yn rhywle, y tebygrwydd uchel yw mai tyfu'n ddarllenwyr y *Sun* fel eu rhieni a wna'r rhan helaethaf o blant y genhedlaeth hon eto. Gall yr ysgol, gyda lwc, wneud tipyn bach i rwystro'r dynged honno, ond dim llawer mae'n beryg. Fe'n dysgwyd ni blant Ysgol Dyffryn Nantlle, tua'r 13-14 oed, i ddarllen papur newydd yn feirniadol gan gadw'r pot halen o fewn cyrraedd a gofyn bob amser gwestiynau fel pwy piau'r papur a pha fuddiannau y mae am eu hyrwyddo. Mi gredaf yn wir fod yr effaith wedi para ar rai ohonom. Ond hyn-a-hyn y gall yr ysgol ei wneud, er pob ymdrech. Fy nheimlad am yr adroddiad drwodd a thro yw ei fod yn gofyn i'r ysgol wneud gormod. Yn hen ffasiwn eto, daliaf mai trosglwyddo gwybodaeth yw gwaith ysgol a bod rhai pethau, pethau go bwysig hefyd, y mae'n rhaid eu gadael i 'Brifysgol Fawr Bywyd' chwedl yr hen ystrydeb. Enghraifft fechan ddigon dibwys o hyn. Mae'r adroddiad o blaid 'dysgu a meithrin sgiliau ymarferol ar gyfer bwyta'n iach'. Iawn, ond os yw'r hogyn yn cael blas ar Ddafydd ap Gwilym a Monster Munch fel ei gilydd, gadawer iddo er mwyn y nefoedd! Mae rhai ohonom yn hoffi bwyta sgrwtsh, eraill yn hoffi ei sgwennu.

(3) DYCHRYN

Dyfynnir adroddiadau cynharach, ac yn wir mae un o'r rheini yn waith 'Arad Research'! Mi neidiais lathen o'm cadair! Beryg fod hwn yr un ag 'Arad Consulting' gynt, y cnafon bach dan-din a dauwynebog a argymhellodd yn erbyn Coleg Cymraeg Ffederal ar ôl bod mor wên-deg wrthym ni, dirprwyaeth a oedd yn ymgyrchu trosto? Mi glywais fod yr Arad wedi newid ei henw, a dyma'r englyn a luniais ar y pryd:

Dan ei glew enw newydd – hen natur
Hon eto yw'r aflwydd.
Holl hanes ei lles a'i llwydd
Yw 'redig mewn gwARADwydd.

(4) ANGHYTUNO

Un enghraifft fydd ddigon. Yn dilyn 'arsylwi ar eu proses dysgu eu hunain' a 'meithrin sgiliau hunanasesu' eir ymlaen at 'gymedroli gan gyfoedion.' 'Mae asesu gan gyfoedion yn ddull lle y mae plant a phobl ifanc yn asesu gwaith ei gilydd mewn parau neu grwpiau.' Gofal, er mwyn popeth! Dyma wahoddiad agored i ddisgybl digywilydd, maleisddrwg danseilio hyder disgybl llai ymwthgar, yn enwedig os yw hwnnw'n alluocach nag ef. Onid yw'r awduron yn cofio sut rai oeddem yn blant? Gydag eithriadau (a byddaf yn cofio'n ddiolchgar bob amser am yr eithriadau hynny) nid yw plant yn dod yn gyfeillion parhaol, sefydlog nes maent yn rhyw 16-17 oed. Cyfeillion a gelynion bob yn ail ydynt hyd at hynny, weithiau cyfeillion a gelynion yr un pryd, a gallant newid ochr sawl gwaith yr un diwrnod. Ond nodwedd adroddiadau ar addysg yw eu bod yn symud a bod mewn byd o theori heb lygad na chlust i'r 'hen natur ddynol' honno y soniai Daniel Owen amdani ac y gwelai ef angen weithiau ddweud y gwir amdani 'yn ei hwyneb'.

§

Fel droeon o'r blaen wyneb yn wyneb ag adroddiadau addysgol, y gymhariaeth gyntaf a ddaeth i'm meddwl yw tywallt powdwr golchi i lond twb o ddŵr a'i droi rownd a rownd a rownd efo llwy bren fawr i gynhyrchu mwy a mwy a mwy o swigod. Ond mae'n waeth na hynny hefyd. Mae sylweddau gwenwynig yn y dŵr, ac o'i gorddi fe dry yn drwyth gwiddanod o nonsens niweidiol. Mae rhywbeth mawr iawn o'i le ar gymdeithas sy'n cymryd stwff fel hyn o ddifri.

'Could do better,' meddai'r hen adroddiadau ysgol ers talwm, ac ymddengys mai dyna ddyfarniad cyffredinol yr adroddiad ar ein holl ymdrech addysgol yng Nghymru. Mae yma boeni am arolygon PISA ac adroddiadau Estyn, 'sydd yn dangos nad yw'r lefelau cyrhaeddiad mor uchel ag y gallent ac y dylent fod.' Nac ydynt wrth gwrs, meddai unrhyw un â'i lygaid yn ei ben, wedi hanner canrif o anfon allan o Gymru ei phlant galluocaf, arfer yr ymddengys bod y llywodraeth hon yn awyddus i'w pharhau. Yn wir, gan mai'r polisi yw gwacáu Cymru o'i doniau, pa ddiben cynnal ymchwiliad ar addysg o gwbl? Fel Albanwr, tybed na allai'r Athro Donaldson sibrwd gair bach yng Nghymru am lwyddiant yr Alban yn cadw'i myfyrwyr galluog gartref drwy'r ddyfais seml, effeithiol o'u gwobrwyo'n ariannol?

Un dyfyniad eto cyn cloi:

> 'Dylai'r rhaglenni dysgu proffesiynol cychwynnol ac ar hyd gyrfa gynnwys elfennau sy'n meithrin capasiti athrawon i asesu'r holl ddibenion cwricwlwm a deilliannau cyflawniad.'

Ie, bregliach brain byd Addysg. Dysga di'r ieithwedd yma 'ngwas i, ac mi ei di yn dy flaen.

Mae'r Gweinidog Addysg, Huw Lewis, wedi croesawu'r adroddiad ac am inni gynnal 'sgwrs fawr genedlaethol' ar ei sail. Yr unig dro imi gwrdd â Mr. Lewis fe dorrodd y sgwrs yn fyr iawn a cheisio atal fy nhystiolaeth i un o bwyllgorau'r Cynulliad, – gweithred heb gynsail yn holl hanes democratiaeth seneddol, clywais ddweud wedyn. Ryw ddiwrnod, os byw ac iach, peidier â synnu os â'r hen G.A. yn ei ôl i'r Bae i orffen y frawddeg na chafodd ei gorffen y diwrnod hwnnw yn 2001.

Gweithgaredd cwbl ddi-fudd yw paldaruo am Addysg. A dyma finnau wedi bod wrthi eto.

(Blog Glyn Adda, 10 Mawrth 2015.)

6.

Cwestiwn i'r Cymry

Simon Brooks a Richard Glyn Roberts, gol., *Pa beth yr aethoch allan i'w achub?* Ysgrifau i gynorthwyo'r gwrthsafiad yn erbyn dadfeiliad y Gymru Gymraeg (Gwasg Carreg Gwalch, 2013), £10.00.

Yr hen G.A.'n gofyn mewn siop lyfrau, 'Ydi *Pa Beth yr Aethoch Allan i'w Achub?* wedi cyrraedd?' Cynorthwy-ydd (gobeithio, nid perchennog y siop): 'O, ia. Llyfr 'ta cylchgrawn ydi o?' Yn awr, ddarllenwyr y blog hwn, petaech chi'n cychwyn cylchgrawn Cymraeg newydd, fyddech chi'n rhoi *Pa Beth yr Aethoch Allan i'w Achub?* yn deitl arno? Awgrymodd y cwsmer, pe bai'r llyfr wedi cyrraedd, y byddai'r siopwraig yn cofio darlun y clawr. O, oedd, erbyn meddwl. Roedd yno gopi. Reit ar waelod rhyw resel, ar lefel traed, bron o'r golwg. Dyma lyfr y byddai'n dda, fel arbrawf mewn gwerthu, gwneud mynydd ohono yn y ffenest, neu yng nghanol y siop, am ryw wythnos, i drio cael i bennau pobl fod yma rywbeth gwahanol, rhywbeth o bwys. 'Stack 'em high and sell 'em hard', weithiau? Onid oes yna ryw ddiffyg 'mynd amdani'? Onid oes yna, a benthyca gair Maggie Thatcher, ryw agwedd '*wet*'? Onid oes, chwedl yr hen ymadrodd, 'isio sgŵd'?

Beth bynnag, dyma gael y llyfr, a'i ddarllen yn bwyllog, ofalus, gan gael ohono lawer o ddiddordeb, ie llawer o ryw fwynhad – er rhyfedded y gair, a'r testun yn un mor boenus. Mwynhad, o weld bod rhywrai o leiaf yn fodlon mynd i'r afael â rhai pethau eto, wedi'r flwyddyn o ddistawrwydd syfrdan a ddilynodd gyhoeddi ffigurau iaith 2011. Difyr hefyd y cyfeirio mynych at griw o feddylwyr Cyfandirol a thraws-Iwerydd a'u henwau gan mwyaf yn newydd. Ni fu'r fath yfed o ffynhonnau estron er pan oedd R. T. Jenkins ac Ambrose Bebb, W.J. Gruffydd a Saunders Lewis yn cloriannu negeseuon meddylwyr Ffrengig nid llawer llai na chanmlwydd yn ôl. Deallusion Ffrengig yw'r rhan fwyaf o'r proffwydi newydd hyn hwythau, ac arnynt arlliw ôl-Farxaidd. Mae'r hen sgeptig yn cyrraedd am y pot halen yn syth, ond heb eu darllen ni pherthyn imi awgrymu mai siarlataniaid ydynt i gyd. Ar bethau fel 'cymdeithaseg gorthrwm' a'r angen am ddatgelu hwnnw 'yn y mannau lle mae fwyaf cuddiedig', mae eu sylwadau'n ddiddorol ac yn swnio'n dra pherthnasol i'n cyflwr ni.

Y ddau brif elyn

Fel y pwysleisir ar ddechrau'r llyfr, fe gynrychiolir ynddo farnau gwahanol. Serch hynny mae iddo brif berwyl, a hwnnw'n un clir iawn. Ei ddadl fawr yw fod i'r Cymro heddiw ddau brif elyn newydd, neu o leiaf ddau nad oeddem wedi eu hadnabod a'u henwi o'r blaen. Dwyieithrwydd yw'r naill. Datganoli, ymreolaeth neu genedlaetholdeb sifig yw'r llall. Rhyfedd yntê, a ninnau dros ddegawdau wedi gosod ein ffydd yn y rhain gan feddwl eu bod yn ddau biler yr achos. Os yw hyn oll yn eich taro, ddarllenwyr, yn rhyfedd, yn anghyfarwydd, yn heresïol, – darllenwch y llyfr. O hyn ymlaen ni byddaf yn ei 'adolygu', dim ond codi ambell bwynt o ambell bennod.

Beth yw Cymro a beth yw Sais ?

'Pwy yw'r Cymry ? Hanes enw', yw teitl y bennod gyntaf, cywaith gan y ddau olygydd. Cefais ddarllen y bennod hon mewn drafft, a hyd y cofiaf mae fy ymateb heddiw yn ddigon tebyg i'r hyn oedd ar yr olwg gyntaf honno. Atebir y cwestiwn drwy bwyso ar arfer y cenedlaethau, ac ar lafar gwlad heddiw : ystyr 'Cymro' yw un sy'n medru Cymraeg. Rhaid cytuno i raddau mawr iawn, gan na ellir gwrthod y dystiolaeth. Fel y nodais o'r blaen (os iawn y cofiaf), pan ddown at gyfieithu y cyfyd rhai cymhlethdodau. Sut mae cyfieithu 'Cymro' i'r Saesneg ? A 'Welshman' i'r Gymraeg ? Sut mae cyfleu yn Saesneg yr hyn sy'n fformiwla gryno ac ystyrlon i ni, 'Cymraeg a Chymreig' ? 'Cymry', medd casgliad y bennod, gan enwi enghreifftiau, yw pawb, o ba darddiad bynnag, sydd wedi dysgu'r Gymraeg yn drylwyr ac wedi dod yn 'gymathedig'. A yw arfer gwlad yn ategu hyn ? Onid 'Sais wedi dysgu Cymraeg' a ddywed y Cymro, hyd yn oed am y gorau ? A dyma reol arall : bydd Cymro sydd wedi dysgu'r Saesneg yn dda yn mynd yn 'Sais da', – dyfynnir enghreifftiau yma. Ond nid yw'n digwydd y ffordd arall. Ni bydd Sais sydd wedi meistroli'r Gymraeg, ni waeth pa mor rhagorol, byth yn mynd yn 'Gymro da'. Term am Gymro diwylliannol-weithgar yw hwnnw, a magodd ystyr eironig, Cymro anwleidyddol.

Am yr hen ddynodiad 'Cymro di-Gymraeg', rhaid cytuno â'r awduron fod rhywbeth digon chwithig ynddo. Gwaeth fyth y fersiwn Saesneg (byddai darlithydd ym Mangor flynyddoedd yn ôl yn agor pob sylw â 'speakin' as a non-speakin' Welshman ...'). Eto mae'n anodd ei osgoi weithiau. Ni allai'r Sais yn ei fyw dderbyn mai Sais oedd Neil Kinnock, a throdd canlyniad etholiad cyffredinol ar hynny. Meddyliwch am Sais o'r iawn ryw, Sais a chanddo hunan-barch ei genedl. Ni all hwn byth dderbyn honiad Cymro, 'English I am, see', na honiad hogyn o Fangor, 'English me, ay'.

Sifig, ethnig &c.

'Dygaf fy nghyffes,' chwedl yr hen awduron, bûm innau'n tybio, nid mor bell yn ôl, ac fe'i dywedais mewn print unwaith neu ddwy, mai 'cenedlaetholdeb sifig' oedd y nod, ond y byddai 'cenedlaetholdeb ethnig' yn well na dim yn y cyfamser. Rhowch 'gwladgarwch' yn lle 'cenedlaetholdeb' am y tro os mynnwch chi. Sail y dybiaeth hon oedd y byddai cyfrifoldeb sifig Cymreig yn golygu cyfrifoldeb am ddiogelu, cynnal a meithrin cyfanswm y pethau a berthyn i Gymru, yn cynnwys y Gymraeg. 'Tybiaeth eithafol naïf,' fe ddywed golygyddion y gyfrol efallai. A wyf am newid fy meddwl ? Os gwnaf, dau beth a fydd wedi f'arwain at hynny. Yn gyntaf, profiad pedair blynedd ar ddeg o fyw yn y Gymru ddatganoledig ; ac yn ail, dadleuon y llyfr hwn. Ni ddylwn roi'r argraff ychwaith fod y llyfr yn ffafrio 'cenedlaetholdeb ethnig'. Nid yw o blaid unrhyw genedlaetholdeb, hyd y gwelaf. Ond yn y diwedd, nid wy'n credu y newidiaf fy meddwl yn llwyr. Fe erys eto dasgau sifig i'w cyflawni, ac ni welaf y gellir gwneud hynny ond o fewn fframwaith mudiad ymreolaeth. Dyna'r mater, er enghraifft, o greu rhanbarth gweinyddol Cymraeg, rhywbeth tebyg i hen syniad Adfer efallai, a syniad y rhoed iddo gredinedd newydd gan awgrymiadau Adam Price. I'w greu byddai gofyn cynllunio ac adeiladu gofalus dros ben, a phenderfynol yr un pryd. Mae un bennod yma, 'Cenedlaetholdeb', t. 160, yn ymwrthod â phob adeiladu, os wyf yn deall ei brawddeg agoriadol yn iawn. 'Ni fydd gwleidyddiaeth wir ryddfreiniol yn ymdroi â sefydlu neu adsefydlu hunaniaeth ond bydd yn canolbwyntio yn hytrach ar ddileu gormes yn ei amryfal weddau.' Mae gennyf lawer o gydymdeimlad â'r olygwedd Fanicheaidd hon. Rwyf innau wedi teimlo erioed mai dileu, dadwneud, dymchwel, disodli yw tri chwarter tasg gwleidyddiaeth oleuedig. Eto fe erys y chwarter sydd ar ôl, ac fe ddaw'r diwrnod i ddechrau gosod bricsen ar fricsen drachefn.

Y gelynion llai

Nid wyf am grynhoi dim o'r hyn a ddywed y llyfr am y 'ddau elyn mawr', Dwyieithrwydd a Datganoli. Yn sgil y ddau hyn fe ffynna rhai gelynion llai. Cyfieithu ar y pryd yw un, peth y mae gan Richard Glyn, drwy brofiad helaeth, farn am ei wir effeithiau. Bathu termau yw un arall. Dyma eiriau R.G. : 'Mae puryddwyr ieithyddol ... , yn neilltuol drwy gyfrwng geiriaduraeth derminolegol, yn atgynhyrchu gormes drwy sefydlu norm safonol newydd *in vitro* sy'n dyrchafu'r iaith uwchlaw (hynny yw, ar draul) ei siaradwyr. ... Mewn geiriaduraeth derminolegol, glos ar y Saesneg yw'r Gymraeg yn ddieithriad ac amcan gweithgarwch terminolegol yw cyfleu union ystyr y gair Saesneg yn Gymraeg, gan ymdrechu i sicrhau cyfatebiaeth semantig lwyr rhwng y gair Cymraeg a'r gair Saesneg gwreiddiol. Yn y modd hwn cyplysir cylch semantaidd geiriau Cymraeg wrth ystyr y geiriau Saesneg cyfatebol, gan rwystro neu annilysu datblygiad semantaidd amgen a chadarnhau perthynas o ddibyniaeth.' Ai'r ystyr yw na ddylem fathu termau o gwbl, nac arfer unrhyw newyddeiriau bathedig ? Wedi treulio deunaw mlynedd uwchben y gwaith o lunio geiriadur, a yw'r hen G.A. yn ddyn euog, yn un o anghymwynaswyr y Cymry ? Wel, mi ddywedaf hyn. Wrth inni ddechrau ar Eiriadur yr Academi, yr oedd Bruce Griffiths a minnau'n bur gytûn ar ddwy egwyddor, a gobeithio na bu gwrthdaro rhwng y ddwy yn rhy fynych. Yr egwyddor gyntaf, wedi ei chorffori mewn cyfarwyddiadau i'n cynorthwywyr, oedd : unrhyw beth a ddywedir yn Saesneg, fe ellir ei ddweud yn Gymraeg ; peidiwch byth ag ildio ; peidiwch â gadael bwlch ; cynigiwch rywbeth. A'r ail egwyddor : peidiwch â bathu os medrwch chi beidio ; yn lle bathu, *meddyliwch*, a gofynnwch i chi'ch hun beth y byddai'r Cymro yn ei *ddweud*. Er inni gynnwys cannoedd lawer o newyddeiriau, am eu bod yn bod, am fod eraill yn eu harfer, gobeithio fod y ddwy egwyddor fawr hyn yn tywynnu drwodd ar ddiwedd y gwaith. A bellach gweler yr hyn y ceisiais ei gyfleu ar dudalen 8 o'r gyfrol *Eira Llynedd ac Ysgrifau Eraill gan W.J. Gruffydd*.

Y cwestiwn

Cwestiwn i'r mudiad cenedlaethol yng Nghymru oedd 'pa beth yr aethoch allan i'w achub ?' pan ofynnwyd ef gan J.R. Jones bum mlynedd a deugain yn ôl. Dyna ydyw eto. Yn y cyd-destun politicaidd cyfyng, mae'n gwestiwn priodol i blaid nad oes iddi enw ond 'Plaid', na dim i ddweud plaid pa beth ydyw. Mae'n gwestiwn ehangach hefyd, a daw adeg yn hanes y rhan fwyaf o fudiadau gwleidyddol a lled-wleidyddol pryd y mae'n briodol ei ofyn. At ei gilydd y mae'n fwy perthnasol i bleidiau'r 'chwith', fel y dywedir, y rheini a grewyd i geisio newid y byd ac sy'n dal i'w hystyried eu hunain yn 'ddiwygiadol' neu 'flaengar'. Fe ddaw'r pwynt hwnnw ar y daith lle bydd y rhain nid yn unig yn anghofio'r hyn yr aethant i'w achub, ond hefyd yn troi yn eu carn a dechrau gweithio yn erbyn y peth hwnnw. Darllener *Dyrchafiad Arall i Gymro* yn y gyfrol *Dramâu W.J. Gruffydd*, ac efallai y gwelir nad yw hi mor ddiniwed. Mae'r 'system' yn llyncu pawb ond y cryfaf, ac mae'r 'ormes gudd' a ddadansoddir gan Pierre Bourdieu, un o broffwydi'r gyfrol hon, ar waith yn barhaus. Ond fe all hyn ddigwydd i bleidiau a mudiadau'r Dde hefyd, er yn llai aml. Yn ei araith am 'Wind of Change' ym 1958 fe dderbyniodd ac fe gyhoeddodd Harold Macmillan ddiwedd yr Ymerodraeth Brydeinig, ynghynt nag y byddai unrhyw arweinydd Llafur wedi gwneud, rwy'n amau. Ysgubwyd y Cadfridog de Gaulle i rym ar don o *Algérie Française*, ond o fewn pedair blynedd yr oedd wedi cydsynio ag annibyniaeth Algeria gan saethu rhai o'i hen gefnogwyr. Etholwyd Richard Nixon i barhau ac i ennill rhyfel Viet-nam, ond fe'i tynnodd hi i ben. Mae yna ryw reidrwydd i achub y blaen ar yr ochr arall o hyd, mae hwnnw'n tynnu pleidiau o'r ddwy ochr tua'r canol, ac yn y brys i feddiannu'r canol mae yna fethu stopio, gydag effeithiau sydd weithiau'n dda ac weithiau'n ddrwg. Digwydd yr un math o broses y tu allan i'r ymrysonau pleidiol. Cawn swyddog hyrwyddo'r Gymraeg o fewn rhyw sefydliad yn deffro ryw fore a'i gael ei hun yn swyddog cadw'r Gymraeg yn ei lle. Cawn gymdeithas dai a ddechreuodd arni yn prynu tai a'u gosod i Gymry, yn sydyn yn dechrau codi fflatiau newydd sbon a'u gosod i fewnfudwyr. Cawn Fwrdd Dysgu trwy'r Gymraeg Prifysgol Cymru yn gweithredu am dair blynedd ar ddeg fel Bwrdd Rhwystro Coleg Cymraeg Ffederal. Mewn cyfarfod o'r corff 'Hunaniaith' yng ngwanwyn 2010 cefais fy hun yn gofyn 'ai fi sy'n drysu 'ta ydi pawb yma wedi newid ochr ?'.

Tynnu'n groes

Fel gwaith J.R. Jones, cynnig beirniadaeth y mae'r gyfrol hon, nid cynnig rhaglen. Wrth feirniadu a rhybuddio, yr oedd J.R.J. yn ysbrydoli hefyd. A oes ysbrydoliaeth bellach, ynteu a yw creu'r Cynulliad, a thair Deddf Iaith, wedi dihysbyddu'r posibiliadau ac wedi amlygu'r cyfyngiadau sydd arnom ? Braidd-gyffwrdd y mae'r ysgrifau hyn ag unrhyw atebion. 'Priod iaith' ? Bro Gymraeg newydd ? Senedd i'r Cymry (o'i chyferbynnu â 'Senedd i Gymru')? 'Cymuned Iaith' (o'i chyferbynnu â chenedl)? Esiampl Catalonia? Esiampl Gwlad y Basg? Disgwyl diwedd 'gwleidyddiaeth neoryddfrydol ein gwladwriaethau seneddol-gyfalafol'? Dro ar ôl tro, caf y teimlad mai cythru i welltyn sydd yma, ac efallai bod hynny'n adlewyrchiad cywir o'n cyflwr ni bellach.

Tynnu'n groes yw pwrpas y gyfrol. Tynnu'r gorchudd. Dadrithio. Mae hynny'n beth llesol ac angenrheidiol bob amser. Dof yn ôl at y ddrama *Dyrchafiad Arall i Gymro*. Neges y parsel i'r gwleidydd Ifan Morris oedd 'pa beth yr est ti allan i'w achub?' Fe weithiodd, o leiaf yn yr ystyr o chwalu'r 'ormes gudd' ym meddwl Ifan. Byddai'n dda pe câi'r ysgrifau hyn yr un effaith ar 'rai pobl yng Nghymru' chwedl W.J. Gruffydd ei hun.

(Blog Glyn Adda, 21 Tachwedd 2013.)

7.

Brad Bob Lewis ?

Simon Brooks, *Pam na fu Cymru. Methiant Cenedlaetholdeb Cymraeg.* (Gwasg Prifysgol Cymru, 2015), £16.99.

I. *Y ddadl*

Cefais ddarllen y llyfr hwn mewn drafft a thrafod agweddau arno gyda'r awdur. Serch hynny bu'n bleser ac yn addysg ei ddarllen am yr eildro a meddwl yn galed am ei ddadl. Tameidiol yn hytrach na chyfundrefnol yw'r ymateb sy'n dilyn.

Fe sylwa'r darllenydd (a) nad oes holnod yn nheitl y llyfr, a (b) mai 'Cymraeg' ac nid 'Cymreig' a ddywedir.

Yr amcan yw dweud wrthym pam, pryd a sut yr aeth pethau o chwith. 'Pam nad yw Cymru heddiw'n wlad Gymraeg ei hiaith ? Pam nad yw Cymru heddiw'n wlad annibynnol ? Sut y gallai gwlad a oedd ym 1850 yn uniaith Gymraeg dros y rhan fwyaf o'i thiriogaeth fod o fewn dim i golli'r iaith cyn pen can mlynedd ?' Nid oes neb cyn hyn, hyd y gallaf gofio, wedi gosod y cwestiynau mor blwmp a phlaen. Yn eu pennau gellid rhoi cwestiwn arall, cysylltiedig : sut y llwyddodd yr unrhyw wlad, a hithau'n gyfoethog o'r fath adnoddau, i roi ei chyfoeth i gyd i ffwrdd ? Yr ateb, medd Simon Brooks, yw absenoldeb mudiad cenedlaethol. A mwy na hynny, presenoldeb rhywbeth arall yn ei le. Rhyddfrydiaeth.

Bu'n rhyw dybiaeth gennym, er ein bod wedi ei chywiro i ryw fesur yn ystod y blynyddoedd diweddar, fod cymaint ag a fu o genedlaetholdeb Cymreig tua diwedd y bedwaredd ganrif ar bymtheg yn dilyn yn naturiol o radicaliaeth cenhedlaeth neu ddwy flaenorol. Morgan John Rhys, Gomer, David Rees, S.R., Ieuan Gwynedd, Gwilym Hiraethog, R.J. Derfel, Michael D. Jones, Emrys ap Iwan, – rhyw olyniaeth fel yna, gyda rhyddfrydiaeth yn graddol aeddfedu'n ddealltwriaeth gliriach o anghenion y Cymry fel Cymry. Mae Simon Brooks yn gwrthod y crynodeb hwn yn llwyr, gan osod M.D.J. ac Emrys yn glir ar wahân i'r traddodiad o'u blaenau. Dengys yn wir fel y bu i M.D.J. ac S.R. basio'i gilydd, bron na ddywedir cyfnewid ochr ar eu hymdaith wleidyddol. Ym 1824 ysgrifennodd S.R. draethawd 'Ardderchowgrwydd yr Iaith Gymraeg' ac ennill gwobr eisteddfod amdano. 'Gwaith ceidwadwr' ydyw, medd Simon Brooks. 'Cofeb i'r Gymru a allai fod wedi bod, ond na ddaeth i fodolaeth, yw'r traethawd heriol a thra gwych hwn.' Ymhen blynyddoedd yr oedd rhyw bethau – a rhoddir pwyslais cryf ar ei brofiadau yn yr Amerig – wedi arwain S.R. i newid ei feddwl yn o lwyr, i synio bod yn rhaid gweithio tuag at un iaith er mwyn creu byd heddychol a bod rhaid i'r Gymraeg ddiflannu fel rhan o broses felly. Teg yw ychwanegu yma na chafodd S.R. unrhyw wobrau bydol am ei newid meddwl, ac nad er ceisio'r rheini y'i gwnaeth. Dyna inni M.D.J. wedyn, yn Rhyddfrydwr gweithgar adeg etholiad '59, a dialedd yn disgyn ar ei fam o ganlyniad, ond yna'n graddol 'ymbellhau oddi wrth effeithiau difaol Rhyddfrydiaeth Seisnig' nes dod i gytuno â Charles Stewart Parnell nad oedd dim i'w ddewis, o safbwynt y cenhedloedd Celtaidd, rhwng Rhyddfrydwr a Thori. Daeth Emrys ap Iwan i'r union gasgliad, gan ysgrifennu wedi etholiad 1895 ym Mwrdeistrefi Dinbych, 'yr oedd yn dda gennyf fod Morgan wedi colli, ac yn ddrwg gennyf fod Hywel wedi ennill'.

Roedd ein hynafiaid drwy gyfnod Cymru Fydd a hyd at y Rhyfel Byd Cyntaf yn hoff o gyhoeddi mewn cân ac araith 'mae Cymru'n rhydd'. 'Mae Cymru'n Rhyddfrydol' oedd yr hyn yr oeddent yn ei olygu, ac er ein bod ni ers peth amser wedi dod i weld y gwahaniaeth, cymer beth ymdrech o hyd i'n hatgoffa ein hunain ohono. Nod ac effaith y llyfr hwn yw tanlinellu'r gwahaniaeth. Gobeithio fy mod yn crynhoi pennau'r ddadl yn deg, fel a ganlyn. Ideoleg gymathol, wrthleiafrifol ac anoddefgar o wahaniaethau fu Rhyddfrydiaeth, â'i gwreiddiau, yn union fel gwreiddiau Jacobiniaeth Ffrengig, yng Ngoleuedigaeth y ddeunawfed ganrif. Rydym yn ddigon cyfarwydd â gwrth-Gymreigrwydd y mudiad Llafur drwy ganmlwydd namyn deg ei oruchafiaeth ; ond roedd y drwg wedi ei wneud cyn hynny. Yng nghyfnod Rhyddfrydiaeth, a than ei dylanwad hi, y cymerodd y Cymry'r tro anghywir gan roi ar waith y prosesau sydd ymron wedi ein difa erbyn hyn. 'Gwlad ryddfrydol, nid sosialaidd, oedd Cymru yn y cyfnod rhwng Brad y Llyfrau Gleision a'r 1890au, a methiant rhyddfrydol oedd y methiant i sefydlu mudiad cenedlaethol pan oedd y Gymraeg yn iaith lafar mwyafrif y boblogaeth.' 'Dogfen ryddfrydol, flaengar' oedd y Llyfrau Gleision, ac roedd rhyddfreinio'r Cymry yn amcan diffuant ynddi. Fe dderbyniwyd ei hymosodiad ar y Gymraeg gan Gymry 1847 am fod eu harweinwyr *eisoes* yn Rhyddfrydwyr.

Cytuno ? Anghytuno ? Pwy sydd am wrthateb ? Beth amdani, Ddemocratiaid Rhyddfrydol Cymru ? Beth am gael seiat uwchben y llyfr hwn yn eich Cynhadledd Flynyddol nesaf ? Pwy sydd am agor ?

II. *Dyfyniadau moel*

I hybu'r drafodaeth, dyma un dyfyniad ar ddeg, yn foel a heb sylwadau. Gellid oriau o drafod ar bob un. Rhoddaf y tudalen bob tro, er mwyn i'r Cynadleddwyr allu gweld y dyfyniad yn ei gyd-destun.

1. 'Roedd y Diwygiad Methodistaidd yn fudiad o bwys, yn llawer mwy dylanwadol yng Nghymru na'r "Enlightenment" seciwlar, ond ni oleuodd genedl y Cymry yn y materion a drafodir yn y gyfrol hon.' [xvi]

2. 'Oherwydd y Diwygiad Methodistaidd, rhwystrau ar ledaeniad syniadau goleuedig yng Nghymru, maint pitw'r dosbarth canol brodorol, ac yn bennaf oll yr adwaith amddiffynnol i ymosodiad y Llyfrau Gleision yn 1847, caregwyd delwedd y Cymry ohonynt hwy eu hunain fel cenedl dduwiolfrydig.' (34)

3. 'Roedd Rhyddfrydiaeth *laissez-faire* canol y bedwaredd ganrif ar bymtheg yn radical yn yr un ffordd ag y bu Thatcheriaeth ddiwedd yr ugeinfed ganrif. Gwadai fod y fath beth yn bod â chymdeithas.' (64)

4. 'Felly pwysleisir drachefn gaswir Rhyddfrydiaeth o safbwynt y Gymru Gymraeg : nid yn enw Adwaith y gorthrymwyd y Cymry, ond yn enw blaengarwch, ac wrth iddynt gofleidio'r wleidyddiaeth flaengar hon y gorthrymodd y Cymry eu hunain.' (75)

5. 'Os felly, ymdrech yw'r Llyfrau [Gleision] yn hanesyddiaeth y Cymry i roi'r bai ar y Saeson am fod y Cymry wedi dewis cefnu ar y Gymraeg, honiad cyfleus o safbwynt radicaliaeth Gymreig. Y gwir amdani yw y buasai'r Cymry wedi arddel Rhyddfrydiaeth wrthleiafrifol hyd yn oed pe na bai'r Llyfrau Gleision erioed wedi gweld golau dydd. ... Pechodd y Llyfrau Gleision, ond nid ar sail nac iaith na chenedlaetholdeb. Yn 1847, roedd arweinwyr y Cymry eisoes yn bobl ryddfrydol, ac roeddynt yn chwannog eithriadol i godi Saesneg a chymathu'n ieithyddol. Daw'r gynddaredd yn erbyn y Llyfrau Gleision o ddicter cyfiawn, ac o gywilydd hefyd, nad oedd y Saeson wedi deall hyn.' (79)

6. 'Buasai perygl i leiafrifoedd bob tro mewn cydweithio diamod â rhyddfrydwyr a sosialwyr y mwyafrif goruchafol. Ni ddysgwyd y wers hon yng Nghymru.' (97)

7. 'Diniweidrwydd syniadol yn wyneb bygythiad Rhyddfrydiaeth fwyafrifol, o leiaf ymhlith carfannau mwyaf dylanwadol y gymdeithas, yw prif nodwedd y meddwl Cymraeg mewn cymhariaeth â'r meddwl gwleidyddol yng ngweddill Ewrop.' (97)

8. 'Yng nghysgod y methiant, erys sylwadaeth Emrys ap Iwan a Michael D. Jones yn gofeb i'r Gymru amgen, y Gymru Rydd Gymraeg, na ddaeth i fodolaeth.' (103)

9. 'Ni all y mudiad cenedlaethol ymroi i achosion radicalaidd Prydeinig, a chynghreirio â'r Aswy trwy wledydd Prydain mor gyson ag y gwna, heb fod hynny'n effeithio ar gyd-destun y ddadl Gymreig. ... Dengys hanes Cymru yn y bedwaredd ganrif ar bymtheg fod i gydweithio o'r fath ei beryglon. Gellir esbonio gwendid presennol cenedlaetholdeb yng Nghymru trwy fod y mudiad cenedlaethol wedi dychwelyd at wleidyddiaeth radical, ddyneiddiol, gyffredinol y ganrif honno.' (133-4)

10. 'Roedd Cymru Oes Fictoria ymhlith cymdeithasau mwyaf modern y byd. Roedd ei phobl yn llythrennog, roedd ganddynt wasg. Er bod y dosbarth bwrdais yn fychan, pe troesai at genedlaetholdeb, gallasai fod wedi lledu'r efengyl newydd, ond ni wnaeth.' (136)

11. 'Enciliodd y gymdeithas Gymraeg gyda chydsyniad y Cymry eu hunain. Felly ceir y sefyllfa od yng Nghymru mai'r hyn a laddodd y Gymraeg oedd Rhyddfrydiaeth yn hytrach na Cheidwadaeth, radicaliaeth yn hytrach nag Adwaith, democratiaeth yn hytrach nag awtocratiaeth, ac addysg yn hytrach na diffyg dysg. ... Dengys Cymru, yn well nag unrhyw

enghraifft arall yn Ewrop, yn wir yn y byd, yr hyn sy'n digwydd i leiafrif pan wyneba Ryddfrydiaeth fwyafrifol yn ddiamddiffyn.' (138)

III. *Rhyddfrydiaeth – ei gwerth a'i gwendid*

Wedi imi fod yn euog uchod o ychydig wamalrwydd ar draul un o bleidiau'r dwthwn hwn yng Nghymru, rhaid brysio i bwysleisio mai â Rhyddfrydiaeth fel ideoleg, athroniaeth neu egwyddor y mae a wnelo Simon Brooks gan mwyaf oll, nid â'r Blaid Ryddfrydol na'i holynydd heddiw. Ond ar gefn hynny mae'n anodd peidio â'n hatgoffa'n hunain hefyd o'r pris a dalwyd am fethiannau Rhyddfrydiaeth fel plaid. Deilliodd y methiannau hynny o'i *gwendid*, – gwendid traddodiadol y Chwith wyneb yn wyneb â'r Dde, a gwendid a etifeddwyd yn helaeth iawn gan y Blaid Lafur. A rhoi dim ond dwy enghraifft, o wendid gwaradwyddus llywodraeth Asquith, a oedd hefyd yn wendid Asquith ei hun, y tarddodd (a) problem barhaol Gogledd Iwerddon, a (b) y Rhyfel Mawr a'i holl ganlyniadau, yn cynnwys rhyfel arall.

I mi, bron er pan wyf yn ddigon hen i gofio, mater gofid mawr yw'r ffeithiau hyn. Mae ar y byd angen Rhyddfrydiaeth, a thrueni na welid rhywfaint ohoni heddiw mewn parthau helaeth sydd wedi gwallgofi gan ideolegau ffwndamentalaidd. Yn wir fe rydd Simon Brooks inni ar dudalen 112 grynodeb erch o fywyd yr Ewrop anrhyddfrydol. Fel y dywedodd Lloyd George ar un o'i ddyddiau Rhyddfrydol (ac weithiau y câi ddyddiau felly), dynol ryw yn tyfu i fyny yw Rhyddfrydiaeth. Daw Boris Johnson yn y genhedlaeth hon, fel y mae Michael Heseltine mewn to hŷn, ac yn wir Churchill yn ei ddydd ac F.E. Smith cyn hynny, i'n hatgoffa mai dynol ryw yn gwrthod tyfu i fyny yw Torïaeth, ei gwleidyddiaeth wedi fferru mewn rhyw dragwyddol 'upper fourth', – a diau fod a wnelo hynny i gryn fesur ag addysg wyrdroedig y math o unigolion a enwais. Hyd at 1914 yr oedd mewn Rhyddfrydiaeth o hyd y dichonoldeb o dyfu'n rhywbeth tipyn mwy radicalaidd a mwy adeiladol nag a fu'r Blaid Lafur erioed, ond fel y dywedais bu'n rhy *wan* i'w wireddu. Yr oedd arni ofn y farn gyhoeddus ac ofn y *Daily Mail*, ac yr oedd ei phrif arweinwyr gan eithrio Lloyd George yn rhy *ddiog*.

IV. *Pedwar dyfyniad ac ambell sylw*

Dyna ddweud digon efallai i osod yr hen G.A. mewn corlan bur wrthwyneb, yn sylfaenol, i Simon Brooks. Ond gan werthfawrogi'n fawr iawn yr un pryd ddifrifwch a disgleirdeb y drafodaeth hon a'r cyfoeth o wybodaeth ac ystyriaethau y mae'n ei osod ger bron, dyma yn awr ambell ddyfyniad gyda sylw.

1. 'Lle i enaid gael llonydd yw Berlin.' (xiii) Mae'r cefndir Almaenig yn ddiosgoi drwy'r ymdriniaeth hon. Ymddengys mai Almaenwyr a welodd gliriaf gyfeiliornad Cymru'r bedwaredd ganrif ar bymtheg. Cyfaddefaf na wyddwn i ddim o'r blaen am Heinrich Rohlfs a Georg Sauerwein, a diddorol iawn yw eu sylwadau. Pwysleisir cyfraniad Christian Bunsen, Llysgennad Prwsia a brawd-yng-nghyfraith Gwenynen Gwent, tuag at weledigaeth Cylch Llanofer, a chyfeirir sawl tro at Johann Gottfried Herder fel awdur athroniaeth y buasai'n dda i Gymru ei dilyn. Gyferbyn â rhamantiaeth Herder safai Hegeliaeth, gyda Syr Henry Jones yn cynrychioli yn ei ddydd ben-draw'r difaterwch ynghylch y Gymraeg. Os gwir y chwedl i Syr Henry golli prifathrawiaeth gyntaf Coleg y Gogledd am iddo gael ei weld yn smocio sigarét ar y stryd ym Mangor ar ddydd Sul, llawn cystal hynny efallai. Y tebyg yw y buasai yr un mor drychinebus

o safbwynt y Gymraeg ag unrhyw un a gafodd y swydd. Ochr dda'r stori yw fod disgynyddion iddo heddiw wedi troi'n ôl yn Gymry, yn groes i'r duedd ddieithriad bron ymhlith disgynyddion Cymry Cymraeg amlwg.

2. 'Ceir disgrifiad trawiadol o derfysgoedd yr Wyddgrug yn *Rhys Lewis* (1885) Daniel Owen, sy'n darlunio'n glir gymhellion ethnig digymrodedd llawer o'r terfysgwyr, wrth bwysleisio yng nghymeriad Bob Lewis gymedroldeb y sawl a oedd o gefndir Methodistaidd, ac felly o fewn gafael ideoleg Rhyddfrydiaeth Brydeinig.' (25) Fe gofia darllenwyr y nofel mai annog ei gydweithwyr i ymbwyllo a wnaeth Bob, ac achub bywyd Mr. Strangle y rheolwr o Sais, ond mai ei ddiolch am hynny fu cael ei gyhuddo ei hun, ei guro gan yr heddlu a'i fwrw i garchar. Daeth Bob yn arwr Rhyddfrydol, yn wrthrych llyfr cyfan, *Bob Lewis (Brawd 'Rhys Lewis') a'i Gymeriad* gan y Parchedig Henry Evans (1904), ac yn batrwm ar gyfer olyniaeth o broffwydi ifainc camddealledig yn yr hen ddramâu poblogaidd. Os mai'r terfysgwyr 'ethnig', chwedl Simon Brooks, oedd yn iawn, ac os yw dadl y llyfr yn gywir drwodd a thro, hwyrach y gallem roi 'Brad Bob Lewis' yn deitl ar grynodeb o hanes Cymru Oes Victoria. Yn ôl Saunders Lewis yn ei lyfr ar Ddaniel Owen, tipyn o syrffedwr (bôr) oedd Bob (fel Wil Bryan yntau). Arwr y llyfr hwnnw yw Mr. Brown y Person. 'Gŵr rhadlawn a charedig' medd Daniel Owen ei hun amdano. Ond beth am y diwrnod pan gymerodd ef ei le gyda'r sgweiar ar Fainc yr Ynadon a gyrru Bob i'r jêl ?

3. 'A bu'r diwylliant Cymraeg yn ymddatod yn gynt o dan reolaeth adain chwith llywodraeth Bae Caerdydd nag y gwnaethai yng nghwrs deunaw mlynedd o lywodraeth Thatcheraidd [L]undeinig.' (123) Gwir bob gair, ysywaeth. Ond hyd yma ni

chlywais i yr un cenedlaetholwr yn dweud 'mi fotiais i NA yn '79 a '97 rhag ofn i hynny ddigwydd, a chan gofio rhybudd brawddeg olaf *Tynged yr Iaith*.'

4. 'Fel arfer, ni chyflwynir mesurau cryfion o blaid lleiafrifoedd mewn cymdeithasau democrataidd-ryddfrydol ond pan fo'r lleiafrif ieithyddol yn cipio grym gwleidyddol ei hun, fel sydd wedi digwydd yn Québec, Catalwnia, Gwlad y Basg, ac yn y cyd-destun Cymraeg yng Ngwynedd.' (129) O ran Gwynedd, cywir os golygir 'Gwynedd go iawn, 1974-96 '. Yn y 'Wynedd' anghyflawn bresennol, do fe gipiwyd grym, os dyna yw ennill mwyafrif da o seddau, ond ei daflu ymaith wedyn drwy bolisïau eithafol annoeth. Cynigiaf yma ddwy ddamcaniaeth gynllwyn, i'r darllenwyr gael dewis ohonynt. (a) Mae rhai o swyddogion Gwynedd dan ddylanwad Rhyw Allu Arall, ac yn gweithio i danseilio'r cynghorwyr, Plaid Cymru a'r cyngor. (b) mae Rhyw Allu Arall â'i afael ar y cynghorwyr eu hunain, neu o leiaf eu harweinwyr, ac wedi drysu eu synhwyrau.

V. *Craidd y mater*

Yn awr at graidd y mater. Os mai Rhyddfrydiaeth oedd y methiant mawr, neu'n wir y malltod, beth oedd y dewis arall i'n cyndadau Victoraidd ? Aros dan adain John Elias ? Glynu wrth Syr Watkin Williams-Wynn ? Pa broffwyd Ceidwadol Cymreig oedd yna i'w harwain tua'r goleuni ? Brutus ? Yr hen Dalhaiarn ? Noda Simon Brooks mai eithafol wrth-Geltaidd oedd y blaid Dorïaidd drwyddi draw. Ac am Eglwys Loegr, faint o dystiolaeth o blaid y Gymraeg a gyflwynodd hi i Gomisiynwyr 1847 ? Cylch Llanofer a'r Hen Bersoniaid Llengar, ie, haeddiannol yw pob clod a roddir iddynt yn y llyfr hwn ; ond gwerddonau oeddynt yn anialwch y Gymru Geidwadol ac Eglwysig. Rhyw fyd Disney oedd Llanofer er cystal rhai o fwriadau'r Arglwyddes; er enghraifft nid oedd yno unrhyw ddealltwriaeth o gymhellion y Siartwyr yr ochr arall i'r bryn, mwy na chan Garnhuanawc, hanesydd mwyaf goleuedig Cymru'r bedwaredd ganrif ar bymtheg mewn rhai pethau. (Mwy na chan S.R. chwaith, gall Simon Brooks ychwanegu. Oedd, yr oedd gagendor go fawr rhwng unigolyddiaeth Llanbrynmair a'r gweithredu torfol a ymddangosai i eraill yr unig ffordd o'u hadfyd.)

Beth am gynigion diweddarach i ymryddhau oddi wrth rai o gyfyngiadau Rhyddfrydiaeth? Nid oes unrhyw resymeg ar wyneb y ddaear yn mynd i wneud Tori o Michael D. Jones nac o Emrys ap Iwan, a rhaid pwysleisio nad yw Simon Brooks yn awgrymu dim o'r fath. Meddyliwr gwerth dychwelyd ato oedd John Arthur Price, rhagredegydd pwysig i Saunders Lewis yn rhai o'i syniadau; da gweld peth sylw iddo yma. Fe ddywedodd Price ym 1925 mai 'yr hyn y dymunwn ei weled oedd plaid Dorïaidd Genedlaethol Gymreig.' Eto, ar ôl pori cryn dipyn o bryd i'w gilydd yn ei ysgrifau, ni welaf ynddynt fawr o ddim y byddwn yn ei alw'n Dorïaeth heb lawer o oleddfu. Adeg y Rhyfel Byd Cyntaf yn arbennig, themâu gwir Ryddfrydol a welaf i yn ei waith, yn gwrthateb y dorfolaeth a nodweddai, erbyn hynny, wleidyddiaeth Lloyd George ac athroniaeth Henry Jones a chywair y cyhoedd yn gyffredinol. Cywiro diffygion Rhyddfrydiaeth oedd cenhadaeth Saunders Lewis yntau, a gwnaeth hynny mewn mwy nag un cylch, – gan gynnwys yr esthetig, fel y dywed Simon Brooks mewn brawddegau diddorol. Eto, o ddarllen y 'Deg Pwynt Polisi' a *Canlyn Arthur* drwyddo, anodd yw gweld rhaglen drwyadl geidwadol. Ymataliol fu'r adwaith esthetig, sef hynny o 'Foderniaeth' Gymraeg a gafwyd rhwng y ddau ryfel, a chyfaddawdol yr un modd fu'r wrthryddfrydiaeth. Anodd meddwl am weithred lai Torïaidd na Llosgi'r Ysgol Fomio ! Yn y gyfrol *Sons of the Romans : The Tory as Nationalist* gan H.W.J. Edwards (1975), gwêl Simon Brooks 'glasur coll gwrthryddfrydol, Torïaidd Cymreig, digyfaddawd o genedlaetholgar'. Adolygais y gyfrol hon pan oedd yn newydd, a darllenais gannoedd o ysgrifau H.W.J.E. yn y *Daily Post* gan eu torri allan a'u cadw. Maent oll yn ddiddorol am eu bod yn wahanol ac yn groes i'r llif, ond ni ellais erioed weld ynddynt – mwy nag yng ngwaith eu hysbrydolwr A.W. Wade-Evans – raglen i'n codi o'r twll yr ydym ynddo.

Nid oedd sail gymdeithasol i fudiad cenedlaethol ceidwadol yng Nghymru'r bedwaredd ganrif ar bymtheg, ac nid oes eto, dyna'r gwir amdani. Daw Simon Brooks at hanfod y mater lle dywed (t. 147, nod. 84) nad oedd gennym uwch-fwrdeisiaeth frodorol, Gymraeg, – pwynt a wnaed droeon gan Gareth Miles, gan ddod ato o gyfeiriad hollol wahanol.

Hyd yma yn hanes Cymru, ni ddaeth 'y Dde i'r adwy'. A all ddod eto ? Pwnc sy'n aros i'w brofi.

Byddai'n dda meddwl y bydd darllen ac ystyried a thrafod eang ar y llyfr hwn. Ond drwy ba gyfryngau ? Ym mha gylchgronau neu bapurau, mewn difri ?

VI. *Hysbysebu*

Gorffennaf heddiw drwy hysbysebu. Yng nghwrs tipyn o waith golygyddol yn ddiweddar rhoddais gryn sylw i rai o glasuron Rhyddfrydiaeth. Yng nghyfres 'Cyfrolau Cenedl' cyhoeddwyd eisoes *Dramâu W. J. Gruffydd* (£8), ac *Eira Llynedd ac Ysgrifau Eraill* (£15) gan yr un awdur ; ac nid yw *Beirniadaeth John Morris-Jones* (£15) heb ei chysylltiad â'n thema. Yng nghyfres arall 'Yr Hen Lyfrau Bach' dyma *Hen Lyfr Bach Lloyd*

George (detholiad o'i ddywediadau drwy'r yrfa dymhestlog hir) (£3), a *Hen Lyfr Bach Cilhaul* (£3), gwaith S.R. a rhagflaenydd *Chwalfa*, *Cysgod y Cryman* a phob nofel Ryddfrydol arall. Mae fy stori 'Trobwynt' yn *O'r India Bell a Storïau Eraill* yn ymwneud â pherthynas-na-bu rhwng Rhyddfrydiaeth a Chenedlaetholdeb, ac efallai â chyfle a gollwyd !

(Blog Glyn Adda, 14 Mehefin 2015.)

8.

Pam y bu Cymru

Wedi cofnodi wythnos yn ôl ychydig ymateb i'r gyfrol *Pam na bu Cymru*, dyma fi'n dal i'w throi yn fy meddwl.

Beth am gymryd golwg y ffordd arall heddiw ? Ac o ran hwyl dyma hepgor yr holnod eto o'r teitl.

Mae Simon Brooks yn crybwyll yn ei ragair : 'Fe'm dysgwyd gan Tony Bianchi pam na ddaeth Northumbria yn genedl.' Heb wybod esboniad Tony Bianchi, dyfalaf : am iddi chwarae rhan allweddol mewn creu cenedl helaethach. Dyna un rheswm safonol pam na thyf gwlad yn genedl, h.y. pam nad yw'n dechrau hawlio iddi ei hun yr enw 'cenedl' na dim byd cyfatebol, ac mae'n wir yr un modd am Wessex, Mercia ac efallai eraill o wledydd Lloegr.

Ond petaem yn gofyn, er enghraifft, pam na ddaeth Rheged yn genedl ? neu Gododdin ? neu Ystrad Clud ? – byddai'r esboniad yn wahanol. Y rheswm y tro hwn yw eu bod eisoes yn bwerau, yn egin-wladwriaethau, a chan hynny yn dargedau i bwerau eraill a brofodd yn gryfach na hwy. Y tebyg yw y daeth eu diwedd gyda disodli eu teuluoedd llywodraethol, a gall hynny ddigwydd (a) drwy rym, a (b) drwy briodas.

Cefais achos yn ddiweddar i bori unwaith eto yng nghyfrol helaeth a thra diddorol Norman Davies, *Vanished Kingdoms*. Yn wir mae teyrnas Frythonaidd Ystrad Clud yn un o'r esiamplau a gymerir. Gofynnir yr un modd beth a ddigwyddodd i Aragon, Bwrgwyn, Galicia, Etruria ac eraill hyd at bymtheg mewn nifer, gan neilltuo'r bennod olaf i'r wladwriaeth enfawr a ddatgymalodd dan drwynau pawb ohonom mor ddiweddar, yr Undeb Sofietaidd. Rywsut neu'i gilydd fe ddiflannodd y rhain oll. A dyma ni Gymry, 'Yma o hyd', ym marn un bardd o leiaf.

Sut ? Pam ?

Mewn darlith ym 1975 fe gyfeiriodd Dr. Enid Roberts at : '... y flwyddyn dyngedfennol honno, 1282, y flwyddyn yr achubwyd yr iaith Gymraeg a'r diwylliant brodorol.' Ni welais neb, nac ar y pryd nac wedyn, yn herio'r sylw. Gellir o hyd ddarllen y ddarlith a gweld y sylw yn ei gyd-destun yn *Nhrafodion* Cymdeithas Hanes Sir Ddinbych, 1975.

Beth petawn i heddiw, er mwyn dadl, yn rhesymu fel hyn ? Daeth Llywelyn ab Iorwerth (Llywelyn Fawr) i bob diben yn ben ar Gymru gyfan, yn llwyddiant gwleidyddol, milwrol a diplomyddol mwyaf Cymru'r Oesau Canol ; ond ni hawliodd erioed deitl 'Tywysog Cymru'. Tybed nad syrthio i'r trap a wnaeth Llywelyn ap Gruffudd (Y Llyw Olaf) ? Beth oedd gêm Gerallt Gymro, y cymeriad amwys hwnnw, yn siarsio'r Cymry bod raid iddynt uno dan un tywysog cryf ? Beth oedd cymhelliad brenin Lloegr, Harri III, yn cydnabod rôl a theitl Tywysog Cymru o fewn y drefn byramidaidd ffiwdal ? Petai Cymru diwedd y drydedd ganrif ar ddeg wedi para'n fwy 'datganolog', ac arfer gair modern, a fuasai pethau'n well ? Ai drwy greu un targed iddo'i hun y sicrhaodd y Norman yr hyn yr ydym yn dal i'w alw yn 'goncwest' ?

Ond ai'r goncwest honno fu'r waredigaeth, fel y myn Enid Roberts ? Mae hyn o leiaf yn wir : gallai Dafydd ap Gwilym ym mhen hanner canrif, ac yna Guto'r Glyn ym mhen canrif arall, ac yna Gruffudd Hiraethog ym mhen canrif eto, fod wedi canu 'Rŷn ni yma o hyd', os mai ystyr hynny fyddai bod y Gymraeg a'i diwylliant yn dal yn ddiogel a dianaf. Ond nid oes osgoi dros byth ar wleidyddiaeth, a thyfodd y teimlad fod pethau heb fod yn iawn ar 'Gymry, fynych gamfraint'. Daeth ymgais Glyndŵr, a daeth Maes Bosworth, ac yn y man daeth y flwyddyn 1536.

Gwnaeth 'y Ddeddf Uno', fel y daethom i'w galw, Gymro yn gyfartal â Sais o dan y Goron; a thrwy'r un trawiad yn union yn anghyfartal. Er mwyn dal swydd daeth yn ofynnol i'r Cymro 'siarad y ddwy', tra câi'r Sais ddal yn uniaith. Dyna egwyddor pob llywodraeth a welsom oddi ar hynny. Dyma enghraifft o 'foddi mewn dŵr cynnes', fel y dywedir. Ond ymhlith cymhellion Harri VIII a'i gynghorwyr cyfrwys, anodd meddwl nad oedd cof byw am y modd y daeth tad y brenin hwn i'r orsedd, sef drwy i Gymru daro ergyd at galon Lloegr. Yr oedd raid i'r gwahaniaeth *ddechrau* diflannu, onidê ni byddai Lloegr yn gwbl ddiogel.

Yn yr amgylchiadau tra gwahanol a oedd wedi eu creu gan ei thad, trodd Elisabeth at ateb gwahanol, a rhoddodd y Beibl i'r Cymry yn eu hiaith, a chyda hynny dair canrif o einioes eto. Ond cyn diwedd y tair canrif hynny digwyddasai'r flwyddyn 1847. Yr oedd gwladgarwyr ar y pryd, ac ymron bawb hyd heddiw, yn beio comisiynwyr y Llyfrau Gleision. Ond mae Simon Brooks yn beio arweinwyr y Cymry, gan ddal eu bod eisoes yn coleddu'r un ideoleg â'r comisiynwyr.

Araf a phetrus y tyfodd gwrthwynebiad i'r ideoleg honno. Araf y daeth argyhoeddiad na allai'r Cymry fel grŵp ethnig oroesi heb amddiffyniad gwleidyddol. Cafwyd Cymru Fydd ddiwedd Oes Victoria – ymgais nid mor ffôl yn fy marn i, er ein bod wedi arfer ei chymryd yn ysgafn o'r pryd hwnnw hyd heddiw. Ac wedi'r Rhyfel Mawr cafwyd cenedlaetholdeb gwleidyddol Cymreig modern.

Mae cenedlaetholdeb, medden nhw, i fod i roi cryfder.

Fel arall y digwyddodd yng Nghymru hyd yma. Llwyddodd Cwm Gwendraeth lle methodd Capel Celyn, am nad oedd cenedlaetholdeb yn ffactor. Dyna'r enghraifft fawr efallai. Yr unig eithriad i'r stori yw llwyddiant y mudiad iaith oddi ar 1962 yn plygu meddwl llywodraeth a chyrff cyhoeddus ; ni bu hynny'n gyfystyr â throi meddwl y trwch, ond bu'n rhaid wrtho.

Yn *Golwg* 18 Mehefin dyfynnir Simon Brooks : 'Os am greu Cymru Gymreiciach, mae'n rhaid troi at genedlaetholdeb diwylliannol ... Tydan ni ddim yn ddigon gwerthfawrogol o'r hyn gyflawnodd cenedlaetholdeb diwylliannol yng Nghymru yn y 1960au a'r 1970au ... pan mae rhywun yn edrych ar y cyfnod yna o genedlaetholdeb diwylliannol, mi'r oedd y mudiad cenedlaethol yn reit lwyddiannus.' Gwir yw hyn, ond wrth gytuno rhaid inni hefyd wynebu bod yr amgylchiadau'n galetach heddiw nag oeddynt ddeugain mlynedd yn ôl. Mae llai ohonom. Mae'r adnoddau'n llai. Mae'r dosbarth proffesiynol Cymraeg wedi allforio'i blant yn ddidrugaredd. Mae'r dyfeisgarwch yn brinnach, a'r ddealltwriaeth o'r hyn sydd o'i le a'r hyn y gellir ei wneud. Mae'r Gydwybod Ymneilltuol yn cilio ymhellach bellach i'r cefndir. Yr oedd 'Brad y Byd' yn garreg filltir ar y ffordd i ddifancoll, ac yr oedd yr hyn a ddigwyddodd i Brifysgol Cymru yn 2011 yn brawf nad ydym ni Gymru bellach yn gymwys i weinyddu dim byd. Soniais droeon o'r blaen am y ffenomen o 'fynd yn debycach i wladwriaeth ond yn llai tebyg i genedl'.

Beth am grynhoi ? (1) Hyd at ganol Oes Victoria, goroesodd y Cymry drwy beidio bod yn wladwriaeth. (2) O ganol Oes Victoria ymlaen yr oedd yn ofynnol iddynt droi'n wladwriaeth er mwyn sicrhau eu parhad ; ond ni fynnent mo hynny. (3) Bellach mae egin-wladwriaeth Gymreig, ond daeth yn rhy hwyr. (4) Rhaid troi'n ôl felly at genedlaetholdeb diwylliannol.

Ond cyn derbyn y thesis yna, ystyriwn ochr arall. 'This realm is an empire,' meddai Deddf 1536. H.y. nid undeb brawdgarol mohoni. Nid partneriaeth. Nid ffederasiwn. Mae ynddi uwch ac is, meistres a morwyn. Nid oes dim byd yn anochel mewn hanes, ond mae rhai pethau'n digwydd yn fwy rheolaidd nag eraill. Un o'r rheini, a bron na ddywedem ei fod yn digwydd yn ddi-ffael, yw cwymp ymerodraethau. Eleni cymerodd yr Albanwyr gan mawr tuag at sicrhau dymchweliad yr 'empire' y sonia'r Ddeddf Uno amdani. Ar wahân i bob ystyriaeth arall, byddai'n *hwyl* pe gallai'r Cymry chwarae rhyw ran yn y broses. Y funud hon, o feddwl am bleidlais Dorïaidd ac UKIP-aidd Cymru yn etholiad mis Mai, nid yw'n edrych yn debygol. Ni ddywedir 'mwyaf peryglus ym Mhrydain' am unrhyw Gymro na Chymraes. Ond cawn weld ...

Yn hyn oll, y mater canolog yw Trident.

(Blog Glyn Adda, 15 Mehefin 2015.)

9.
Sir Gwymon a Sir Conbych

Gair heddiw am Lywodraeth Leol. Dyma fater nad oes gennyf unrhyw brofiad ohono, nac unrhyw gysylltiad ag ef ac eithrio fel trethdalwr a defnyddiwr rhai o'r gwasanaethau. Anaml iawn y bûm trwy ddrws pencadlys fy awdurdod lleol, a'r tro diwethaf mi wnes y camgymeriad erchyll o fynd i mewn trwy'r drws anghywir. Aeth rhyw wraig, o'r staff rwy'n cymryd, i sterics oherwydd y fath drosedd yn erbyn Arfer Da, a bu bron iddi gael ffatan yn y fan a'r lle !

Bu diwygio cynghorau Cymru yn destun rhyw fwmian ers tro byd, heb fawr neb i'w weld yn cytuno â Llyfr y Diarhebion mai 'lle y byddo llawer o gynghorwyr, y bydd diogelwch'. Y tu hwnt i hynny, ysbeidiol a herciog fu'r drafodaeth, heb fawr o weledigaeth glir yn unman. Cafwyd Adroddiad Syr Paul Williams fis Chwefror 2014, ac awgrymodd ambell un o'r cynghorau yr hyn yr hoffent neu na hoffent ei weld. Bellach dyma fesur drafft gan y llywodraeth, a sôn am gyflwyno deddf yr Hydref nesaf.

Mae rhai awgrymiadau yn peri anesmwythyd. Sonia Adroddiad Williams am uno 'Gwynedd a Môn'. Nonsens yw hyn : mae fel sôn am 'Norfolk ac East Anglia'. Mae Môn yn rhan o Wynedd. Rhan o Wynedd yw Môn. Nid oes Wynedd heb Fôn. Môn, Arfon, Meirion, dyna Wynedd, neu Wynedd Uwch Conwy a bod yn fanwl. Wedyn mae Gwynedd Is Conwy, gyda'r enw modern hwylus, Clwyd, ac yn cynnwys siroedd Dinbych a Fflint.

A mynd â'r peth i dir ffars, – ac mae'n hawdd iawn llithro i'r tir hwnnw – beth fyddai enw'r 'sir' newydd y mae Williams yn ei hargymell, wedi uno'r 'Wynedd' bresennol â Môn? Ai 'Sir Gwymon' fyddai hon? Yr un modd, ai 'Sir Conbych' (ar lafar, 'Combach' neu 'Combech') fyddai hi ar ôl cydio Conwy wrth Ddinbych, a throsglwyddo darn o sir hanesyddol Caernarfon mewn gweithred o fandaliaeth anesgusodol?

Na, nid ar chwarae bach y mae mynd i'r afael ag ad-drefniad arall, ac o fethu â'i chael hi'n iawn y tro hwn gellir dychmygu llanast dychrynllyd. Byddai raid sicrhau dwy amod: yn gyntaf, bod y trefniant newydd yn un ystyrlon; ac yn ail, ei fod y trefniant gorau posibl o safbwynt y Gymraeg.

Wrth ddweud 'ystyrlon', golygwn hynny nid yn unig ar gyfer anghenion heddiw, ond yn hanesyddol hefyd. Un o rinweddau ad-drefniad y 1970au oedd na chroeswyd ffin unrhyw sir 'go-iawn', dim ond creu taleithiau a'u galw'n siroedd. Ond yn ad-drefniad 1996 fe aed i ymyrraeth drwy roi enwau hollol newydd ar siroedd yn y De (h.y. rhannau o Forgannwg a Mynwy), ac yn y Gogledd darnio ac ailglytio siroedd: creu 'Conwy' a symud ffiniau Dinbych a Fflint. Llanast.

Fe ddylid yn awr: (1) adfer y gwir siroedd, (2) adfer y gwledydd neu'r taleithiau hanesyddol, (3) sefydlu perthynas ystyrlon, bwrpasol rhyngddynt.

1. Adfer y Siroedd

'Creadigaethau Normanaidd,' medd rhywun efallai am y 'tair sir ar ddeg', neu rai ohonynt. Gwir, ond rhannau o wead bywyd Cymru ers cenedlaethau lawer, fel mai anodd adrodd na deall hanes Cymru hebddynt. Ai un o Sir Conwy oedd yr Esgob William Morgan? Ac Iolo – ble? – oedd yr Edward Williams hwnnw ? Morynion glân, pa sir hefyd ? Mwynder, – ble ? Rywsut neu'i gilydd, ochr yn ochr ag unrhyw awdurdodau helaethach, mae angen adfer a chadw'r gwir siroedd, ac ymddiried iddynt swyddogaethau. Cadw Sir Fôn ; adfer Sir Gaernarfon, o Enlli hyd Ben y Gogarth ; adfer Sir Feirionnydd gan gofio cynnwys Edeirnion, fel y dylai fod ; adfer Sir Drefaldwyn, Sir Frycheiniog a Sir Faesyfed. Adfer ffiniau siroedd Dinbych a Fflint, ond efallai gydag un newid bach sydd wedi ei sefydlu eisoes, sef 'Wrecsam-Maelor' yn uned, gan gadw Maelor Gymraeg yn Sir Ddinbych. Rhoddai hynny inni bedair sir ar ddeg, ac ychwaneger atynt dair bwrdeistref sirol hanesyddol Caerdydd, Abertawe a Chasnewydd.

2. Adfer y Taleithiau

Dylid adfer hefyd batrwm o daleithiau, neu yn wir wledydd hanesyddol, sef yr hyn a gafwyd yn ad-drefniad 1974, ac a wnaed heb groesi ffiniau yr un o'r hen siroedd. Rhaid cael y wir Wynedd yn ôl, nid fel sir y tro hwn, ond fel un o wledydd Cymru.

3. Creu perthynas

Dylai fod yn bosibl creu perthynas ffederal rhwng awdurdodau sir a thalaith, gyda chynrychiolaeth o'r naill ar y llall, fel na byddai gormodedd o gynghorwyr. Dylai'r 'taleithiau' neu'r 'gwledydd' fod yn gyfrifol am addysg, iaith a macro-gynllunio, a'r 'siroedd' fod â rhyw gyfrifoldebau llai. Hyn-a-hyn o aelodau Cyngor Sir Fôn (dyweder) yn gwasanaethu hefyd ar Gyngor Talaith Gwynedd ; a hyn-a-hyn o aelodau Cyngor Talaith Gwynedd, o Fôn, yn gwasanaethu hefyd ar Gyngor Sir Fôn. Efallai y bydd gofyn inni ddygymod â llai o gynghorwyr, h.y. wardiau mwy, ar y lefelau uchaf ; byddai'n dda meddwl y gallai cynghorau cymuned bywiog wrthbwyso hyn.

Dyweder bod 17 'sir' (yn cynnwys y tair bwrdeistref sirol). Yna chwe 'thalaith' neu 'wlad'. Byddai felly 23 awdurdod, ond byddent yn gorgyffwrdd, yn ffederal, gydag un gwastad yn gordoi'r llall. Rhywbeth fel hyn fyddai'r patrwm :

Taleithiau	*Siroedd*
Gwynedd	Môn, Arfon, Meirion
Clwyd	Dinbych, Fflint, (?) Wrecsam-Maelor
Powys	Maldwyn, Maesyfed, Brycheiniog
Dyfed	Ceredigion, Caerfyrddin, Sir Benfro
Morgannwg	Sir Forgannwg, Caerdydd, Abertawe
Gwent	Sir Fynwy, Casnewydd

(A pham rhannu Morgannwg ? Roedd yr hen Sir Forgannwg yn gweithio'n iawn. Os sonnir am boblogaethau anghyfartal, rhaid inni dderbyn fod ardaloedd poblog yn fwy poblog, dyna i gyd !)

Dau gwestiwn

1. 'Gormod o gynghorau' ? Beth petaem yn enwi peth arall : gormod o swyddi di-fudd, diystyr, dialw-amdanynt, a gormod o swyddogion yn eu llenwi ? I rai, ni wiw sôn am y fath beth. Gyda Chyngor Gwynedd, dyweder, yn gyflogwr mor fawr, onid yw'r cyfan er lles i economi cylch Caernarfon, ac yn ffactor mewn cynnal y Gymraeg ? A chymryd golwg agos, ydyw y mae. Ond sefyllfa annaturiol yw hon lle mae gweinyddiaeth agos â bod yn brif gyflogwr, a sefyllfa na ellir dibynnu arni yn y tymor hir. Gyda phob un ad-drefniad addewir llai o fiwrocratiaeth, ond creir mwy. Nid yw Adroddiad Williams fel petai am wynebu hyn. Dywed yn wir (adran 1.31) ei bod hi'n anodd ddifrifol cael darlun llawn o holl swyddi a chyflogau'r sector cyhoeddus yng Nghymru. Ni allodd yr adroddiad felly awgrymu patrwm staffio'r unedau

newydd yr oedd yn eu rhagweld, gan ddangos yn union ble byddai'r arbedion, – gwendid go fawr ynddo. Dan y math o drefn a awgrymaf uchod, yn cyfuno 'siroedd' a 'thalaith', byddai cyfle i ofyn pa swyddi a fyddai'n dal yn wir angenrheidiol. Darllenwn, er enghraifft, fod gan Gyngor Gwynedd heddiw staff o tua 6,500, a'r rhain bron i gyd yn Gymry. Mewn trefniant deallus i dorri biwrocratiaeth fe ddylai'r chwe mil a hanner hyn, heb ond ychydig yn ychwanegol atynt, allu gweinyddu'r wir Wynedd adferedig hefyd, fel na byddai diben i neb di-Gymraeg ymgeisio am swyddi ynddi.

2. A fyddai cenedlaetholwyr – neu yn fwy manwl, Pleidwyr – am weld adfer Sir Gaernarfon, o Aberdaron i'r Creuddyn, neu yn wir am weld adfer Gwynedd a fyddai'n cynnwys Conwy a Môn ? Onid yw'r 'Wynedd' bresennol, sef Arfon-Meirion fel y dylesid ei galw, yn fwy cysurus i'w gweinyddu ? Rhy gysurus efallai, awgrymaf yn garedig. Fe aed i gymryd pethau'n ganiataol, ac fe wnaed camgymeriadau mawr.

Credaf fod fy nghof yn gywir yn hyn o beth. Ar wir Wynedd 1974 yr oedd cynghorwyr gwrth-Gymreig o ochrau Llandudno, oedd ; ond roedd y rheini mewn lleiafrif, ac roedd cynghorwyr goleuedig iawn o'r un cwr hefyd. Ac roedd cynrychiolwyr Môn yn eu bihafio'u hunain cystal â neb. Mae'n dibynnu llawer ar y cwmni, ac ar y cywair sy'n cael ei osod o'r dechrau. Gosodwyd cyfeiriad Gwynedd 1974 gan arweinwyr blaengar, gwlatgar, heb fod oll o'r un blaid ; daeth i fod yr awdurdod mwyaf llwyddiannus erioed ym mater y Gymraeg. A ellir adfer yr un hinsawdd eto, ni wn. Ond dylid rhoi cynnig arni. Yn un peth, byddai adfer Sir Gaernarfon yn ei therfynau, o Aberdaron hyd Ben y Gogarth, yn rhoi caead ar biser y rheini o bobl Bangor sydd am drosglwyddo'u dinas i Sir Conwy ar y dybiaeth fod honno'n Seisnigaidd.

Yn eironig efallai, rhan o'r broblem bellach yw fod llywodraeth leol wedi mynd yn fwy pleidiol. Nid bod hynny o angenrheidrwydd yn beth drwg, ond bod angen rheolaeth bleidiol gryfach, o ganlyniad, i weithredu unrhyw bolisi. Trwy ei pholisi o gau ysgolion, llwyddodd Plaid Cymru ar gyngor presennol Gwynedd i daflu ymaith ar un trawiad tua hanner ei chefnogaeth yn y sir a'i gosod ei hun dros dro mewn cynghrair â gweddill y grŵp Llafur, o bawb! Camp arbennig iawn mewn trwstaneiddiwch gwleidyddol; ac fel y gall ddigwydd mewn chwalfa o'r fath, nid y cynghorwyr ffolaf, awduron y trychineb, a gollodd eu seddau, ond rhai o'r cynghorwyr gorau. 'O diflasodd yr halen, â pha beth yr helltir ef?' Neu, a newid y cwestiwn, 'pa beth yr aethoch allan i'w achub?'

Rywsut neu'i gilydd rhaid atgyweirio'r difrod a wnaed, ac yn y pen draw fe ofyn hynny am fwy na threfniadaeth. Fe ofyn am agwedd meddwl, 'diwylliant' yn yr ystyr eang.

Rhaid imi addef un peth. Y tu ôl i'r meddyliau hyn efallai'n wir fod elfen o ramantu ynghylch hen Gyngor Gwynedd (neu 'Gyngor Gwynedd Go-iawn'). A, do, hyd yn weddol ddiweddar mi fûm yn rhyw ragdybio fod peth o ddoethineb yr hen gyngor hwnnw wedi goroesi yn y 'Wynedd' rannol bresennol. Rhwng anystwythder y drefn gabinet, y polisi cau ysgolion a rhai polisïau eraill, mae'r ffydd honno wedi ei siglo'n ddirfawr. A dyfynnu bardd mawr o Arfon, 'Tragywydd ai tros amser, Duw a ŵyr'.

A oes synnwyr yn y patrwm ffederal a awgrymais yma? Mi garwn pe bai rhywrai mwy gwybodus a phrofiadol na mi yn ystyried y manylion. Er enghraifft, rhywun sydd bob amser yn mynd i mewn i swyddfa'r Cyngor drwy'r drws iawn.

(Blog Glyn Adda, 15 Mehefin 2015.)

10.

Bywyd Arwrol, Cofiant Rhagorol

Gwynfor : Rhag Pob Brad [:] Cofiant gan Rhys Evans (Y Lolfa, 2005), £24.95.

Pwy yw'r Cymro mwyaf ei ddylanwad ar wleidyddiaeth Cymru yn ystod *chwarter* olaf yr ugeinfed ganrif? Yn ôl unrhyw safon wrthrychol, rhaid yw ateb : Neil Kinnock. Ef, fel y mwyaf llafar ac uchelgeisiol o'r 'gang o bedwar' a wrthwynebodd gynllun datganoli Callaghan ym 1979, yw'r un a all hawlio'r clod neu'r anghlod pennaf (beth bynnag fo'n safbwynt) am chwalu parti'r cenedlaetholwyr a oedd wedi dechrau mor hwyliog ym 1966. Canlyniad hir-dymor y chwalfa echrydus honno yw llesgedd a sinigiaeth y dosbarth proffesiynol Cymraeg heddiw. Safle rhif 1 felly i'r Arglwydd o Fedwellte. Ddeunaw mlynedd galed yn ddiweddarach, daeth Llafurwr tra gwahanol o'r un cwr o'r wlad i wrthdroi canlyniad '79 â chanlyniad cael-a-chael '97. Ron Davies, heb amheuaeth, biau'r ail safle. Ond wrth fesur hyd a lled cyflawniad y ddau sosialydd hyn o'r de-ddwyrain, y ffaith gyntaf i'w nodi yw iddynt weithredu yn y cyd-destun a greodd Gwynfor Evans drwy ennill isetholiad Caerfyrddin ar yr ardderchog bedwerydd dydd ar ddeg o Orffennaf, 1966. A lledu ein golygon felly oddi wrth *chwarter* olaf yr hen ganrif at ei *hanner* olaf, Gwynfor biau rhif 1. Yn ail pwysig iddo daw Jim Griffiths. Bu agor y Swyddfa Gymreig fis Hydref 1964, gydag un bwrdd, dwy gadair, un clerc ac un cyfieithydd, yn gychwyn bychan bach i gadwyn o ddatblygiadau sy'n dal i ymestyn.

Yn ôl hen gonfensiwn doeth ymhlith cofianwyr, mae adrodd am 'fywyd' gwleidydd neu gymeriad cyhoeddus arall yn golygu adrodd am ei 'amserau' hefyd, ac mae dilyn gyrfa Gwynfor Evans yn gyfystyr â dilyn ein hanes ninnau fel pobl dros ran helaetha'r ugeinfed ganrif. Cafwyd yma gofiannydd cyfartal â'r dasg. Mae'r cyfanwaith yn ddifyr, dadlennol a dramatig – er bod cyfnodau hir o ddiflastod a disgwyl ofer yn rhan o'r stori epig. Mae rhaniad y penodau'n hynod ddeallus, eu hagor a'u cloi'n drawiadol, a'u henwau'n hoelio sylw: 'Dal Dy Dir', 'Dŵr Oer Tryweryn', 'Gwawr wedi Hirnos', 'Hen Ŵr Pencarreg' .... Er bod bron y cyfan o'r digwyddiadau yn rhai y gwyddwn amdanynt, yn eu hallanolion, dros gyfnod o hanner canrif a mwy, fe wnaed cymaint o ymchwil i'r 'hyn sydd tu ôl' – y cyhoeddus a'r cyfrin ym 'mrwydr Tryweryn', y rhwyg alaethus rhwng Gwynfor ac Emrys Roberts, a chamau 'brwydr y sianel' fesul dydd ac awr – fel y cefais fy hun yn treulio dau feiro'n sych wrth godi mwy o nodiadau nag o nemor unrhyw lyfr a ddarllenais erioed. Gwyddem, yn gyffredinol, am ddyled Gwynfor a'r mudiad cenedlaethol i'w deulu, ond bellach dyma fanylion penodol am hyd a lled cyfraniad anhepgor ei frawd Alcwyn. Newydd i lawer ohonom yw'r hanes am gymorth gwirioneddol hael ac ymarferol Rhys Davies, gŵr busnes o'r gogledd-ddwyrain, yn ystod y saithdegau. Ac ychydig ohonom, mi dybiaf, a wyddai am rôl allweddol y Barnwr Dewi Watkin Powell fel pennaf cynghorwr Gwynfor ar bopeth cyfansoddiadol, a rhai pethau tactegol hefyd, dros gyfnod o hanner canrif.

Wedi cynyrfiadau'r ail ganrif ar bymtheg daeth i fod yn Lloegr, ac yna mewn nifer o wledydd dan ei dylanwad, gyfundrefn o ddwy brif blaid, yn cynrychioli neu'n lled-gynrychioli buddiannau mwy-neu-lai sefydlog ac yn cael tymhorau bob yn ail mewn llywodraeth. Mae un ohonynt i fod yn fwy ceidwadol, a'r llall yn llai ceidwadol, ond ceidwadol yw'r ddwy yn y bôn, yn gweithio dan lygad 'Sefydliad' goruwch-bleidiol, yn ceisio gwarchod buddiannau'r bobl fel y diffinir hwy gan y Sefydliad hwnnw, gyda chyfnodau o geisio cadw llong y wladwriaeth oddi ar y creigiau mewn gwyntoedd croesion. Gellir croesi o un blaid i'r llall heb ormod trais ar gydwybod (er mai ychydig iawn o wleidyddion erioed sydd wedi gwneud hynny gyda llwyddiant mawr), ac weithiau gall plaid newydd ddisodli hen blaid yn rhyfeddol o lyfn, fel y disodlwyd Rhyddfrydiaeth gan Lafur yng ngwledydd Prydain wedi'r Rhyfel Byd Cyntaf. Pleidiau o natur hanfodol wahanol i hyn yw Plaid Cymru a Phlaid Genedlaethol yr Alban, pleidiau wedi eu sefydlu i newid natur y wladwriaeth. Yn wahanol i bleidiau yn yr ystyr gyntaf, mae ganddynt nod i ymgyrraedd ato, Greal Sanctaidd sy'n eu denu drwy ddiffeithleoedd (o'i gyferbynnu â 'swyddogaeth' sydd i'w chyflawni o ddydd i ddydd). Mae'n rhaid iddynt wrth ryw elfen o alwedigaeth Feseianaidd. Maent yn gwybod y gallant fethu. Maent yn byw drwy ddisgwyl a gobeithio. Disgwyl gwyrth, ei chael, a'r hyn a wnaed ohoni wedyn : dyna'r rhaniad tridarn sy'n rhoi ei ffurf hanfodol i'r llyfr hwn a'i stori.

Yr oedd llawer o'r disgwyliadau yn rhai hollol ddi-sail, rhai chwerthinllyd yn wir, fel y gwelwn dros ysgwydd. Ond fe'u rhennid ar ryw adeg gan y rhan fwyaf ohonom a fu'n gefnogwyr Plaid Cymru dros y cyfnod a ddisgrifir, neu ran ohono. Yr oedd yn dda inni wrthynt, ar y pryd. Sawl etholiad a fu 'y mwyaf tyngedfennol eto'? Sawl degawd a fu 'y pwysicaf erioed i Gymru'? Yr oedd diwrnod etholiad cyffredinol 1955 i fod yn 'ddydd mwyaf hanes Cymru', yn ôl *Y Faner*! Petaem ni ond yn cael rhyw *un peth*, byddai popeth yn wahanol wedyn, fel yn hanes Davies y tramp yn nrama Harold Pinter : petai ond yn cael ei esgidiau, gallai wedyn fynd i nôl y papurau i Sidcup a dôi popeth i'w le. Mewn degawd ar ôl degawd er y dechrau cyntaf un, roedd 'yr ifanc yn troi' ... neu'n mynd i droi. Un ai roedd rhywbeth yn mynd i newid y darlun ar drawiad a gwneud achos y Blaid yn gredadwy a derbyniol – dadfeiliad Rhyddfrydiaeth, dadrithiad gyda Llafur, cwymp yr Ymerodraeth Brydeinig, creu'r Farchnad Gyffredin, adroddiad Edward Nevin ar economi Cymru, tröedigaeth Huw T. Edwards ; neu ynteu yr oedd rhywbeth yn mynd i gynddeiriogi'r Cymry a'u deffro a magu ynddynt yr awydd i 'fyw fel cenedl' (a defnyddio ymadrodd a oedd yn hoff gan Gwynfor) – y Dirwasgiad, yr Ysgol Fomio, amodau cyfyng adeg y rhyfel, rhaib y Weinyddiaeth Amddiffyn a'r Comisiwn Coedwigo, derbyniad gwael rhaglenni radio Cymraeg ('yr hen stesion arall 'na eto !' fel y byddem yn dweud yn y pumdegau), Dolanog, Tryweryn, Clywedog, Cwm Dulas, Henry Brooke, Brewer-Spinks, George Thomas – oll fel pe baent wedi eu hanfon gan ryw Ragluniaeth i roi cyfle unwaith eto i'r cenedlaetholwyr Cymreig wneud rhywbeth ohoni. Tybed ai yr un Ragluniaeth, er mwyn gwawdio, oedd yn ymorol nad oedd byth mo'r ewyllys na'r adnoddau i wneud yn fawr o'r cyfle ? Cyn etholiad 1959 yr oedd y 'ban radio' yn mynd i ennill miloedd lawer o bleidleiswyr newydd i'r Blaid. Ni ddaeth y rheini, a beth oedd ar fai ? Y ban radio, siŵr iawn ! O'r holl ddisgwyliadau disylwedd hyn, efallai mai'r mwyaf naïf oedd y disgwyl y byddai milwyr o Gymry'n dychwelyd o'r Ail Ryfel Byd ac yn dylifo i rengoedd heddgarol y Blaid, wedi cael digon ar eu gorfodi a'u gorchymyn a'u certio yma a thraw i wneud ewyllys mawrion Lloegr. Yr hyn a adawyd allan o'r hafaliad yw'r peth hwnnw mewn dyn a chymdeithas sy'n gweld sicrwydd a diogelwch mewn cael eu cyfarwyddo a'u catrodi. Hwn, yn anad yr un ffactor arall, sy'n esbonio buddugoliaeth fawr Llafur ym 1945. Addawodd Churchill daflu ymaith reoliadau cyfnod y rhyfel, ac ymorolodd Attlee am eu cadw. Yna adeiladodd Llafur ar ei buddugoliaeth drwy wneud un peth nas gwnaethai unrhyw lywodraeth Brydeinig erioed o'r blaen, cadw gorfodaeth filwrol yn amser heddwch fel offeryn 'rheolaeth gymdeithasol'. Bu'n hynod effeithiol am gyfnod o ryw ddeng mlynedd, a'r tebyg yw y byddai Llafur wedi ei gadw ymhellach petai hi wedi parhau mewn grym. Fe'i dilewyd gan y Ceidwadwyr ddiwedd y pumdegau am nad oedd yr ennill yn werth y draul, a hyn a agorodd y ffordd i gyweiriau protestgar y chwedegau, ac yn achos Cymru i gychwyniad a thwf Cymdeithas yr Iaith.

Yr hyn oedd i fod i weithio, nid oedd byth yn gweithio. Yr hyn a weithiodd oedd yr annisgwyl, yr anrhagweledig, yr anrhagweladwy ymron, sef ffliwcen ogoneddus isetholiad Caerfyrddin. Ac yn ffodus y tro hwn yr oedd trefniadaeth dda yn y fan a'r lle, fel y gallwyd dal ar y cyfle eithriadol pan ddaeth heibio. Ar gorn y digwyddiad gwir ddramatig hwn, mae rhywun yn ddal i ofyn 'petai'. Un o osodiadau mwyaf eironig y llyfr yw'r un ar dudalen 203. O'r holl rai a fuasai unwaith yn aelodau o Blaid Cymru ac a drodd at blaid arall, 'Gwilym Prys Davies oedd y Llafurwr y dyheai Gwynfor am ei weld yn dychwelyd i'r gorlan'. Beth petai wedi cael ei ddymuniad? Denzil Davies fuasai ymgeisydd Llafur ar 14 Gorffennaf, a mwy na thebyg na fuasai i'r diwrnod hwnnw ddim o'r arwyddocâd a ddaeth iddo. Yn anochel, mae Gwilym Prys Davies yn un o gymeriadau pwysig y stori, Hoff Lafurwr Pob Pleidiwr o hyd, a hynny am ddau reswm. Y rheswm cyntaf yw bod eu dyled iddo'n fawr: byddai ymgeisydd Llafur llai galluog, llai deallusol, mwy Llafuraidd ei anian, wedi cadw'r sedd. Ond mae rheswm llai sinigaidd hefyd. Gwelir yma ei lun ar flaen gorymdaith ym 1947 yn cario placard 'Rhaid i Gymru Fyw'. O'r pryd hwnnw (a chynt, mae'n ddiau) hyd heddiw ni pheidiodd ag ymgyrchu dros yr un egwyddor. Mae cenedlaetholwyr yn cydnabod hyn, ac o bawb ym mhob plaid a wisgodd fantell un o Arglwyddi'r Deyrnas, ef yw'r un yr amheuir leiaf ar ei gymhellion.

Flwyddyn wedi'r isetholiad, clôdd Gwilym Prys Davies ysgrif yn *Barn* â'r geiriau : 'Amser yn unig a ddengys beth fydd gwir ffrwyth buddugoliaethau Plaid Cymru yn ystod y deuddeg mis a aeth heibio, ac a oeddynt yn wir fuddugoliaeth i achos Cymru.' Yn gwbl briodol, mae Rhys Evans yn caniatáu dilysrwydd dyfaliad o'r fath. Y flwyddyn wedi Caerfyrddin, meddai, oedd yr union gyfnod y collodd y datganolwyr Cymreig o fewn y Blaid Lafur eu dadl a'u hachos, ac y chwalwyd breuddwyd Cledwyn Hughes ac eraill am gyngor etholedig i Gymru. 'Paradocs' yw'r gair a ddefnyddia, oherwydd mae'r un mor wir, o ongl arall, mai 1966-8 oedd dwy flynedd y pwysau credadwy am ymreolaeth o du Plaid Cymru, a'r unig ddwy flynedd felly hyd heddiw, erbyn gweld, a heb anghofio safle ymddangosiadol gref y ddwy blaid genedlaethol rhwng 1974 a 1979 oherwydd y rhifyddeg seneddol. Cofiaf y disgwyliadau'n dda, a chofio'r penawdau. Sgrifennais lawer ohonynt i'r *Ddraig Goch* : 'Ble bydd hi nesaf ?' 'Dim un sedd yn ddiogel bellach'. Ie, petai ... Petai gwyrth Caerfyrddin heb ddigwydd, a phetai Llafur wedi sefydlu rhyw fath o gynulliad neu gyngor etholedig i Gymru erbyn tua chanol y saithdegau ac mewn awyrgylch llai dadleuol, i ble byddem wedi cyrraedd erbyn heddiw, tybed ? Mae'n amhosib ateb, ond mae'n rhywfaint o demtasiwn codi cwestiwn arall : a fyddid wedi osgoi trawma 1979 ? Pe gallesid, rywsut yn y byd, adael y bennod honno allan o'r stori, bron na fodlonwn ar lai o bwerau, a llai o statws, i'r sefydliad sydd gennym yng Nghaerdydd heddiw. Ac eto ni phyla'r cof am y pedwerydd ar ddeg hwnnw, ac ni thawa'r llais sy'n dweud 'O, Fywyd ! dyro eto hyn ...'. Neu rywbeth cystal. Neu hanner cystal.

Rhinwedd mawr yn y llyfr, rhinwedd mewn unrhyw gofiant neu lyfr hanes, yw ei fod yn codi tryblith o feddyliau. Meddyliau croes yw llawer ohonynt, yn ein hanesmwytho ynghylch ein safbwyntiau a'n dewisiadau ein hunain yn ystod y cyfnod maith a ddisgrifir. Dyma rai.

1. *Am Dryweryn*. Heb Dryweryn ni buasai Cymdeithas yr Iaith na dim o ymysgwyd y chwedegau a'r saithdegau, dyna'r ddoethineb draddodiadol, ac at ei gilydd y mae Rhys Evans yn cytuno â hi. Wn i ddim. Llwyddiant, fel arfer, sy'n llwyddo, a dywed un llinell o resymeg wrthyf y buasai siom etholiadol 1959 yn llai pe na bai pawb yn gwybod, a'r rhan fwyaf yn derbyn erbyn hynny, fod Capel Celyn wedi ei golli. Yr oedd y drwg yno o'r dechrau, yng Nghapel Celyn ei hun, ac fe'i crynhoir ar dudalen 169 mewn brawddeg gan un a oedd yn adnabod y fro a'r gymdeithas yn well na neb, Elizabeth Watkin Jones, Ysgrifennydd y Pwyllgor Amddiffyn : 'Mewn gwirionedd y diwylliant barddonol/cerddorol yma a'u gwnaeth yn bobl rhy freuddwydiol ac araf i ddelio â busnes a gorthrwm pobl Lerpwl.' Pam yn y byd mawr na byddent wedi 'cau'r clwydi' ar y dechrau cyntaf un, ddiwedd 1955, fel y gwnaeth pobl Llangyndeyrn ddegawd yn ddiweddarach ? Daeth ail gyfle yn Awst 1957, wedi i Henry Brooke gael ei hel o Eisteddfod Genedlaethol Llangefni oherwydd nerth y teimladau. Byddent wedi cael cefnogaeth go gyffredinol bryd hynny pe baent wedi cymryd y camau mwyaf

elfennol i amddiffyn eu tir a'u cartrefi. Ond cyn gofyn eto beth yn y byd oedd o'i le arnynt, gwell cofio y gellir gofyn yr un cwestiwn am bawb ohonom a oedd yn llafnau yn ystod yr un blynyddoedd yn union, heb sôn am hogiau ychydig yn hŷn na ni a oedd wedi eu hyfforddi drwy fawr draul mewn saethu, bomio a medrau eraill tuag at amddiffyn gwlad. Pwy bynnag y dylid ei feio, yn sicr nid Gwynfor Evans ydyw.

2. *Am frwydr y sianel deledu.* Pan gyhoeddodd Gwynfor ei fwriad i ymprydio ym 1980 bu llawer o godi dwylo a gwaredu at weithred a welid fel un foesol amwys. Mae Rhys Evans, a rhydd iddo ei farn, yn rhoi cryn goel ar y feirniadaeth hon. 'Yn wir, mae'n ddi-ddadl ac yn hynod eironig i Gwynfor orffen ei ddyddiau fel gwleidydd drwy ddefnyddio trais fel offeryn gwleidyddol – rhywbeth na wnaeth Saunders Lewis erioed.' Yr wyf am anghytuno. Mae blacmel moesol yn arf hollol gyfreithlon mewn ymgyrchoedd gwleidyddol, a dylai cynheiliaid y drefn ddiolch weithiau mai hwn a ddefnyddir yn eu herbyn ac nid rhywbeth a fo caletach. Dewis yw hi yn aml rhwng bygythiad Van Gogh, 'gwna hyn neu mi dorra' i fy nghlust i ffwrdd', a bygythiad y rhan fwyaf o awdurdodau a gwladwriaethau a phlant y byd hwn, 'gwna hyn neu mi dorra' i dy glust *di* i ffwrdd'. Gair amwys yw 'trais' hefyd, a hwyrach na ddylem ei arfer am y defnydd o rym i ddiogelu parhad pobl. Cwestiwn arall sy'n fy mhoeni i weithiau wrth feddwl am frwydr y sianel a'i chanlyniad, a daw hwnnw o sylweddoli beth yw prif broblem S4C heddiw: diffyg cystadleuaeth.

3. *Am y Blaid Lafur.* Mewn un lle (t. 124) sonia'r awdur am 'gasineb patholegol' Gwynfor at Lafur. Casineb hollol resymol a dealladwy, ddywedwn i, os cywir hanner y dystiolaeth y mae'r llyfr yn ei rhoi! Bron bob tro y digwydd y gair 'Llafur', mae

ymadroddion megis 'malais', 'dichell', 'gwrth-Gymreictod', 'paranoia', 'ymosodiadau fitriolig', 'dadleuon bustlaidd', 'cenllif mochynnaidd', 'plentyneiddiwch llwythol' yn ymgysylltu'n ddiymdrech ag ef. Yn gynnar yn ei hanes fe benderfynodd Llafur ymgymryd â rôl ail blaid mewn cyfundrefn ddwyblaid o'r math y ceisiais ei ddisgrifio uchod, peth a olygai fod yn blaid geidwadol yn ei hanfod, yn cynrychioli carfan weddol sefydlog o'r boblogaeth ac yn gweithredu'n hanfodol ar sail nawddogaeth yn hytrach nag ar sail delfryd neu egwyddor. Digwyddodd yn wir y diwrnod y gwrthododd hi arweiniad Keir Hardie, a enwir yma fel un o arwyr cynharaf Gwynfor. O'r pryd hwnnw hyd heddiw mae unrhyw her iddi o du delfrydiaeth neu radicaliaeth, drwy ei hatgoffa o'r hyn yr honnai hi fod unwaith, yn ei gyrru'n benwan. I'w gosod gyferbyn â hynyna i gyd, mae'r ffaith fod gweithio drwy 'blaid sefydlog' yn ddewis hollol resymegol a dealladwy i rywun sydd o anian wleidyddol ac sydd ag un neu ragor o amcanion nid-rhy-uchelgeisiol y mae am weld eu gwireddu. O ail etholiad 1974 ymlaen gallasai Llafur fod wedi dewis peidio â gwastraffu'r un awr o amser ar ddatganoli i'r Alban na Chymru, o ran yr hyn oedd ganddi i'w ofni. Cydiodd yn y mater, a dychwelodd ato, am fod rhai o'i mewn yn benderfynol y dylid gwneud.

4. *Am gwestiwn chwith a de.* I'r rhai ohonom a fu'n meddwl dros y blynyddoedd sut y gellid ehangu sylfaen cenedlaetholdeb Cymreig, bu mater 'y coch a'r gwyrdd' yn wedd ar y cwestiwn. Bu cymodi sosialaeth a gwladgarwch Cymreig yn nod gan nifer o fudiadau byrhoedlog a grybwyllir yn y cofiant hwn, troednodion i'r hanes bob un: Mudiad Gwerin, Grŵp '42, y Mudiad Gweriniaethol, y Chwith Genedlaethol. O blith y cenedlaetholwyr y tarddasant, nid oeddynt o ddim defnydd i'r sosialwyr, ac ni ddaeth dim ohonynt. Gwraidd y broblem yw bod

y 'coch', mewn ystyr arbennig, yn geidwadol; a bod y 'gwyrdd', mewn ystyr arbennig, yn radicalaidd. Dyma, mi gredaf, yr ateb i osodiad yr awdur (t. 208), sy'n ategu beirniadaeth led gyffredin ar Gwynfor Evans: 'nad oedd ganddo syniad sut i dreiddio i fêr diwylliannol gweithwyr y de'. Dyfynnir Gwynfor fwy nag unwaith yn cydnabod y ffaith mai pobl eithaf ceidwadol oedd y rhan fwyaf o'i gefnogwyr naturiol; yr un mor aml dyfynnir ef yn ei ddisgrifio'i hun fel 'radical' ac yn apelio at draddodiad Cymreig o radicaliaeth, a ffynnodd yn ystod oes aur ymneilltuaeth y bedwaredd ganrif ar bymtheg. Nid yw hyn mor baradocsaidd ag y gall ymddangos: mae rhai o themâu'r hen radicaliaeth, hyd heddiw (ac ni ddylid meddwl ychwaith eu bod yn llai perthnasol am eu bod yn hen), yn fwy tebyg o daro tant gyda phobl cefn gwlad, ffermwyr, mân bobl fusnes a 'mân fwrdeisiaid' – serch mor geidwadol y gall y bobl hynny fod mewn rhai pethau – na chyda'r werin ddiwydiannol, ddyfnach ei cheidwadaeth yn y bôn. Ffaith arall sy'n rhan o'r darlun, ac a gofnodir gan Rhys Evans, yw na bydd y Blaid na chenedlaetholwyr byth yn derbyn unrhyw ddiolch am eu cefnogaeth i achosion dosbarth gweithiol. Y gefnogaeth i streic y glowyr, 1984, yw'r enghraifft fwyaf nodedig. Eithriad o fath i'r patrwm hwn yw mater iawndal y chwarelwyr a ddioddefai o glefyd y llwch – pwnc araith olaf Gwynfor yn Nhŷ'r Cyffredin (t. 406). Wedi eu llwyddiant gyda'r ymgyrch hon yn nyddiau olaf llywodraeth Callaghan, enillodd 'y ddau Ddafydd' ddiolch a chefnogaeth gan deuluoedd unigol, ond roedd rhai o'r arweinwyr undebau a'r gwir Lafurwyr o'u coeau. Mater Llafuraidd oedd yr iawndal hwn. Nid oedd Llafur yn bwriadu gwneud dim yn ei gylch, ond gwae unrhyw un arall a ymyrrai ag ef!

Dyfynnir Gwynfor mewn troednodyn ar dudalen 529 sy'n

ateb terfynol i'r beirniaid a'u ffansïai eu hunain yn gedyrn yr asgell chwith. Mae hwn yn grynodeb mor bwysig o ffaith fel y teilyngai, efallai, le amlycach. Sôn y mae am aelodaeth cangen Llangadog o'r Blaid:

> Ymhlith gweithwyr ein cangen y mae pedair gweddw dlawd, gwraig gweithiwr heol, gwraig gyrrwr bws, postmon, gweithiwr fferm, gyrrwr lori laeth etc. Sylwaf fod rhai o'n dilornwyr yn bur dda eu byd a'u cefndir; rhai yn gallu fforddio prydiau [*sic*] bwyd costus, gwinoedd etc sydd allan o'n byd ni.

5. *Am grefydd a gwleidyddiaeth.* Os chwilio'r ydym am un gair i grynhoi gwleidyddiaeth Gwynfor Evans, efallai mai'r gair gorau yw 'Annibynia'. *Nid* yw hynny'n golygu bod rhaid i bob Annibynnwr gytuno â hi! Diddorol dros ben oedd y cyfeiriad, tt. 156-7, at ei sefydlu ym 1954 yn Llywydd Undeb yr Annibynwyr Cymraeg mewn cyfarfod gorlawn ym Mhen-y-groes, Rhydaman; fe'm gyrrodd i ddarllen yr hanes yn llawnach yn *Y Dysgedydd* – y gymeradwyaeth frwd a'r gweiddi 'rubbish, tripe!' yn nhraddodiad gorau'r enwad yn nyddiau ei nerth. Y Parchedig Isaac Thomas oedd biau'r adroddiad, erbyn gweld, ac un peth sy'n ein taro wrth ei ddarllen yw safon uchel yr adrodd a'r dehongli, wrth gymharu â'r rhan fwyaf o'r hyn a geir heddiw. Cyhoeddwyd anerchiad Gwynfor, *Cristnogaeth a'r Gymdeithas Gymreig* yn bamffled, fel oedd yn arferol gydag anerchiadau'r Llywyddion, ac fe'i ceir hefyd yn llawn yn *Y Tyst* (3 Mehefin 1954). Hynod ddiddorol ydyw, 'yr agosaf at ei gyffes ffydd lawnaf fel oedolyn', ys dywed Rhys Evans. Gwelir goroesiad rhai themâu Saundersaidd, yn enwedig y pwyslais gwrth-wladwriaethol, a gwelir apelio at draddodiad gwahanol hefyd, a

gynrychiolir gan enwau fel Gwilym Hiraethog, Samuel Roberts, Michael D. Jones a Thomas Rees. Wrth edrych dros dri chwarter canrif o arweinyddiaeth Plaid Cymru, mae'n demtasiwn gweld rhyw ddarlun symetrig fel hyn. Am ddeng mlynedd ar hugain teyrnasodd Gwynfor, lleygwr o Annibynnwr (ŵyr y mans ar un ochr, serch hynny). Yn un o'i ragflaenwyr, ac wedyn yn un o'i olynwyr, wele ddau o feibion y mans Methodistaidd : un ohonynt wedi graddio o Lwyni'r Wermod a'r llall ar ei ffordd i Dŷ'r Arglwyddi, yr ail wedi dechrau mynd trwy'i bethau cyn i'r cyntaf dewi, a'r ddau wedi cyfrannu, bob un yn ei ffordd, tuag at wneud bywyd Gwynfor beth yn llai cysurus ! Y sawl sydd am ddehongli bywyd gwleidyddol Cymru heb wybod dim am y cefndiroedd enwadol, nid yw'n gwybod y peth cyntaf. Nid yw Rhys Evans yn euog o'r diffyg hwn, prysuraf i ddweud.

6. *Am ddoe a heddiw.* Dyna'r Cynulliad Cenedlaethol yn ei gartref newydd, ac wedi dechrau cael ei alw yn 'Senedd'. Mae pob bwletin newyddion Cymraeg yn gorfod gwahaniaethu rhwng 'llywodraeth y Cynulliad' a 'llywodraeth San Steffan', a rhwng un Prif Weinidog ac un arall. Yr ydym wedi symud i rywle, ac i bob golwg yn dal i symud gan bwyll. Os gwir fod y genedl Gymreig o'r diwedd, yng ngeiriau Harri Webb, 'yn ymdeithio wysg ei chefn tuag at annibyniaeth', ai di-chwaeth fyddai i ni heddiw edrych yn ôl gyda chwithdod at ddyddiau anodd degawdau canol yr hen ganrif, pan oedd Gwynfor wrthi ddydd ar ôl dydd, a chydol y dydd, yn ceisio gosod sylfeini twf i'w fudiad ? Wrth ddarllen yr hanes hwn, cenfigennu y mae rhywun weithiau, er ei waethaf. Yn un peth, yr oedd bryd hynny wasg Gymraeg wythnosol y talai i wleidyddion gymryd peth sylw o'i barn, ac a oedd yn adrodd yn bur llawn a chywir am ddigwyddiadau'r dydd. A phryd hynny yr oedd rhywrai tua Llundain yn ofni twf cenedlaetholdeb

Cymreig, gyda gweision sifil yn anfon adroddiadau cyfrinachol yn rhybuddio gwleidyddion o beryglon ei dramgwyddo neu ei anwybyddu. Heddiw nid oes dim i achwyn arno, a dyma 'Natwatch' wedi cau am nad oes dim i'w wylio. Canlyniadau 'gwael', mae'n debyg, y byddem yn galw'r rhai a gafwyd yng Nghaerdydd ac Abertawe, Casnewydd, Wrecsam neu Frycheiniog a Maesyfed pan ymladdwyd hwy gyntaf, hyd at 1959. Ond pwy heddiw na fyddai'n falch ohonynt wedi'r canlyniadau gwaelach, gwaelach yn yr un seddau o'r saithdegau ymlaen, canlyniadau'n awgrymu nad oedd gan y Blaid yr un amcan strategol ac eithrio cael llai na dim un bleidlais a diflannu drwy dwll yn y llawr? Yr hyn a gawsom yn gyfnewid, dros dri neu bedwar etholiad, oedd gwyrddni solet yr 'Hen Dywysogaeth'. Bylchwyd hwnnw bellach oherwydd dau ffactor, gwendid Môn a gordyfiant coleg Aberystwyth, a phryd y'i cyfennir eto, dyn a ŵyr.

Bryd hynny, drwy flynyddoedd meinion, siomedig, rhwystredig y pedwardegau, y pumdegau a'r chwedegau cynnar, yr oedd gobaith. 'Gobaith a oeder a wanha y galon,' meddai'r adnod, a gwir iawn yw hynny. Ond y rhai a oedd yn dal i gredu, fe'u cynhelid drwy bob siom gan un peth, a hynny oedd y disgwyliad y byddai popeth yn wahanol petai'r wyrth ond yn digwydd. Fe ddigwyddodd y wyrth, ddeugain mlynedd union yn ôl. Bu iddi ganlyniadau cyrhaeddbell, ond eto canlyniadau sy'n fyr o'r cyfnewidiad llawn o ran meddwl ac ysbryd yr oedd cenedlaetholwyr dros ddwy genhedlaeth wedi gobeithio'i weld. Mae rhai pethau'n fwy 'fel o'r blaen' nag o'r blaen. Nid oes arnaf eisiau bod yn sinigaidd ynghylch y mesur o ymreolaeth a gafwyd ym 1997, nac am y camau pellach a ddaw dan ddeddf sydd ar ei thaith drwy ddau dŷ Westminster ar hyn o bryd. Ond heddiw, Gŵyl Ddewi 2006, mi edrychais heb unrhyw gyffro ar ddau bum munud o agoriad y tŷ senedd newydd – un lle roedd bagad o farnwyr yn ymlwybro'n ddiflas eu gwedd ar hyd stryd hollol wag, ac un wedyn o'r gweithrediadau anysbrydoledig y tu mewn. I lygad un sylwedydd o leiaf, dau beth sy'n esbonio'r teimlad fflat hwn a rennir gan lawer. Un ohonynt yw gwybod am wir argyfwng y Gymraeg. A'r llall yw gwybod nad o unrhyw wir ddeffroad ymhlith y Cymry y daw'r newidiadau cyfansoddiadol bellach. Yr hwyl a'r rhamant sydd wedi mynd.

Ond hyd yn oed os petruswn ddweud 'gobaith', y mae eto bosibiliadau. Ac os oes gwers o gwbl i'w dysgu o'r cofiant rhagorol hwn, 'peidiwch byth â phroffwydo'r dyfodol' yw honno. Fe all hi fod yn llawer gwaeth na'n disgwyliadau, fe all hi fod yn llawer gwell.

Os tardda rhywbeth eto o'r anial dir hwn, amhosib peidio â meddwl na bydd yn ddyledus mewn rhyw ffordd i esiampl, ysbrydoliaeth, llafur a dyfalbarhad Gwynfor Evans. Clod arbennig i Rhys Evans am ei bortread campus o'r pethau hyn.

(*Ein Gwlad*, Mai 2006.)

11.

Y Genedl Goll

Wrth ymgolli mewn hen destunau mae'r hen G.A. wedi bod yn esgeuluso llenyddiaeth Cymru heddiw yn enbyd. Ond dyma dalu sylw pan welais nofel Saesneg am ardal fy magwraeth mewn cyfnod a gofiaf yn dda. *A Welsh Dawn* gan Gareth Thomas yw honno, ac fe'i cyhoeddir gan Y Lolfa, pris £9.95.

O ran plot mae'n cydredeg hynt a helynt dyrnaid o deuluoedd dychmygol a hanner-dychmygol (os iawn yr wy'n dehongli) o Ddyffryn Nantlle a chylch Caernarfon ynghyd â gweithgarwch rhai o wleidyddion a phobl gyhoeddus Cymru ddiwedd y 1950au.

Nid wyf am ei hadolygu tu hwnt i ddweud ei bod yn ein dwyn yn ôl, mewn modd argyhoeddiadol a chredadwy gan mwyaf, i fyd yn cynnwys Vimto, Brylcreem, Austin Cambridge, trywsus bach mawr, *Yn ôl i Leifior*, Tommy Steele, James Dean, helynt Suez, ôl y bomio yn Lerpwl, y rhesi bysus ar Faes Caernarfon, tai bwyta Harper's a'r People's yn y dref, a'r hen Plaza, Pen-y-groes. Gallwn, petai o unrhyw bwys, grybwyll ambell beth sy'n wahanol yn fy nghof i ; ond gwell cofio bob amser gyngor un o feirdd ein Dyffryn, mai 'Nes na'r hanesydd at y gwir di-goll / Ydyw'r dramodydd, sydd yn gelwydd oll.' Ac o fewn yr egwyddor ddiogel Aristotelaidd hon gallwn yn sicr gynnwys 'y nofelydd' hefyd.

Yn hytrach nag adolygu, y cyfan a wnaf yw cofnodi ychydig ymateb i ddau fater sy'n cael lle amlwg yn y stori.

1. *Helynt Tryweryn.* Adroddir yn fyw a chywir gwrs

digwyddiadau hyd at ddydd Iau Eisteddfod Genedlaethol Llangefni, 1957. Bydd llawer fel finnau yn cofio'r diwrnod pan benderfynodd Henry Brooke, y Gweinidog Materion Cymreig, y byddai'n ddiogelach iddo gadw draw o'r Eisteddfod ac yntau newydd selio tynged Cwm Tryweryn. Ni allaf eto beidio â meddwl mai dyna'r wythnos, mai dyna'r diwrnod yn wir, y dylai pobl Capel Celyn fod wedi gwneud y peth amlwg, neu o leiaf y peth a ddaeth yn amlwg i bobl Cwm Gwendraeth ymhen wyth mlynedd wedyn, sef cau'r giatiau. O ddal y llanw yr wythnos honno byddent wedi ennyn cefnogaeth gref, a hwyrach y buasai pethau'n dra gwahanol yn Nhryweryn a thrwy Gymru. Pam na wnaed hyn? Plaid Cymru sy'n cael y bai ran amlaf. Ond wn i ddim ...

2. *Mudiad a rali di-waith Dyffryn Nantlle, 1958.* Pan ddywedodd 'You've never had it so good' yr oedd yr hen rôg MacMillan yn llygad ei le. Cyfnod oedd y 1950au a welodd welliant cyson yn ansawdd bywyd y rhan fwyaf o bobl gwledydd Prydain; ninnau, y plant a ddaeth i oed tua diwedd y degawd, fu'r genhedlaeth fwyaf ffodus erioed o Gymry o ran manteision a chyfle. Ond yr oedd llecynnau lle nad oedd pethau lawn cystal, ac un o'r rheini yn sicr oedd Dyffryn Nantlle yn sgil enciliad cyflym diwydiant y chwareli. Cododd mudiad o blith dynion di-waith a'u teuluoedd a'u cefnogwyr i geisio argraffu ar yr unig lywodraeth oedd gennym, llywodraeth Prydain, fod gofyn gweithredu i wella pethau. Uchafbwynt yr ymgyrch oedd gorymdaith o Ben-y-groes i Gaernarfon ar ddydd cyntaf Chwefror 1958 yn cael ei dilyn gan rali yn hen bafiliwn mawr y dref.

Ie, y placardiau. 'Amynedd Job – ond beth am job?' 'Torcha'th lewys trosom, Lewis' – sef siars i D.V.P. Lewis, newydd ei greu yn Arglwydd Aberhonddu a'i benodi'n Weinidog

Gwladol i helpu Henry Brooke. Hefyd 'Whitehall see our black hole', 'Bread before Beauty', 'Pylons before Poverty' ac 'Is this the Beauty of Wales ?' Bwgan mawr rhai o arweinwyr y mudiad, ac yn sicr y gwleidyddion Llafur ar y pryd, oedd Cyngor Diogelu Harddwch Cymru a oedd yn wrthwynebus i rai datblygiadau diwydiannol megis atomfa Trawsfynydd a'i chwaer-na-ddaeth yn Edern. Enynnodd rhai o'r sloganau ddirmyg chwyrn Saunders Lewis, a fynegwyd ganddo mewn araith ddadleuol iawn ddydd Iau Eisteddfod Genedlaethol Glynebwy. Hwnnw hefyd yn atgof byw.

Er efallai heb lawn gyd-fynd â phob un o'r placardiau, ac er dechrau magu rhyw radd o sgeptigiaeth tuag at y rhethreg Lafuraidd a soniai am fyrddau gweigion, gruddiau llwydion ac esgidiau tyllog, yr oedd rhai ohonom yn nosbarthiadau hŷn Ysgol Dyffryn Nantlle yn sicr bod yn rhaid cefnogi'r mudiad. Fe gerddodd rhai ohonom gyda'r orymdaith o Ben-y-groes. Yn gyfaddawdwr fel arfer roeddwn i yn un o'r rhai a ymunodd ger 'Yr Eagles' (fel y byddwn yn dweud) yn nhop Stryd Llyn, ac ymdeithio ar ôl band Trefor i dderbyn croeso tyrfa fawr ar y Maes. Bydd fy nghyfaill Ffestin, os yw'n darllen hwn yn Awstralia, yn cofio'r diwrnod yn dda iawn. A gallai Geraint Jones (Twm), Trefor, adrodd wrthych am y tipyn cythraul bandiau a gododd yn ystod y pnawn.

Wedyn i'r Pafiliwn. Y defnydd cyntaf a wnaed ohono ers cyn yr ail ryfel, a'r achlysur cyhoeddus olaf cyn y cyfarfod i'w gau ddechrau'r chwedegau. (Cof am hwnnw hefyd.) Yr oedd yr orielau bellach yn rhy beryglus i'w defnyddio, ond llanwyd y llawr gan dyrfa o ryw saith mil. Rhoddwyd allan bennill cyntaf yr emyn 'Duw mawr y rhyfeddodau maith'. Dim llyfr na thaflen, pawb yn ei wybod. Pawb ohonom a oedd yno, fe gawsom ryw flas o beth fuasai cyfarfodydd mawr dyddiau Lloyd George neu rali croesawu 'Hen Hogia'r Ysgol Fomio' fel y cofiaf gyfeirio atynt yn aml. Fe gofiwn gadeirio bywiog Hugh Jones, araith danllyd Tom Jones, Shotton, a neges fer Tom Nefyn, a alwyd ymlaen ar fyr rybudd wedi i rywrai sylwi ei fod yno – neu dyna a ddywedwyd o'r llwyfan ar y pryd ; mae'r hen sgeptig yn amau elfen o ragdrefnu. O Borthi'r Pum Mil y cymerodd ei destun, a'i fyrdwn, 'Bwyd yn gynta, pregath wedyn. Bwyd yn gynta, pregath wedyn', gyda'r dull o ailadrodd y clywais wedyn ei fod yn nodweddiadol ohono. Yr oedd y pleidiau'n ddigon cytûn, a rhoddwyd croeso caredig i araith Peter Thomas, A.S. Ceidwadol Conwy. Ond yna daeth twrn Goronwy O. Roberts. Codi'r to gan ffrwydradau o gymeradwyaeth cyn, yn ystod ac ar ôl yr araith, ac (i'm clust i o leiaf) â rhyw awgrym neu islais o'r 'cymeradwyo dicllon' sydd efallai'n fwy nodweddiadol o Lafur nag o unrhyw garfan arall. Ychydig ohonom y diwrnod hwnnw, os neb, a allai gredu na byddai Goronwy'n dal sedd Arfon, a hynny'n gyfforddus, am ba hyd bynnag y dymunai. Ond daw trai, a llanw, a thrai wedyn ...

Fis Hydref yr un flwyddyn cawsom ffug-etholiad seneddol yn un o gymdeithasau Ysgol Dyffryn Nantlle. Mwy o ran hwyl na dim arall, ond gwelltyn yn y gwynt ? Plaid Cymru a aeth â hi o fwyafrif ysgubol. Cofiaf y diwrnod hwnnw hefyd yn dda. Yr oeddwn yn ymgeisydd dros blaid arall. (Cyfeiria'r nofel at 'Ffordd y Brenin', Pen-y-groes, sy'n mynd heibio i'r ysgol. Ryw awr ginio tua'r un adeg, aeth rhai ohonom ati i gywiro hyn â sialc yn 'Ffordd y Werin'; roedd hyn dair neu bedair blynedd cyn sefydlu Cymdeithas yr Iaith, ac nid oedd iddo fawr ddim arwyddocâd gwleidyddol.)

Bûm i'n chwarae â damcaniaeth fel hyn, yn troi o gwmpas

y rhif deg ar hugain. Etholwyd Lloyd George ym 1890. Erbyn 1920 yr oedd wedi gosod cyfeiriad newydd i'r wladwriaeth Brydeinig, wedi setlo Tŷ'r Arglwyddi ac wedi ennill rhyfel byd. Bwriodd ef ymlaen am ymron chwarter canrif arall gydag ambell hwrdd o'i egni dihafal ; ond wedi dengmlwydd ar hugain yr oedd wedi colli ei hygrededd, wedi mynd yn gaethwas i'w hen elynion gwleidyddol ac wedi cyfrannu at hau hadau rhyfel arall. Daeth awr Llafur yn Arfon. 1945-74. Dengmlwydd ar hugain namyn un, a daeth plaid arall i olynu a chael ei chyfle. Mae hithau bellach wedi hen basio'r postyn, wedi colli sedd seneddol Ceredigion – drwy gamdrefnu i ddechrau, colli Môn oherwydd ymraniadau, a cholli yn gyffredinol ei gallu i argyhoeddi ac ysbrydoli. Ni byddai dim yn well gennyf na gweld ei llwyddiant, a byddaf yn cael ambell awr o feddwl y gall hwnnw ddod eto yn y Deheudir dan arweiniad Leanne ; ond mae anonestrwydd y Blaid ar bwnc ysgolion a thai yng Ngwynedd ac ar bwnc Wylfa B ym Môn yn magu gradd ddofn o amheuaeth ac yn rhoi rhyw atalfa ar y llaw sy'n pleidleisio.

A dychwelyd at faes y nofel, yr oedd dau beth ynghylch hinsawdd Cymru diwedd y 1950au yr wyf yn teimlo o hyd eu bod yn bethau cadarnhaol, – a hynny nid yn unig, mi gredaf, oherwydd y ffaith ei bod hi'n adeg o ddeffro, ymagor a chydio mewn cyfleoedd i'm cenhedlaeth i. I roi darlun teg, mae gofyn gweld y ddau beth ar wahân. Mae a wnelo'r cyntaf â'r addewid am bethau newydd, datblygiadau newydd, bywyd newydd, efallai'n wir y 'Welsh Dawn' a welir yn y nofel. Mae a wnelo'r ail â'r cyswllt â hen ddiwylliant, cyswllt a dorrwyd yn ddisyfyd yr union adeg honno oherwydd un ffactor yn fwy na dim arall, sef dyfodiad teledu.

(a) Rhwng 1955 a 1959 yr oedd rhyw deimlad y gallai

rhywbeth ddigwydd yng Nghymru. Yr oedd a wnelo i fesur â hyder gochelgar newydd ym Mhlaid Cymru, ond roedd yn cyniwair hefyd drwy 'fudiad cenedlaethol' ehangach, dienw. O blith y ffigurau cyhoeddus yn y nofel, yr amlycaf a'r mwyaf gweithredol oedd Dr. Huw T. Edwards, cyn-arweinydd undeb llafur a chadeirydd y 'Cyngor Cymru' apwyntiedig tan ei ymddiswyddiad dramatig yn Hydref 1958. Nid gormodiaith yw dweud y gallai hanner gair gan Huw T., er mai cadeirydd ar gorff anetholedig ydoedd, achosi mwy o gynnwrf na dim byd a ddywed yr un o wleidyddion Cymru heddiw. Yr oedd yna ryw edrych ato a gwrando ar ei eiriau, a theimlad fod ei galon yn y lle iawn er ei fod yn un garw am newid ei farn. Imi gael dweud 'roeddwn i yno' un waith yn rhagor, cofiaf yn glir y cyfarfod yn ystod Eisteddfod Caernarfon, 1959, lle cyhoeddodd ei fod yn cefnu ar Lafur. Cyfarfod oddi ar y Maes ydoedd, wedi ei drefnu gan Gymdeithas Gymraeg Prifysgol Llundain. Testun ffurfiol H.T.E. oedd 'Senedd ar Ddaear Cymru', sef y syniad o alw senedd gan gyrff a mudiadau Cymreig yn gwbl annibynnol ar ddatganoli, – posibilrwydd na chafodd agos ddigon o sylw dros y blynyddoedd; a diddorol darllen yn y cofiant *Prif Weinidog Answyddogol Cymru* gan Gwyn Jenkins fod Aneurin Bevan wedi dechrau ochri at ryw syniad fel hyn. I rai o leiaf, bu cyhoeddiad H.T.E., ac wythnos Eisteddfod Caernarfon drwyddi draw, yn benllanw gobaith, ond treiodd y llanw gyda'r methiant yn Nhryweryn a siom Plaid Cymru yn etholiad '59. Bu raid disgwyl tipyn, ac fe barhaodd y rhwystredigaeth dros hanner cyntaf y chwedegau.

(b) I gyfleu'r wedd hon, ni allaf yn well na dod yn ôl at y cyfarfod ym Mhafiliwn Caernarfon. Pawb yn gwybod yr emyn. Y cyffro y gellid ei ennyn gan bregethwr carismataidd. Areitheg, medru 'ei dweud-hi'. Llawnder o iaith at y pwrpas, a medru tynnu rhyw dannau. Dyna pryd y dywedai fy nhad, fel y cofiaf yn dda, 'un peth am y Lebors 'ma, maen nhw'n medru sbitshio'. Ym mhob plaid erbyn hyn aeth y 'sbitshio' yn beth tila iawn, ac yn ddiwylliannol bu'r golled yn fawr. Rhannu'r un diwylliant, gradd uchel o lythrennedd, pethau ar y cof, – a hynny'n galluogi deall parodi a hiwmor. A mwy sylfaenol eto, rhannu'r un profiad i fesur helaeth. 'Chwyth y tân, fe gynnith toc' oedd pennawd blaen *Y Cymro* wrth adrodd am y diwrnod. Ond ni chynheuodd y tân hwnnw lawer wedyn, ac anodd wrth edrych yn ôl yw gweld sut y gallasai. Yr hyn a gawsom oedd blas bach o'r 'hen bwerau', ac i'r rhai iau ohonom braint ac addysg oedd hynny.

Wrth edrych yn ôl a chymharu caf deimlad – er fy ngwaethaf braidd – fod gan y Gymru led-Lafuraidd, is-Ymneilltuol honno ryw adnoddau a gollwyd, neu a wanhaodd yn ddirfawr, yn y cyfamser. Drigain mlynedd yn ôl yr oeddem yn fwy o genedl nag ydym heddiw. Yr oedd mwy ohonom. Yr oeddem yn troi allan yn dyrfaoedd. Yr oedd gweddill da o ddiwylliant drwy'r broydd. Yr oedd gennym wasg. O'r tu arall yr oedd llawer o daeogrwydd, a rhyw gyfyngiadau niwrotig wedi eu gosod ar y Gymraeg. Ochr yn ochr â llawer o hwyl a hiwmor yr oedd cysêt; peth ofnadwy yw hwnnw, ond eto mewn rhai sefyllaoedd gall fod yn atalfa ar bethau gwaeth, a thrwy hynny wneud bywyd yn haws.

Ni allwn fynd yn ôl, hyd yn oed petaem yn dymuno hynny. Ni allodd y 'genedl' honno sicrhau ei pharhad ei hun, a dyna'r prawf. Yr oedd nifer cynyddol ohonom, fel rhai cymeriadau yn yr nofel, yn mynnu bod yn rhaid symud ymlaen at rywbeth amgen. A dyma ni heddiw. 'Rwy'n myned i rywle, ni wn i ble,' meddai'r bardd. Hidiwch befo'r 'i ble', cawn ddyddiau o amau heddiw a ydym yn 'myned i rywle' o gwbl. Sylwedydd doeth a ddywedodd

– ac rwy'n credu imi ei ddyfynnu rywdro o'r blaen ar y blog – fod pobl neu gymuned ethnig weithiau'n mynd trwy gyfnodau o fod yn debycach i wladwriaeth ac yn llai tebyg i genedl. Dyna union ddisgrifiad o'n cyflwr ni Gymry y dwthwn hwn. I ddod trwyddo a gweld ei ben-draw mae angen am weledigaeth, cysondeb, penderfyniad, angerdd, tân. Ble ceir y rhain ?

(Blog Glyn Adda, 19 Ionawr 2015.)

12.

Gwneud Geiriadur

Peth peryglus ydi geiriadur yn nwylo'r di-ddeall, ac i brofi'r pwynt dyma ichi stori fach. Yn ddiweddar mewn coleg na wna' i mo'i enwi fe godwyd llond cae o hostelau mawr newydd ar gyfer y myfyrwyr. Roedd eisiau enw ar bob un. Yn briodol dyma ymddiried y dasg o gynnig enwau i aelod o'r staff a oedd yn awdurdod cydnabyddedig ar enwau lleoedd Cymraeg. Roedd yr enwau wedyn i fynd o flaen panel i'w cymeradwyo; ar y panel roedd dau aelod nad oedd ganddyn nhw ddim Cymraeg, ond yr oedd ganddyn nhw eiriadur. Fe aeth rhai o'r enwau trwodd yn ddidrafferth – 'Y Borth' oedd un, 'Elidir' un arall. Petruso tipyn gyda 'Cefn y Coed' – 'Doesn't it mean *Backwoods*?' A nogio'n llwyr, dyna'r stori a glywais i, ar 'Y Gesail'. Petaech chi'n gweld y safle mi gytunech yn syth ar addaster yr enw; ac i Gymro mae 'Cesail' yn gyfarwydd ac yn ystyrlon fel rhan o enw llc. 'Caf droi pryd y mynnwyf i aelwyd y Gesail, / Nid oes yno glicied, nid oes yno glo.' Ond, meddai'r ddau awdurdod yma, ar ôl ymgynghori â'u geiriadur, 'It means *armpit*.' Ac enw arall a fu. Enw digon pwrpasol, ond y tu ôl i ddyfarniad fel hyn y mae un neu ddwy o ragdybiadau go bwysig. Un ohonyn nhw ydi nad oes gan ddim byd ystyr hyd nes cyfieithir ef i'r Saesneg; a thu ôl i honno mae rhagdybiaeth ddofn arall, sef mai dim ond un iaith go iawn sydd yna mewn gwirionedd. Mae yma beth arall, sef ofergoeliaeth ynghylch awdurdod geiriadur, rhyw hen syniad mai rhywbeth wedi ei sgrifennu ei hun ydyw, neu wedi ei 'roi' ryw dro, fel y rhoddwyd y Ddeddf i Moses ar Sinai. I brofi'r gwirionedd mai gwaith unigolion meidrol a ffaeledig yw pob geiriadur – pobl sydd weithiau'n anghofio, weithiau'n cymysgu ac weithiau'n syrthio i gysgu uwchben y gwaith – nid oes dim byd cystal, mae'n debyg, â cheisio gwneud geiriadur, neu o leiaf helpu gwneud un.

Mae geiriaduron yn amrywio'n fawr o ran eu nod a'u diben, ac nid oes dim sy'n enghreifftio hynny'n well na'r gwahaniaeth rhwng *Geiriadur Prifysgol Cymru* a *Geiriadur yr Academi*.

Geiriadur hanesyddol ac ysgolheigaidd yw *GPC*, a geiriadur o eiriau *Cymraeg*. Mae'n diffinio'r gair, yn rhoi cyfystyron Cymraeg, a chyfieithiad Saesneg ohono. Mwy na hynny mae'n rhoi holl hanes y gair: ei darddiad, os oes modd ei wybod; a'i gysylltiad â geiriau eraill yn yr ieithoedd Celtaidd, lle mae hynny'n hysbys. Mae'n rhoi'r enghraifft ysgrifenedig gyntaf o'r gair, boed hynny fil o flynyddoedd yn ôl neu flwyddyn yn ôl; enghreifftiau ohono wedyn mewn llenyddiaeth drwy'r oesoedd; ac i orffen, nifer o ymadroddion sy'n cynnwys y gair.

Tra gwahanol, yn wir sylfaenol wahanol, yw Geiriadur yr Academi, ac mi geisiaf ddweud wrthych at beth yr oeddem ni'n anelu yn ystod y deunaw mlynedd o waith uwch ei ben. Mae'n eiriadur o 1710 tudalen, gyda rhyw 10,000 o brifeiriau, yn ymestyn o 'a' (y llythyren A) i 'Zyrian' (Zyrieg). Fe'i bwriedir ar gyfer byd ac oes lle mae'r defnydd o'r Gymraeg ar gynnydd mewn sawl cyfeiriad; byd ac oes, serch hynny, lle mae argyfwng y Gymraeg yn dal yn ddifrifol, a'i dyfodol yn ansicr. Mae mwy a mwy o ddysgwyr yn ymuno â'r byd Cymraeg, ond ar yr un pryd mae'r Cymry cynhenid yn mynd yn llai sicr o'u hiaith eu hunain oherwydd pwysau mawr beunyddiol y Saesneg. Ein nod ni, yn syml, oedd ceisio dangos bod modd dweud yn Gymraeg unrhyw beth y gellir ei ddweud yn Saesneg. Ein delfryd oedd ei ddweud mewn ffordd draddodiadol a ffordd sy'n gywir, sef yw hynny yn naturiol, i glust Cymro. Dau beth y mae'n rhaid imi eu pwysleisio: (1) Geiriadur un ffordd ydyw, Saesneg i Gymraeg yn unig. Rydym wedi ailadrodd hyn yn ddigon aml. Os bydd rhywun wedi ei brynu, ac wrth ei agor yn cael ei siomi nad oes ochr Gymraeg-Saesneg iddo – eithaf gwaith ag o! (2) Cyfieithu y mae, a chyfieithu yn unig. Geiriadur cyfieithu, un ffordd, Saesneg-Cymraeg, dyna ydyw.

Mae Geiriadur y Brifysgol yn gwneud peth gwahanol: mae'n diffinio. Mae'n dweud wrthych beth yw 'ceffyl': 'Anifail pedwarcarnol cryf a chyflym, a chanddo fwng a chynffon, a ddofwyd gan ddyn i'w farchogaeth a hefyd i gludo beichiau ac i dynnu cerbydau &c'. Mae'n dweud wrthych beth yw 'epistemeg': 'Damcaniaeth am natur a seiliau gwybodaeth a'r modd i'w chyrraedd'. Mae pob diffiniad, wrth gwrs, yn rhagdybio eich bod eisoes yn gwybod rhyw bethau. Mae'r diffiniad o 'ceffyl' yn cymryd eich bod yn gwybod beth yw: pedwar, carn, mwng, cynffon, dofi, marchogaeth. Mae'r diffiniad o 'epistemeg' yn cymryd eich bod yn gwybod beth yw: damcaniaeth, sail, gwybodaeth. Gêm o redeg rownd a rownd yw diffinio mewn gwirionedd, neu fel y dywedodd T.H. Parry-Williams: 'nid yw diffinio termau yn ddim ond defnyddio termau neu eiriau eraill i egluro'r termau hyn. A gwaeth na hynny, nid yr un ystyr a roddir gan bawb i'r termau sy'n egluro'r termau; felly dyna hi'n draed moch.' Yn awr, yr unig ddiffinio y mae Geiriadur yr Academi yn ei wneud yw rhoi cyfystyr byr i'r gair Saesneg, i ddangos pa ystyr i hwnnw sy'n cael ei chyfieithu ar y pryd, neu rywbeth i ddweud i ba faes y mae'r gair Saesneg yn perthyn. Er enghraifft *nail* yn golygu ewin, a *nail* yn golygu hoelen. Peth syml, ond peth pwysig, a pheth y mae geiriaduron yn y gorffennol wedi esgeuluso'i wneud, gan ryw gymryd fod pawb yn medru Cymraeg cyn cychwyn. Nid felly hwn : yn hytrach, yr hyn y *mae* yn ei gymryd yn ganiataol yw fod y defnyddiwr yn gwybod ystyr y gair Saesneg y mae arno eisiau ei gyfieithu. Os na wyddoch chi beth ydi : *apraxia*, *apteryx*, *blastodermic*, *haemopericardium*, *I-ching*, *trophoneurosis*, *wanderoo* ac *ylang-ylang*, wnaiff y geiriadur hwn mo'ch helpu chi. Nid diffinio y mae, ond cyfieithu.

Fe ddysgodd y golygyddion yn ysgol galed profiad fod yna ddau fath o gyfieithu : cyfieithu hawdd a chyfieithu anodd. Y pethau hawsaf i'w cyfieithu yw termau technegol, sef termau â dim ond un ystyr i bob un. Fedrwn ni ddim cymysgu *karyosystematics*, neu *thixotropic*, neu *ultraminiaturization* â dim byd arall. Daw llawer o eiriau fel yna o restrau arbenigol sydd wedi eu llunio eisoes : ac os nad yw'r rhestrau hynny'n cynnwys y gair bob tro, maent o leiaf yn cynnig patrwm. Mae'r rhan fwyaf ohonyn nhw wedi eu ffurfio o fonion Groeg neu Ladin, gyda'r canlyniad fod yna eiriau tebyg iddyn nhw yn holl ieithoedd Ewrop ac eithrio dwy neu dair. Newid cosmetig yn unig sydd eisiau i roi inni air Cymraeg a wnaiff at iws bob dydd :

stereomicroscopic – stereomicrosgopig.
galvanoscope – galfanosgop.
iontophoretic – iontofforetig.
haiku – haicw.
I-ching – I-tsing.
yataghan – iatagán.
wanderoo – wanderŵ.

Dyna ni, dim byd clyfar o gwbl. A pha ddiben trio bod yn glyfar ? Yr unig bethau i ofalu andanyn nhw oedd ein bod yn dilyn orgraff y Gymraeg, a bod yn weddol gyson. Fe allech ofyn, oedd hi'n werth eu cyfieithu nhw o gwbl? Oedd, ac am ddau reswm: (i) er mwyn dangos eu lluosog, (ii) er mwyn dangos eu cenedl. I bob pwrpas does dim cenedl enw yn Saesneg; ond yn Gymraeg, fel mewn Ffrangeg, Sbaeneg, Almaeneg, Lladin, Groeg a llawer o ieithoedd eraill, mae popeth un ai yn 'fe/fo' neu'n 'hi'. P'run ddywedwn ni, 'yr apracsia hwn' ynteu 'yr apracsia hon'? 'Ilang-ilang mawr' ynteu 'fawr'? Beth ydi lluosog 'galfanosgop'? *Oes* yna luosog i *corticotrophin*, neu *ubiquinone* – ynteu dim ond rhyw 'stwff' ydyn nhw? Os *nad* oes, mae'n bwysig dangos hynny. Weithiau, dyfalu wnaethom ni. Pwy fedr fynd ar ei lw ei fod yn gwybod cenedl 'haicw'? Ond rhaid cynnig rhywbeth. A chofiwch hyn: i wybod oes lluosog i'r peth, ac i gynnig cenedl synhwyrol iddo, mae'n rhaid gwybod, am y tro beth bynnag, beth ydi'r peth. Mi *fûm* i'n gwybod ystyr y geiriau arbenigol yma i gyd, am funud neu ddau, trwy ymgynghori â llyfrau arbenigol. Mi ddysgais dipyn – ac anghofio llawer! Dyna *gynnig* trosiad, at ddefnydd y sawl *sy'n* gwybod; a dyna *awgrymu* wrtho beth y gall ei roi yn genedl ac yn lluosog.

Dyna gyfieithu hawdd – nad yw'n berffaith hawdd bob tro. Ond gadewch inni droi at gyfieithu anodd, gyda sampl fechan fach o eiriau anodd eu cyfieithu. Geiriau cyffredin i gyd, a geiriau sy'n gweithio'n galed yn ein hiaith bob dydd. Busnes bach yw cyfieithu *azotobacter*, neu *ophthalmoplegia*, neu *xanthochroic* – geiriau arbenigol, ag un ystyr yn unig. Busnes llawer mwy cymhleth yw cyfieithu: *baby*, *crown*, *dog*, *face*, *form*, *head*, *look*, *name*, *old*, *pass*, *right*, *some*, *that*, *this*, *turn*, *word*, *year*, *yes*. Mae o leiaf un iaith, Lladin, heb eiriau'n cyfateb i *yes* a *no*; mae'r Gymraeg, yn y pegwn arall, ag amrywiaeth mawr o eiriau a chystrawennau i ateb yn gadarnhaol neu'n negyddol. Sut y mae dechrau egluro i'r dysgwr pryd a pha le i ddweud 'ydw', 'oeddwn', 'gwnaf', 'ie', 'ydi', 'do'? Yr ateb yw na fedrwn ni ddim, ond trwy *enghreifftiau.* Fel rhan o ymadrodd y mae i'r gair ystyr; felly rhaid ei gyfieithu mewn cyd-destun, ei ddangos yn ei le, yn ei wely. A dyna ben trymaf ein gwaith ni, o ddigon. Dyna a ymestynnodd dros ddeunaw mlynedd y gwaith yr oeddem wedi gobeithio ac wedi addo ei gwblhau mewn pedair : meddwl am enghreifftiau cryno a chymwys, i ddangos y gair ar waith bob amser, ac i awgrymu sut y defnyddir ef o ddydd i ddydd gan Gymro naturiol. Mae'n siŵr ein bod ni wedi methu ganwaith. Ond rydym wedi trio, dro ar ôl tro ar ôl tro.

Er enghraifft, beth petai'r di-Gymraeg yn gofyn, 'What's the Welsh for *get*?' Fel man cychwyn, fe ellid dweud 'cael'. Ond fyddai fawr o werth yn hynny, a dweud y gwir. Nid *un gair am un* ydi hi. Allwn ni ddim ateb y cwestiwn ond trwy roi enghreifftiau, a dyna rydym ni'n *trio'i* wneud : edrych ar y gair o bob safbwynt, ceisio cofio'r prif ymadroddion lle mae'n digwydd yn naturiol, ceisio achub y blaen ar gwestiynau ac anawsterau'r defnyddiwr. Nid mewn un llinell na dwy y mae cyfieithu gair fel hyn : fe aeth yn saith colofn a hanner cyn inni droi rownd. *Get me a loaf* ; *to get the best of a fight*; *to get wind of something*; *to get something into one's head*; *we'll get you*; *I don't get you*; *get ready*; *get out*; *it gets me down*; *get your hair cut*; *I haven't got any*; *get going*; *get cracking*; *to get something across to someone*; *to get away with something*; *to get bigger*; *to get old*; *to get wet*; *to get wise to something* ... ac ymlaen ac ymlaen fel yna. Fel y gallwch chi ddychmygu mae yna eitemau hir a chynhwysfawr i eiriau fel : *call*, *just*, *must*, *much*, *pull*, *put*, *run*; a mwy fyth y geiriau bach bach, arddodiaid fel *as*, *at*, *by*, *in*, *on*, *over*, *through* &c &c. Y geiriau cyffredin, cyffredin – ar y rheini y mae'r gwaith mawr. Meddyliwch am yr eitemau hyn yn cyfieithu *be* (y ferf 'bod'), enghreifftiau o ymadroddion Cymraeg naturiol heb ddim byd clyfar na gwreiddiol na ffansi ar eu cyfyl : *you're next* (chi sy nesaf); *they're not Welsh* (nid Cymry ydyn nhw); *she's English* (Saesnes ydi hi); *is there anyone at home*? (oes 'ma bobol ?); *God is* (mae Duw yn bod); *seeing is believing* (a wêl, a gred); *there you are* (dyna ti); *what time is it*? (faint ydi hi o'r gloch ?); *well I'll be ...* ! (wel myn ... ! wel 'tawn i'n ... ! &c); *be that as it may* (bid hynny fel y bo); *it's me* (fi sy 'ma); *I'll be off* (ffwrdd â mi &c); *the bride to be* (y ddarpar wraig); *I was to have come* (roeddwn i fod i ddod). Mae pob Cymro'n gwybod y pethau yna, meddech chi. Ydi, byddai'n dda meddwl. Ond nid i bob Cymro y mae'r geiriadur hwn, ond i bob un a hoffai fod yn Gymro.

Mae i bob geiriadur ei aparatws, yr arwyddion a'r byrfoddau, y geiriau bach sy'n esbonio beth sy'n digwydd. Mae aparatws y geiriadur hwn yn eithaf safonol, wedi ei seilio'n bennaf ar eiriaduron Saesneg-Ffrangeg Harrap. Saesneg yw'r aparatws i gyd; o ochr y Saesneg yr edrychir arni; llyfr Saesneg yw'r geiriadur i bob pwrpas. Yn gyntaf, y byrfoddau gramadegol – *n.* (*noun*), *a.* (*adjective*), *adv.* (*adverb*), *v.* (*verb*), *vn.* (*verb-noun*), *prep.* (*preposition*), *conj.* (*conjunction*), *m.* (*masculine*), *f.* (*feminine*), *pl.* (*plural*) &c &c. Yna cawn y byrfoddau maes, arwyddion bach i ddweud i ba faes y mae'r gair a gyfieithir yn perthyn : *Agr* : (*Agriculture*), *Adm* : (*Administration*) : *Astr* : (*Astronomy*), *Civ.E* : (*Civil Engineering*), *Cu* : (*Culinary*), *Geol* : (*Geology*), *Orn* : (*Ornithology*), *Ich* : (*Ichthyology*), *Journ* : (*Journalism*), *Rel* : (*Religion*) &c &c. Wedyn y byrfoddau rhanbarthol, yn awgrymu i ba gwr o Gymru, yn fras, y mae'r gair yn perthyn : *N, NW, S, SE* &c. Ac yn olaf, byrfoddau pwysig iawn, sef y byrfoddau cywair (*register*). Ceisio awgrymu y mae'r rhain pa flas sydd ar y gair, i ba lefel o iaith y mae'n perthyn, ym mha gyswllt, neu'n wir ym mha fath gwmni, y byddech yn ei ddefnyddio. *Lit* : (*Literary*) – gair llenyddol, gair nad ydych yn debyg o'i glywed mewn sgwrs bob dydd. *Poet* : (*Poetical*) – gair sydd fwy neu lai yn gyfyngedig i farddoniaeth. *A* : (*Archaic*) – gair hynafol, ond gair sy'n dal i gael ei arfer. *O* : (Obsolete) – gair sydd wedi mynd allan o arfer, er nad oes dim byd o'i le arno efallai. (Pam ei gynnwys felly ? Wel, wrth gyfieithu 'piano' allwch chi ddim anwybyddu 'perdoneg' rywsut; ac wrth gyfieithu 'umbrella', cystal i'r dysgwr wybod yr hen air 'glawlen', er mai rhyw eiriau wedi syrthio ar fin y ffordd ydyn nhw.) *Joc* : (*Jocular*) – gair cellwair. *Iron* : (*Ironic*) – gair y byddai rhywun yn ei ddefnyddio a'i dafod yn ei foch. *Obs* : (*Obscene*) – gair y mae'n well peidio â'i ddefnyddio mewn cwmni parchus. A'r byrfodd pwysicaf ohonyn nhw i gyd, rwyf bron â meddwl, *F* : (*Familiar*) – gair llafar gwlad, neu air bob dydd. Os ydym yn ymfalchïo mewn unrhyw beth o gwbl ar derfyn y gwaith yma, rydym yn ymfalchïo ein bod wedi cofio am yr *F :* yn bur aml, wedi cynnwys yr ymadrodd llafar gwlad, lle bynnag y mae modd, ac wedi ceisio gwahaniaethu rhyngddo a'r ymadrodd llenyddol. Os cawsom ni hwyl o gwbl yng nghanol y gwaith diawen yma, efallai inni gael tipyn bach o hwyl yn hel y geiriau a'r ymadroddion *F :* i mewn ! Bob amser, ceisio cyfieithu yn yr un cywair â'r gwreiddiol : os yw'r Saesneg yn goeth neu aruchel, bydded y Gymraeg felly; os yw'r Saesneg yn llafar a sathredig, neu hyd yn oed yn amharchus, dylai'r Gymraeg fod yr un fath.

Cymerwch y rhain, ymadroddion yn perthyn i'r cywair llafar at ei gilydd. Meddyliwch ym mhob achos y fath hafoc fyddai wrth geisio'u trosi nhw'n llythrennol, air am air : *to get away from it all*; *to play hard to get*; *it's old hat*; *what's the big idea*? *for crying out loud*! *he's past it*; *a he-man*; *do me a favour*! *to sleep off a hangover*; *bang goes a fiver*; *I stand corrected*; *local boy makes good.* Am y tro, wna' i ddim rhoi ein cynigion ni! Fe gewch chi edrych y Geiriadur, ac rwy'n eich sicrhau ei fod yn cynnig *rhywbeth* am bob un o'r pethau yna, a miloedd o bethau cyffelyb, yn y gred fod rhywbeth yn well na dim. A chynnig, bob amser, nid drwy ddyfeisio neu fathu ymadrodd, ond drwy geisio meddwl neu geisio cofio. Dyna gyfarwyddyd y Golygydd o'r dechrau: peidiwch â bathu, os gallwch chi beidio; yn lle bathu, *meddyliwch*; triwch gofio pa fath o beth y byddai rhywun yn ei ddweud yn y sefyllfa. Wrth gwrs mae cof rhywun yn ddiffygiol. Ond rwy'n weddol dawel fy meddwl ein bod ni'n weddol agos ati yn amlach na pheidio. *Not the ghost of a chance*, dim gobaith mul, neu (yn y De) dim gobaith caneri. Amlwg, meddech chi. Wel ydi, i ni. Ond sut mae'r dysgwr i fod i wybod? Sut gŵyr y dysgwr mai 'cwlwm cwlwm' ydi 'double knot'? Gadewch i'r dysgwr wneud ei Lego'i hun efo geiriau unigol, ac mae'n debyg o ddweud 'cefnder cyntaf' am 'first cousin' ac 'ail gefnder' am 'second cousin'; gwaith y geiriadur yw rhoi iddo y termau traddodiadol, 'cefnder cyfan' (neu 'cyfnither gyfan'), a 'cyfyrder' (neu 'cyfyrdres'). *Charity begins at home*, nes penelin nag arddwrn. *You can whistle*, gei di fynd i ganu/grafu. *An indecisive look*, golwg be-wna'-i. *She's very standoffish*, un sa' draw ydi hi. *Elbow room*, lle i droi. *He's got good English*, mae'n Sais da. *A stray cat*, cath fenthyg. *Evacuees*, plant cadw (a 'faciwîs' wrth gwrs). *The allotments*, cae pawb. *Be a good boy*, gwna hogyn da. *The happy couple*, y ddeuddyn ddedwydd. *Buck-teeth*, danheddiad. *No hard feelings*, dim dicach. *The kibosh*, y farwol. *The wife*, 'nacw, (De) *honco s' 'da fi*. *A non-reader*, un diddarllen. *The nitty-gritty*, y glo mân. *To go without*, byw heb. Ddaethom ni'n weddol agos ati?

Meddyliwch mewn difri am y dysgwr, ar ei liwt ei hun, heb help, yn mynd ati i gyfieithu: *it's no great shakes* (dydi o fawr o beth); *to do one's thing* (mynd trwy'ch pethau); *bell-bottoms* (trywsus llongwr); *stage policeman* (plisman drama); *a non-event* (siou bin); *a two-foot rule* (dwy droedfedd); *to hang out the washing* (rhoi dillad ar lein); *the old pals act* (os mêts, mêts); *noughts and crosses* (gêm oxo); *snakes and ladders* (gêm neidr). Sylwch ein bod ni'n arddel 'gêm', 'lein', 'mêts' am eu bod wedi gwneud eu lle'n ddigon diogel yn Gymraeg. Weithiau, byddaf yn gofyn i ddosbarth o fyfyrwyr beth sy'n arbennig i'r geiriau yma: jest, boi, pas, sbel, sownd, stowt. Yr ateb: eu bod nhw'n eiriau amlwg Saesneg eu tarddiad, ond i gyd wedi magu, neu wedi cadw, ystyron yn Gymraeg nad ydyn nhw'n bod yn Saesneg.

Mae perygl, mae'n siŵr, mewn gorweithio'r ffurfiau llafar gwlad, neu'r cywair *F*. Mae'n rhaid wrth eirfa ffurfiol Gymraeg hefyd, peth yr oedd y capel yn aml yn ei ddarparu pan oedd crefydd yn rym o bwys – Cymraeg dydd Sul. Weithiau yn y Geiriadur fe'n cawn ein hunain yn cynnig y fersiwn ffurfiol, safonol, ond wedyn rhywbeth mwy llafar fel posibilrwydd. E.e. *Catholic church*, *Catholic priest*: eglwys Gatholig, offeiriad/tad Catholig – y pethau safonol; ond hefyd, *F:* capel Pab, person Pab. *The Presbyterian Church of Wales*, Eglwys Bresbyteraidd Cymru, a hefyd *F:* yr Hen Gorff. *Labour exchange*, cyfnewidfa lafur, hefyd *F:* lle dôl. *Nitric acid*, asid nitrig, ac *F*: sbirit neitar. *Mounted police*, heddlu marchogol neu march-heddlu, ond ar lafar: plismyn ar gefn ceffylau. A beth am y rhain: *articled clerk*, *medical student*, *ministerial candidate*, *police cadet*? Cymraeg dydd Sul: clerc mewn erthyglau, myfyriwr mewn meddygaeth, ymgeisydd am y weinidogaeth, heddlanc (neu cadét yn yr heddlu); ond *F:* neu efallai *Joc:* cyw twrnai, cyw doctor, cyw pregethwr, cyw plisman. Mae ffurfiau o'r fath, mwy cellweirus na pheidio, er na wnân nhw ddim ar gyfer pob achlysur, yn rhan o'n diwylliant ni, a cholled fyddai eu hanghofio. Hen gystrawen dda ydi honno sy'n cynnwys 'dyn/peth/lle + berfenw + gwrthrych' – dyn dal tyrchod, dyn codi pwysau, peth berwi ŵy, peth gwneud min ar bensel, lle trin traed, lle trwsio watshis. Gair fy nhad am 'seiciatrydd' fyddai 'dyn gwneud pobl wirion yn gall'; ond dydi hwnnw ddim yn y Geiriadur! *Ghostbusters*? 'Dynion dal bwganod' ddylai fod. Cwestiwn ichi eto: beth sy'n gyffredin i'r termau hyn: *pram*, *pushbike*, *primary school*, *sub post-office*, *Scotch Baptist*, *John Jones junior*, *private funeral*? Dowch inni'u cyfieithu nhw. Mae'r Geiriadur yn rhoi, reit 'i wala, y ffurfiau safonol: pram (neu coetsh), beisicl (neu beic), ysgol gynradd, is-swyddfa bost, Bedyddiwr Albanaidd, John Jones yr ieuengaf/ieuaf, angladd/cynhebrwng preifat. Ond, gan eu bod nhw'n ddigon naturiol i Gymro, dyma ychwanegu hefyd y ffurfiau *F:* coets bach, beic bach, ysgol fach, post bach, Batus Bach, John Jones bach, cynhebrwng bach. (A dyfynnu fy nhad eto, 'peth neis ydi cnebrwn bach mawr, a pheth digalon ydi cnebrwn mawr bach.')

Fe ddylid, mae'n debyg, wrthsefyll y demtasiwn i lusgo rhywbeth i mewn yn unig am ei fod yn Gymreigaidd. Fe ddylid gofyn bob amser a yw'n cyfieithu'r hyn y mae angen ei gyfieithu. Ond mi wnes i esgus, mae'n rhaid imi gyfaddef, i ddwyn i mewn, rhag iddyn nhw fynd i golli, dipyn o hen luosogion dwbl Cymreigaidd fel: tai gwydrau (*greenhouses*), cyrn bandiau (*brass instruments*), topiau cotiau (*topcoats*), hancesi pocedi (*handkerchiefs*), cyrtansiau (sef mwy nag un pâr o gyrtans), a saneuau (neu sneua), gair fy nain bob amser am fwy nag un pâr o sanau. A sôn am luosogion, perthynas imi'n galw acw: 'Ew, grisiâu yn y tŷ 'ma!' *Grisiâu* – mwy nag un hyd o risiau, *flights of stairs*. Enghraifft arall o'r hen luosog ystyrlon yna: *gwyliâu* – mwy nag un gwyliau.

Weithiau, y peth gorau ydi cyfaddef nad oes dim cyfieithiad, a'n bod yn benthyca'r gwreiddiol fel y gwna pob iaith ar dro. *The Charleston* – y *Charleston*, ac italeiddio'r gair. *The Cakewalk* – y *Cakewalk*! Eto, am ei fod yn dod yn naturiol, fe gynigiwyd 'y Dinddu' am *the Black Bottom*. Ac mae un ymadrodd mawr ysywaeth nad oes neb eto wedi taro ar ddim byd hollol foddhaol amdano yn Gymraeg. Mae wedi curo sawl llenor a storïwr, ac mae wedi'n curo ninnau hefyd mae arna' i ofn: to make love.

Gaf i ategu eto? Rwy'n gobeithio y cofir y geiriadur yma, nid am unrhyw ymadroddion hynod, anghyffredin, arbennig wreiddiol neu arbennig liwgar sydd ynddo, ond am ei fod wedi ceisio cofio *yr hyn y byddai Cymry cyffredin yn ei ddweud am bethau cyffredin*: pethau nad yw geiriaduron wedi bod yn eu cofnodi, oherwydd cymryd yn ganiataol fod pawb yn eu gwybod. Rydw i'n falch ein bod ni wedi cofio (nid wedi bathu): *tebot oel* (am yr hen gàn oel trwyn hir), ac wedi cofio 'bwyd i'r gynnau mawr' am *cannon fodder*. Rwy'n falch o'r cynnig 'darn o'r oes o'r blaen' am *period piece*; ac o 'twpsen benfelen' am *dumb blonde*. Mae'r Golygydd i'w longyfarch ar led-fathiad sy'n swnio fel petai'n bod erioed: 'prin chwedl, llawen chwedl' (*no news is good news*). Ac mae iaith ei hun yn syfrdanu rhywun o hyd. Meddyliwch mewn difri: 'mourning widow' ydi enw'r planghigyn yn Saesneg; yn Gymraeg 'pig yr aran ddulwyd'. 'Much Dewchurch' meddai'r Saeson am y lle; 'Llanddewi Rhos Ceirion' yw'r hen enw Cymraeg – gwerth ei wybod, er nad oes dim Cymry'n byw yno bellach.

Mi ddywedais ar y dechrau y gall geiriadur fod yn beth peryglus. Rydw i'n gobeithio, ar ôl treulio'r fath flynyddoedd gydag o, y ceir y geiriadur yma'n beth defnyddiol gan filoedd o bobl. Mi fentraf feddwl y ceir o hefyd, unwaith y dechreuir bodio drwyddo, yn beth digon difyr.

(Darlith ym Mangor, 1996.)

13.

Gramadeg Newydd

Peter Wynn Thomas, *Gramadeg y Gymraeg* (Gwasg Prifysgol Cymru, 1996), 873 tt., £25.00 clawr caled, £14.95 clawr papur.

Dyma'r pedwerydd gramadeg newydd o'r iaith Gymraeg i ymddangos o fewn tair blynedd ; y lleill yw gramadegau Gareth King a David Thorne, ac ysgrif Bruce Griffiths 'The Morphology of the Welsh Language' ar ddechrau Geiriadur yr Academi. Rhwng y gyfrol honno a'r *Thesawrws Cymraeg*, a *Geiriadur Gomer i'r Ifanc*, a dwy gymwynas bellach D. Geraint Lewis, ei *Dreigliadur* a'i *Lyfr Berfau*, heb anghofio llawlyfr Kathryn Klingebiel, *234 Welsh Verbs* (a gyhoeddwyd yn Belmont, Massachusetts, U.D.A.), bu cynnydd mawr a sydyn yn swm ac ansawdd yr offer sydd ar gael i adnabod, disgrifio, dysgu a thrin y Gymraeg. Rai troeon o'r blaen yn hanes y Cymry a phobloedd eraill bu hwrdd o ramadegau a geiriaduron newydd yn flaenffwyth dadeni llenyddol. Ai felly bydd hi y tro hwn, nid oes wybod. Dibynna ar gymaint o ffactorau eraill.

Gwelais esiampl neu ddwy eisoes o'r gramadeg hwn yn cael ei 'adolygu' heb ei ddarllen o gwbl. A ddarllenais i ef o glawr i glawr ? Do, ar fy ngwir, fesul can tudalen y diwrnod. I gyfleu fy ymateb, rhaid imi wrth ansoddair cyfansawdd wedi ei gyflunio (gair mawr bellach) o'r elfennau hyn : rhagddodiad negyddol + ffurf lafar, ogleddol, ansafonol ar ferfenw + arddodiad cyfansawdd + ôl-ddodiad dichonoldeb. An-rhoid-i-lawr-adwy. Na foed y defnyddiwr yn rhy siomedig os na chaiff ateb sydyn i'w gwestiwn bob tro. Rhaid iddo fod yn barod i ddefnyddio'r mynegai'n ddeallus, a defnyddio yr un modd y rhestrau cynnwys tra defnyddiol sydd ar flaen pob pennod. Rhaid iddo hefyd fod yn barod i ddilyn yr awdur wrth iddo ymresymu a theimlo'i ffordd tuag at ddyfarniad : fe ddywed y dyfarniad hwnnw beth a ystyrir yn safonol, ond fe awgryma hefyd yn lled aml y fath greadures fraith a symudliw ydyw iaith. Fel 'Gramadeg Morys' gynt, gwaith i'w ddarllen o'i gwr ydyw hwn, a byddai'n dda i bob Cymro llythrennog ac ieithgar wneud adduned i'w ddarllen o'i gwr o leiaf unwaith. Nid poen o fath yn y byd yw powlio drwy'r rhestrau o ferfau diffygiol, neu eiriau unigol sy'n sbarduno treiglad meddal, neu ôl-ddodiaid sy'n ysgogi affeithiad, oherwydd gallwn fod yn siŵr y bydd rhywbeth difyr yn ein disgwyl ar ddiwedd yr adran ymhlith y nodiadau sydd wedi eu rhifo [a], [b], [c] ac yn y blaen. Pam nad yw *gêm* yn treiglo'n feddal (ac eithrio mewn cellwair, *dy êm*), ond yn treiglo'n drwynol (*fy ngêm*) yn ddi-feth ? Sut yr aeth rhai enwau priod estron i dreiglo rwyddaf erioed, tra mae eraill yn gwrthod treiglo ? 'Paced o Gellogs' yw enghraifft briodol yr awdur ; cwbl fyw i minnau, er na smociais yr un erioed, yw 'dwy Bleran', sef dwy o sigaréts Players. Pam y peidiodd y treiglo ar ôl *Sir* yn sydyn gydag ad-drefniad Llywodraeth Leol 1974 (*Sir Benfro*, *Sir Ddinbych* : ond *sir Powys*, *sir Dyfed*) ? Peidiodd *sir* â bod yn rhan o'r enw priod, am ein bod yn gwybod, mae'n debyg, mai enwau gwledydd, nid siroedd, oedd rhai o'r unedau newydd mewn gwirionedd. Pam yr aed i golli *f* derfynol mewn geiriau *lluosill* drwy'r holl wlad (*gwela*', *cocha*'), ond mewn geiriau *unsill* yn y gogledd yn unig (*go*', *ha*') ? Tra pery anghysondeb fel yna mewn iaith, mae bywyd ynddi. Mor aml y mae'n rhaid i'r gramadegwr ddweud 'Fel'na mae hi, ac na hidiwch paham'. Disgrifio'r patrwm yw ei waith, dangos yn union sut mae pethau'n digwydd, boed yr esboniad yr hyn a fo. Dro ar ôl tro fe wna Peter Wynn Thomas hyn mewn modd meistraidd. Gweler ei ddadansoddiad difyr o arwyddocâd cymdeithasol *chi* a *ti* (t. 244), neu ei grynodeb rhagorol o pryd y dywedir (ie, *dywedir*) *ei*, *eu* a phryd *'i* (t. 248). Teimlir bod llawer iawn o ymchwil a meddwl y tu ôl i rai o osodiadau byrion rhai o'r nodiadau hyn, a thu ôl hyd yn oed i rai o'r cwestiynau a adewir heb eu hateb.

Dyma'r cynnig trylwyraf a mwyaf uchelgeisiol ar ddisgrifio nodweddion yr iaith Gymraeg oddi ar *A Welsh Grammar*, John Morris-Jones, a gyhoeddwyd yn (neu ym) 1913. dyma hefyd y Gramadeg Cymraeg Cymraeg (dealler yr ansoddair yn feddiannol y tro cyntaf ac yn ddisgrifiadol yr ail dro) helaethaf a gyhoeddwyd erioed. Rhaid ei ganmol yn arbennig yn hyn o beth. Nid yw'n troi gymaint ag unwaith at y Saesneg i ddangos ystyr term nac i aralleirio ymadrodd; rhydd gyfystyron cryno Cymraeg yn ddi-feth. Meddyliwch am aralleirio beth a olyga *ar fin*, *newydd*, *wedi* a *heb* : mor rhwydd i ramadegwr dwyieithog, a ŵyr hefyd fod ei ddarllenwyr yn ddwyieithog, yw troi at yr iaith arall gan adael i gyfieithiad wneud gwaith esboniad. Ni ddigwydd hynny yma byth. Yn hytrach na throi at y Saesneg trowyd unwaith at ddiagram, i ddangos beth yw *a*, *am*, *ar*, *tros*, a *rhag*.

A barnu wrth ei bennod 'Ystyriaethau Sylfaenol', ac yn arbennig yr adran 'Traddodiad gramadegau'r ugeinfed ganrif' â John Morris-Jones y mae dadl, onid cweryl, yr awdur. Fel gramadegwr fe'i cymhara'n anffafriol braidd ag Edward Anwyl : gwir bob gair yw fod dwy gyfrol Anwyl *A Welsh Grammar for Schools* (1898-9) yn waith golau, craff a chryno, ac mai cam fu eu hanghofio. Y mae sawl sylwedydd cyn hyn wedi cyhuddo Morris-Jones o fod yn or-ddeddfol ac yn or-geidwadol. Wrth ategu'r cyhuddiad aeth Peter Wynn Thomas ymhellach : cydiodd yn yr her o gynhyrchu gramadeg cyflawn Cymraeg nad yw'n ddeddfol na cheidwadol yn yr un ffordd. A fu iddo lwyddo? Unwaith neu ddwy cyn diwedd y bennod agoriadol hon, bron na ellid maddau i rywun am feddwl ei fod wedi cyfaddawdu cyn cychwyn: dywed yn eithaf clir ar dudalen 11 mai 'ceidwadaeth' a fabwysiadwyd yn y llyfr hwn hefyd, yn yr ystyr ei fod yn ymwrthod â'r nodweddion hynny nad ydynt 'yn unol â theithi'r iaith'. Serch y datganiad hwn, y mae'r gwaith yn newydd, yn eofn ac yn eangfrydig. Mae hynny'n briodol, oherwydd y mae'n ein hatgoffa bron ar bob tudalen mai dim ond un math o Gymraeg yw Cymraeg safonol, er mor ganolog ydyw ac er pwysiced yw cynnal ei safonau. Bu 'cyweiriau' iaith yn bwnc llawer o feddwl a thrafod yn ystod y blynyddoedd diwethaf: y cywair llenyddol, y llafar ffurfiol (sy'n fwy ffurfiol eto mewn rhai gweddau), y llafar llenyddol, y llafar tafodieithol, y safonol lafar, yr ansafonol lafar, ac yn y blaen ... heb anghofio'r llenyddol ansafonol a'r ffurfiol ansafonol, sef iaith pobl sy'n *meddwl* eu bod yn dda. Bellach dyma ramadeg cynhwysfawr sy'n derbyn yr egwyddor fawr hon, mai peth yn bodoli mewn amrywiaeth o gyweiriau – 'arddulliau' yw dewis air Peter Wynn Thomas – ydyw iaith. Cawn dreiglo 'nid oes *g*yfle' os teimlwn ar ein calon, ond fe wna 'nid oes *c*yfle' at iws y rhan fwyaf ohonom. Cawn sgrifennu 'byddwch ofalus' os ydym am daro nodyn ffurfiol, ond 'byddwch yn ofalus' fyddai'r dewis cyffredin. 'Tra ffurfiol' y disgrifir 'rhag oered', a 'niwtral' fyddai 'er mor fach'. 'Afon *C*onwy' a ddywedem gan amlaf, mae'n siŵr, ond mae 'afon *G*onwy' yn dal yn ddigon byw, er ei fod yn taro nodyn mwy henaidd. Nid oes raid wfftio 'eistedd i lawr', eto, fel y dywed yr awdur, ni fyddai 'eistedded y bardd i lawr yn hedd yr eisteddfod' yn taro rywsut! Mae *os* yn treiglo berfau, yn gynyddol efallai, yn rhai o'r tafodieithoedd (*os ddaw*, *os fydd*), ond mae llaw ysgrifennu Cymreigiwr cadarn yn gwrthod y treiglad. 'Y llaw', 'y rhaw' a ysgrifenna Peter Wynn Thomas a minnau, ond gwyddom ein dau mor gyffredin yw 'y law', 'y raw'. Sylwir ar 'ymlediad' y treiglad llaes i gyd-destun newydd yn 'ai pheidio': daliaf i'w gywiro, gan na fydd yn 'safonol' yn fy oes i, ond ni waeth imi heb â gwadu ei fod yn digwydd. Dywedaf 'i fewn' yn ddigon hapus, ond sgrifennaf 'i mewn' yn gydwybodol. Swnia 'i fi' dipyn bach yn 'isel', ond fe'i derbyniaf gan D.J. Williams. Tuedda 'sydd ddim' i ddisodli 'nad yw'; ond rwy'n falch o weld mai fel 'datblygiad ansafonol cymharol ddiweddar' y disgrifir 'na sydd'.

Mynd, dod, newid, dyna hanes iaith, ac y mae 'tueddiadau' yn air mawr drwy'r gramadeg hwn. Sonnir am un peth yn 'disodli' peth arall, am 'arfer sydd ar gynnydd' ac 'arfer sy'n prinhau'. Cofnodir y cyfan heb foesoli, a dyna sy'n iawn. System o arferion yw pob iaith: unwaith y deallwn ac y derbyniwn hynny fe ddylem fod yn rhydd o beryglon y gramadegu mwyaf deddfwriaethol. Gallwn wedyn dderbyn y gwirionedd mai *yn* yw ffurf arferol y rhagenw blaen cyntaf unigol, 'yn afal i': oherwydd gwirionedd ydyw. Gwirionedd hefyd, mae'n siŵr, mai 'chwe mlwydd', 'chwe mlynedd' yw'r norm, mewn llafar ffurfiol, anffurfiol a thafodieithol, er bod gramadegau blaenorol wedi gwrthod yn lân â'i gydnabod. Gall gogleddwyr (neu fe ddylent) ganiatáu hawl pobl y de i ddweud 'idd' i ben', 'mor goched' a 'nag yw e'n dod'; derbynied y deheuwyr, yn eu tro, fod *amdan* wedi dod yn arddodiad yn ei hawl ei hun yn y gogledd, a bod y gystrawen 'wnes i siarad' yn graddol ymledu i'r de o Ddyfi. Mae i ragfarn leol a phersonol ei rhan anochel yn y cyfan, wrth gwrs. Ni ddywedwn i 'i gyd o nhw' na 'so ti yn' ond o ran cellwair ; ond nid ydynt yn fy mhoeni os clywaf hwy ar Bobl y Cwm. Eto i gyd y mae 'newydd wedi ffonio' yn brifo fy nghlust, ac mae fy llaw ohoni ei hun yn cywiro 'wedi'w gael' er mor gyffedin yw.

Gogoniant y gramadeg hwn yw ei fod yn cofnodi'r cyfan, yn cynnig barn ac arweiniad yn ddi-ffael ar ba mor safonol neu ansafonol yw'r ffurf, ac yn awgrymu i ba fath arddull y perthyn os nad yw'n safonol. Mae *penliniau* a *pennau gliniau* yma, *cathod* a *cathe, pregethwyr* a *pregethwrs*. Cofnodir *ei mham*, *fy nhiocled*, *chdi*, *wir yr*, *Robaitsh* a *hysbýs* – neu *hys-bys*, fel y dywed Geiriadur yr Academi. (Orgraffgwn, p'run sydd gywiraf, dywedwch ?) Rhestrir y ffurfiau cyfarchol *achan*, *-w* (fel yn 'nage fi-w'), *was* : ond dylid ychwanegu *wa'* pan ddaw'r ail argraffiad. Rhoir lle i ragenwolion fel *'nacw*, *honco*, *y nall*, *nene* a *be chi'n galw*, ac i arddodiaid tafodieithol fel *acha*, *bythdi*, *hefo* a *fatha*. Gyda'r Beibl newydd yn garn rhoddir 'saith *f*asgedaid' (treigledig) a 'saith *t*orth' (didreiglad) ochr yn ochr. Unwaith bu *eteil* yn uchafbwynt pob gramadegu Cymraeg : mae yma o hyd, ond wedi ei neilltuo bellach i droednodyn.

Agwedd newydd, offer newydd hefyd. Edrychir o newydd ar yr holl faes eang, gan ddefnyddio categorïau gwahanol, ffyrdd gwahanol o ddosbarthu ac amlder o dermau wedi eu llunio'n bwrpasol i ddisgrifio'r Gymraeg, nid wedi eu benthyca o ramadegau ieithoedd eraill. A dechrau â rhywbeth sylfaenol, sonnir bellach nid am 'rannau ymadrodd' ond am 'ddosbarthau gramadegol', wyth ohonynt : darllenwch y Gramadeg ac fe welwch beth a olygir, a siawns na chytunwch ei fod yn ddull amgenach o feddwl. Buom yn arfer gwneud ar ryw hanner dwsin o amserau berfol, ond bellach dyma tuag ugain, yn cynnwys rhai fel y rhain : y presennol parhaol gorffenedig (y mae wedi bod yn ffonio), y dyfodol parhaol gorffenedig (bydd wedi bod yn canu erbyn hyn), yr amhenodol gorffenedig (byddwn wedi mynnu), yr amhenodol parhaol gorffenedig (byddwn wedi bod yn mynydda), y gorberffaith syml (dysgaswn), y gorberffaith parhaol (buaswn yn dysgu) – a llawer rhagor. Y mae yma oriau o ddifyrrwch yn aros y berfgarwr o Gymro. Fe wêl bellach, os na welodd o'r blaen, fod gwahaniaeth rhwng y 'gorffennol penodol' (bu'n gweithio) a'r 'gorffennol syml' (gweithiodd); bod rhagor rhwng 'berf oddefol' (cafodd y drws ei gau) a 'berf amhersonol' (caewyd y drws); ac mai 'gorffennol gorffenedig' bellach yw 'yr oedd wedi prynu', sef ffurf gwmpasog y gorberffaith, yn yr hen nodiant. Aeth yr hen 'amser perffaith' (yr wyf wedi talu) yn 'bresennol gorffenedig'. 'Amhenodol' y gelwir bellach ffurfiau fel *safwn*, *safet*, *safai*, pethau y buom yn arfer eu galw'n 'amherffaith'. Dim ond gan y ferf *bod* y mae gwir ffurfiau amherffaith, sef *oeddwn*, *oeddet*, *oedd* &c. ac nid oes mwyach 'fodd gorchmynnol' fel y cyfryw yn y Gymraeg: gallaf weld grym yr ymresymiad, ond nid wyf am addo na ddywedaf 'modd gorchmynnol' eto weithiau, o ran hwylustod i mi fy hun. Fel gyda'r berfau, felly ym mhob cyswllt: aeth rhagenwau perthynol 'rhywiog ac afrywiog' yn rhai 'ôl-gyfeiriol' a 'blaen-gyfeiriol'; aeth 'ffurf gysefin' yn 'ffurf gyffredinol'; 'ffurf gyffredinol' hefyd yw *gwyn*, a phob ffurf ansoddeiriol nad yw'n fenywaidd; ac nid 'ail berson lluosog' mwyach mo'r rhagenw *chi*.

Er nad hawdd newid arferion oes, gallaf weld rhagoriaeth llawer o'r enwau a'r categorïau newydd. Mae yma silff i bopeth, a label i'w roi ar bob silff. Fel yr arferai'r Lluoedd Arfog (yn dechnegol gywir ar gyfer Lloegr, ond yn anghywir ar gyfer Cymru wedi Datgysylltiad), roi 'C. of E.' ar gyfer pawb a oedd wedi anghofio'i enwad a phawb nad arddelai gapel, felly yr arferem ninnau ddweud 'O, geiryn', neu 'ym ... elfen' am bob rhan ramadegol nad oeddem yn siŵr iawn beth i'w galw. Bellach nid oes esgus. 'Goleddfwyr ansoddeiriol' yw *iawn*, *go*, *rhy*; 'ategyddion' yw *yn*, *wedi*, *newydd*; 'graddolion ansoddeiriol' yw *llawn*, *tra*, *ofnadwy*, *lled*, *i wala*; 'goleddfwyr dibynnol' yw *bynnag*, *i gyd*, *oll*, *bondigrybwyll*; 'rhagenw rhifol' yw *ill*; 'enw rhagenwol' yw *eiddoch*; 'banodolion' yw *pob*, *braidd*, *sawl*, *bron*; 'cysylltair cydradd adio negyddol' yw *namyn*; a 'hi gwag' yw'r *hi* yn 'mae hi'n bwrw'. Cewch chwithau, ddarllenwyr, lawer o hwyl yn dod o hyd i'r gwahaniaeth rhwng ategiadau, atodolion ac atodion cysylltiol.

O droi at hwn yn syth oddi wrth ramadeg Morris-Jones, gwelwn un newid mawr. Mae'r sêr wedi newid eu pwrpas. Gynt, diben y milfrif sêr a droes y *Welsh Grammar* yn 'algebra' i'r glöwr ieithgar diarhebol oedd dynodi gwreiddeiriau tybiedig, geiriau mewn Brythoneg, Celteg, Sansgrit neu ieithoedd diflanedig eraill y mentrid eu hail-greu ar sail ieithoedd diweddarach. Yn ofer mwyach y chwiliwn am **biiadl-*, **urd-sq-* neu **upo-sthã-n-ãkt-*. Yn eu lle cawn **ddaraf* (ffurf person cyntaf, nad yw'n bod, o'r ferf ddiffygiol *ddaru*), **Areibiaid* (yr hyn a fyddai *Arabiaid* pe bai newid llafarog wedi digwydd ddwywaith, fel yn *meheryn*). **Sionedau* a **Sienyd* (lluosogion amhosibl i *Sioned*), a **dau rithyn o ddiddordeb* (peth nad oes neb yn ei ddweud). O ddangos yr hyn a allai fod wedi bod unwaith, aeth y seren yn arwydd i ddynodi yr hyn nad yw wedi ymddangos eto, cystrawennau amhosibl a ffurfiau y mae greddf ac arfer yn eu gwrthod. Pa ffwlbri ? meddech chwithau efallai. Pa eisiau dangos nad oes neb yn dweud **arnynt hwynt*, **popeth eraill* neu **mwy prif* ? Wel, y mae dangos yr amhosibl, boed air unigol neu gystrawen, gan ei serennu'n o sownd, yn un o ddyfeisiau safonol ieithyddiaeth fodern i ddiffinio patrwm rheolaidd a dangos ei gysondeb, a dangos hefyd nad deddf rhesymeg yw deddf iaith bob amser.

Dywedwn *ar eu holau*, ond ni ddywedwn **ar olau'r plant*. Digwydd *ar ei hyd*, ond nid **ar ei fedr*. Os gall *car fy modryb* fynd yn *ei char*, sut nad yw *nofel y flwyddyn* yn mynd yn **ei nofel*? Fe esbonnir inni drwy sôn am 'berthynas ddidoladwy' a 'pherthynas unoledig', dwy berthynas wahanol lle bo un enw'n feddiannol ar un arall. Y mae ei gyferbynnu â'r amhosibl yn ddull o ddangos beth sy'n naturiol, dull y defnyddir cryn dipyn arno yn y Gramadeg hwn.

A deimlais i o gwbl yr hoffwn anghytuno, amau, cwestiynu, goleddfu neu ychwanegu? Do, mi nodais ryw bethau bach mewn pensel yma ac acw, a phe bawn yn adolygu i gylchgrawn sychach na *Barn* mi allwn ymhelaethu arnynt. Dyma naw pwynt bach, heb fawr gyswllt rhyngddynt a'i gilydd, ac nid yn gymaint i anghytuno ag i awgrymu mor ddifyr dilyn ambell sgwarnog:

1. 'Trwydded yrru' ond 'trwydded gyrru lori' (t. 328). Ydyw, at ei gilydd, y mae'r treiglad yn tueddu i ddiflannu y funud y daw gwrthych i'r berfenw. Ond deil ei dir mewn rhai cyfuniadau traddodiadol o leiaf: 'injan ladd gwair', 'cyllell blicio tatws'. Byddai fy nhad yn hoff o ddyfynnu rhyw hen frawd a ddaeth i brynu ganddo 'injan sgrapio falu rwdins'. Yr oedd y treiglo diymdrech ar 'falu', hyd yn oed gyda'r benthycair 'sgrapio' rhyngddo a'r injan, yn hynodi'r llefarwr fel hen Gymro gwladaidd hen ffasiwn, hyd yn oed ar lethrau Arfon ganol yr ugeinfed ganrif.

2. *Y car John Jones, *y Bannau Brycheiniog (t.327). Ie, amhosibl: a mynych y gorfydd arnaf gywiro disgyblion sy'n mynnu sgrifennu 'y byd natur', 'y gadwyn bod'. Eto, y funud yr ychwanegir goleddfydd pellach, y mae'r fannod yn adennill ei lle yn syth: 'y Bannau Brycheiniog a gofiaf i', 'y byd natur dihysbydd ddiddorol hwn'. Efallai y dylesid ychwanegu hyn.

3. Ni allaf yn fy myw ddygymod â'r gystrawen 'wel, am un

peth', a synnais weld ei chynnwys (t. 372). 'Yn un peth' yw'r unig gystrawen naturiol i mi, a hen duedd annifyr yw disodli'r *yn* a fu'n was mor ffyddlon gan arddodiaid eraill di-dras. Y mae gennyf ragfarn ofnadwy yn erbyn pobl sy'n gofyn 'beth sydd i bwdin ?' Eto mae 'beth sydd i ginio ?' yn hollol iawn. Fel'na mae iaith.

4. 'Tydi, a roddaist liw i'r wawr' a sgrifennodd y bardd, a'r coma'n dangos yn glir mai cymal perthynol yw'r hyn sy'n dilyn. Nid yw'r un gystrawen â 'ni a welsom ei ogoniant ef' (t.89).

5. Cyferbynnir (t. 221) 'dyn cas cythreulig' a 'merch gas gythreulig'. Mae'r ddwy enghraifft yn gywir wrth gwrs, ond nid oherwydd fod 'merch' yn fenywaidd y mae 'cythreulig' yn treiglo yn yr ail enghraifft. Gellid 'dyn cas gythreulig' yr un modd : os mai graddolyn, ac nid ansoddair cyfresol, yw'r ail ansoddair, fe dreiglir yn ddi-feth yn y gogledd o leiaf, ac arferwn feddwl mai dyna arfer yr iaith lenyddol hefyd.

6. Mewn adran ddiddorol ar 'gyfrifadwyedd enwau' (t. 150), rhoddir **tri cholli* a **pedwar hiraeth* ymhlith yr amhosibl. Na, nid yw'n arferol cyfrif berfenwau, ac eto gallaf ddychmygu 'tri cholli anffodus iawn yw colli gwynt, colli trên a cholli etholiad'. A oes mwy nag un hiraeth ? 'Dau hiraeth creulon yw hiraeth am wlad a hiraeth am gymar'. Pam lai ?

7. Peth tebyg eto (t. 154). Rhoddir sêr ar **dau gyhoedd* a **tair gwasg*. Oni ellir dweud 'rhaid inni apelio at ddau gyhoedd gwahanol ar yr un pryd'? A oes rhywbeth o'i le ar 'tair gwasg fwyaf sothachlyd y byd yw gwasg Lloegr, gwasg Awstralia a gwasg yr Unol Daleithiau'?

8. Ai iawn rhoi *anghywir*, *safonol*, *sylfaenol* a *meidrol* yn rhestr yr ansoddeiriau 'anraddadwy' (t. 216) ? Onid yw iaith yn mynd yn *fwy anghywir*, neu'n *llai safonol*, pan gollir golwg ar

y pethau *mwyaf sylfaenol*? Ac onid ydym i gyd *mor feidrol* â'n gilydd?

9. Ymosodais ar *gweinyddydd* yn *Barn* ychydig yn ôl, ond wele'r edlych yn dal gyda ni (t. 148). Ond ni dderbynnir *gyrwraig* (t. 149). Beth ddywedwn ni am yrwraig ond *gyrwraig*?

Dyna ddigon o hollti blew. Down at ystyriaeth fwy cyffredinol. Canmolais yr awdur am beidio â gwastraffu egni ar ddweud y drefn, a daliaf at hynny. Hoffais ei barodrwydd i gynnwys esiamplau lawer o'r tafodieithol, y llafar a'r anffurfiol, gan nodi, fel y bo'n addas, mai 'ansafonol' ydynt. Ond rhwng y rheini eto a'r cystrawennol amhosibl (*y mae dweud yn ddrwg gennyf), y mae tiriogaeth arall bur helaeth, ac anodd o hyd meddwl am well enw arni na thiriogaeth yr anghywir. I hon y perthyn *gofyn os ...*, *dydi o heb*, yr anghofio newid gêr cyn cymal enwol (*dweud yr oedd yn dod*), y dyblu hyll ar *i* (*gofyn iddo i fynd*), a'r gorweithio manig ar *person*, *person*, *person*, *person*, fel na pa bai *pawb*, *neb*, *y sawl*, *pwy bynnag*, *dyn*, *menyw*, *bachan*, na *cryduras* yn bod, heb sôn am air cwbl Gymraeg fel *boi*. Ie, gwlad y beiro coch yw hon o hyd. Efallai y dylesid cyfarwyddo'r defnyddiwr ychydig yn amlach sut i'w hosgoi. Nid da gormod o foesoli mewn gramadeg – mwy nag mewn bywyd o ran hynny – a diau y bu gormod gan ramadegwyr Cymraeg yn y gorffennol. Yn foesol, nid oes dim rhagor rhwng *ni allaf*, *fedra' i ddim* a *so i'n galler*: maent i gyd yn gywir a phriodol yn eu lle. Ni allaf deimlo'r un fath am *gofyn i berson i werthuso'r strwythur*. Yr oedd gan yr hen Syr John rywbeth pan osododd fel ei safon 'yr hyn a ddywedai Cymro deallus a dirodres'.

Ar ddiwedd yr astudiaeth helaethlawn a champus hon o Gymraeg safonol yn ei berthynas â mathau eraill o Gymraeg, gofynnwn y cwestiwn: a allwn ni ddweud fod Cymraeg safonol wedi newid oddi ar pan oedd John Morris-Jones yn ei ddisgrifio yng Ngramadeg 1913, neu yn yr ysgrif hir yn argraffiad 1891 o'r *Gwyddoniadur*, a ddaeth yn sylfaen i'r Gramadeg ? Anodd gweld ei fod wedi newid ond yn y manion lleiaf oll. Cawn dreiglo *chwe mlwydd* a *chwe mlynedd* os mynnwn. Cawn sgrifennu *cymeryd*, a *cymrodd*. Cawn beidio â phoeni'n ormodol pa un ai *dweud fod* ynteu *dweud bod*. Derbyniwn mai 'confensiwn yn hytrach na rheol' yw ysgrifennu *oddi wrth*, *cyfan gwbl* &c yn ddau air bob tro. Cawn arddel *yr oll* a *dim ond*. A dyna ni. Nid oes dim byd arall yn wahanol. Y newid mawr sydd wedi digwydd, o ran disgrifio'r iaith, yw fod Cymraeg safonol bellach yn cael ei weld fel rhan o rywbeth mwy, continwwm – 'parhawd' yw gair yr awdur – o holl gyweiriau neu arddulliau dichonol yr iaith. Y newid mawr o ran ffeithiau'r byd yr ydym yn byw ynddo yw'r hyn sydd wedi digwydd i'r Gymraeg y tu allan i gylch y 'safonol', dan bwysau didrugaredd y Saesneg. Cyfeiria Peter Wynn Thomas at hynny yn ei sylwadau agoriadol, heb fychanu dim ar hyd a lled ein problem.

Er mor ddiawen y gall ymddangos i'r lleygwr, fe rydd gwaith y gramadegwr bleser a boddhad mawr iddo. Tyst o hynny yw'r gyfrol hon. Nid yn unig fe gafodd yr awdur hwyl *arni*, fe gafodd hwyl *wrthi* hefyd, a chefais innau hwyl *wrth* ei hadolygu.

(*Barn*, Gorffennaf/Awst 1996.)

14.

Cofnodion Meic

Hunangofiant Meic Stephens [:] Cofnodion (Y Lolfa, 2012), £9.95.

'Torchwch eich llewys, ddyn ifanc!' oedd cyngor Syr Ifan ab Owen Edwards i Meic Stephens, mewn llythyr a ddehonglodd y derbynnydd, o leiaf, fel un 'eithaf crablyd a hunanbwysig'. 1966 oedd y flwyddyn. Roedd Meic yn torchi llewys bryd hynny, ac wedi gwneud ers blynyddoedd cyn hynny, ac os oes rhywun rhwng hynny a heddiw wedi torchi llewys dros ddwy lenyddiaeth Cymru, a thros achos ein cenedl drwodd a thro, Meic Stephens yw hwnnw. Torchi llewys fu raid i ninnau hefyd, pawb oedd dan addewid i Meic. Cofiaf eisteddfodau cyfain o ffoi o flaen Meic am fy mod ar ei hôl hi gyda rhyw dasg neu'i gilydd!

Yn yr hunangofiant odiaeth o ddifyr hwn sgrifenna Meic gyda llawer o deimlad am bethau personol a theuluol, a chydag angerdd am y llu pethau cyhoeddus y bu ynglŷn â hwy, gan roi teyrngedau cynnes lle maent yn haeddiannol, ac aml gelpen wirioneddol galed hefyd i bobl yng Nghymru a fu'n euog o 'lapan', 'conan' a 'whalu whaldod'. Mae eisiau'r plaendra hwn; byddai'n dda gennyf petawn wedi gallu arfer mwy arno yn ystod y blynyddoedd, ond daw ychydig yn haws wrth fynd yn hŷn. Cafodd Meic ei hun yn weinyddwr ym myd y celfyddydau, yn fath o fandarin llenyddol am ran helaeth o'i yrfa, ond gall dystio hefyd, 'sentar ydw i wrth reddf'. Clywodd beth tyndra rhwng y ddwy agwedd, a sylwyd ar hynny hefyd gan bobl saff, sefydliadol a gwynai weithiau fod Meic yn 'wleidyddol'!

Un o'r pethau personol iawn yw'r ymchwil hir am wir hanes teulu ei dad. Yn anuniongyrchol efallai, cafodd hyn ei effaith ar y gweithgarwch cyhoeddus yn ogystal, drwy fod yn rhyw fath o ysgogiad i ddechrau barddoni yn y Gymraeg, ac nid yn unig hynny ond barddoni yn y Wenhwyseg hefyd. Wn i ddim a fyddai Meic yn cyfrif hon, hen iaith ei ardal er nad iaith ei fagwraeth, yn bedwaredd iaith iddo, ar ôl Saesneg, Ffrangeg a Chymraeg. Saif ei gerddi bellach fel yr ymgais fwyaf estynedig erioed, a'r fwyaf llwyddiannus, i roi lle i'r dafodiaith hon mewn llenyddiaeth, ac mae'r arlliw cryf ohoni drwy'r hunangofiant hwn yn ychwanegu at ei ddiddordeb.

Yr wyf yn awr am gyfyngu'n llym, a sôn yn unig am ddetholiad bach o'r pethau mwy cyhoeddus.

Cafodd Meic brofiad o ddysgu, o gadair Athro, mewn dwy brifysgol. Mae'n ddeifiol o blaen am y ddwy, er yn gwerthfawrogi rhai pethau yn y naill a'r llall, yn arbennig cyfeillgarwch unigolion. 'Semester yn Seion' fu ei arhosiad ym Mhrifysgol Brigham Young, Utah, UDA, lle daeth wyneb yn wyneb â 'ffydd anhygoel y Mormoniaid' ac yna benderfynu fod 'un tymor yn hen ddigon': 'po fwyaf a ddysgwn am y Saint, mwyaf gwrthun y daethant yn fy ngolwg i.' 'Gwacter meddwl, hygoeledd a hunangyfiawnder' oedd yr argraffiadau mwyaf arhosol. Gwaeth os rhywbeth, tristach, oedd ei brofiad ym Mhrifysgol Morgannwg, sydd bellach wedi trawsfeddiannu ei bentref genedigol, Trefforest, gan 'achosi rhychfa' fel y dywed mewn un man, a chyda'r canlyniad 'nace lle i fagu plant oedd Trefforest bellach'. 'Pob math o gybolfa o raddau diwerth' yw ei grynodeb o ddarpariaeth y brifysgol hon; nodweddid ei myfyrwyr gan 'ddiffyg gwybodaeth am unrhyw beth ond canu poblogaidd a chwaraeon a rhaglenni teledu'. 'R'odd y mwyafrif,' meddai, nid yn unig yn gwbl anwybodus am y byd cyfoes a hanes gweddol ddiweddar, ond hefyd 'yn hollol ddi-glem am hanes a diwylliant y trefi lle'u magwyd nhw.'

Cyfyd hyn fwy nag un cwestiwn y dylem fod yn meddwl yn ddifrifol amdanynt ond nad oes ymron neb yn fodlon gwneud, lleiaf oll y sefydliad addysgol yng Nghymru. (1) Ai doeth o gwbl oedd yr hyn a ddigwyddodd ledled y Deyrnas yn ystod y 1970-80au, dynodi'r colegau politechnig yn 'brifysgolion'? Onid gwell fuasai cadw'r terfyn rhwng dau fath o sefydliad eithaf gwahanol yn eu hanfod? (2) Dyma Brifysgol Cymru : Y Drindod Dewi Sant wedi ymuno â Phrifysgol Fetropolitan Abertawe, sef y cyn-goleg politechnig. Peth doeth, o safbwynt Coleg Dewi Sant yn arbennig? (3) Am y bwriad i wneud yr hyn oll sy'n weddill o Brifysgol Cymru yn rhan o'r un cyfuniad, sef yr hyn a benderfynodd y Cyngor flwyddyn yn ôl mewn awr o wallgofrwydd, mae'n anodd dod o hyd i eiriau. A feddyliodd *rhywun*, er enghraifft, am yr ymhlygiadau i'r Ganolfan Uwchefrydiau, Aberystwyth? Pawb sydd ag unrhyw ran, neu unrhyw lais, yn y materion hyn, brysiwch, brysiwch i ddarllen tudalennau 188-199 o *Cofnodion*. Dysgwch, ystyriwch ac edifarhewch os medrwch fodd yn y byd! (4) Gwêl Meic ddiffygion mawr ym mharatoad y myfyrwyr cyn iddynt gyrraedd campws Trefforest: 'Ro'dd y rhan fwyaf o'r myfyrwyr ym Mhrifysgol Morgannwg yn dod o ddosbarth gweithiol Cymo'dd y De. Ro'dd eu tlodi diwylliannol yn dicyn o sioc a siomedigaeth imi. Yn amlwg, dyma blant o'dd wedi eu hamddifadu o bob braint addysgiadol a chymdeithasol. Do'dd dim amcan am wleidyddiaeth 'da nhw ac felly do'n nhw ddim yn gallu newid eu byd.' Canlyniad, yn rhannol mae'n ddiau, i bron ganrif o stiwardiaeth 'plaid y gwithwrs'. Canlyniad hefyd i ddallineb y byd addysgol o'r top i'r gwaelod, ei ddawn i osgoi ffeithiau, a'i ymroad diarbed i ffantasi, gwag siarad, neu a benthyca ymadrodd hoff gan yr awdur eto, 'whalu whaldod'.

Mater sy'n codi ar fwy nag un tudalen yw cyflwr y wasg yng Nghymru yn y ddwy iaith. Sawl gwaith fe ddeuir yn ôl at y penderfyniad poenus, ddiwedd y 1980au, a dadleuol o hyd, i atal cefnogaeth Cyngor y Celfyddydau i'r *Faner* a chefnogi sefydlu *Golwg*. Am safbwynt gwahanol ar yr un hanes gellir darllen llyfr Hafina Clwyd, *Prynu Lein Ddillad*, tt. 120-33, 178-81. Pwysleisia Meic drosodd a throsodd mai yr anhawster mawr, a'r hyn a gostiodd einioes *Y Faner* yn y diwedd, oedd cael unrhyw ffigurau cyson a dibynadwy gan ei pherchenogion, Gwasg y Sir, Y Bala. Yn y mater hwn mae gennyf lawer o gydymdeimlad â Meic ac â Phwyllgor Llenyddiaeth Cyngor y Celfyddydau. Sôn yr ydym, wrth gwrs, am *Y Faner* fel cylchgrawn yn y 1970-80au, wedi mwynhau cyfnod o adfywiad disglair dan olygyddiaeth Jennie Eirian Davies, ac i'w weld yn dal ei dir dan olyniaeth o olygyddion eraill, ond yn amlwg yn methu â chael dau ben llinyn ynghyd. Ond mae fy meddwl yn mynd yn ôl yn awr, fel y gwna yn aml, tu hwnt i'r cylchgrawn at yr hen *Faner ac Amserau Cymru*, y papur newydd a sefydlwyd gan Thomas Gee, gan gymryd i mewn *Amserau* Gwilym Hiraethog.

Wrth droi dalennau *Baner* y 1950-60au heddiw, un o'r prif bethau i'm taro yw mor ddarllenadwy ydoedd. Gallech bob amser fod yn hyderus o gyrraedd diwedd brawddeg heb roi eich troed mewn rhyw bwll o gameirio, camramadeg ac felly ddiffyg ystyr. Yr ail beth yw ei bod yn *dweud wrthych beth a ddigwyddodd*, fel nad oedd raid gwybod y ffeithiau ymlaen llaw er mwyn deall yr adroddiad. Yr ochr negyddol oedd y cyfyngiadau ar yr hyn yr adroddid amdano, a'r diffyg 'mynd ar ôl straeon', – llawer o hwnnw'n ganlyniad diffyg adnoddau (pryd yr oedd gan *Y Cymro* yn yr un cyfnod bedwar neu bump o ohebwyr galluog allan yn y priffyrdd a'r caeau, a threfnwyr busnes ardderchog o weithgar, yn ogystal â'r staff golygyddol). Ac wrth ddarllen hen rifynnau o'r *Faner* heddiw mae gofyn inni'n hatgoffa'n hunain o rywbeth arall : er ei bod yn ddarllenadwy, ac yn dweud yn llawn ac eglur yr hyn a ddigwyddodd, yr oedd yr adroddiadau fel rheol *dair wythnos yn hwyr*, peth a ysgogodd un hen wàg i ddweud, 'pwrpas *Y Faner* yw, nid dweud y newydd wrthych chi, ond gofalu nad ydych yn ei anghofio'! Ond y peth pwysicaf o ddim, efallai : plentyn radicaliaeth y 19eg ganrif oedd *Y Faner* tra pharhaodd yn bapur newydd. Yr oedd yn tragwyddol ymgyrchu o blaid rhyw bethau ac yn erbyn eraill, – 'achubwn beth-a'r peth !', 'ymaith â hwn-a-hwn !' – o rifyn i rifyn yn ddi-feth. Y canlyniad oedd mynd yn rhagddywedadwy ac yn obsesiynol, ac felly yn ddiflas fel newyddiaduraeth. Ond rhaid gofyn yn ddifrifol wrth feddwl am y wasg Gymraeg heddiw, ie y wasg Saesneg yng Nghymru hefyd, ai yr unig ddewis arall yw peidio ag ymgyrchu dros ddim byd ?

Cyfeiriaf at un enghraifft yn arbennig o ddechrau'r haf hwn, a'm hymateb iddi efallai yn dangos fy oed, sef gwahoddiad ofnadwy o ffôl ac anghyfrifol Carwyn Jones i longau tanfor Trident wneud eu cartref yn Aberdaugleddau. Dyma'r peth mwyaf negyddol ac adweithiol a ddigwyddodd yng ngwleidyddiaeth Cymru oddi ar sefydlu'r Cynulliad Cenedlaethol, cyfyd amheuon difrifol ynghylch gwerth y Cynulliad, a dylai gau'r drws ar unrhyw gydweithio rhwng Plaid Cymru a Llafur tra fydd Carwyn yn arweinydd. *Lol* oedd yr unig gyhoeddiad i fynd i'r afael â'r peth a'i drin mewn modd teilwng o'n traddodiad radicalaidd. Gallaf ddychmygu Gwilym R. a Mathonwy yn yr hen *Faner* yn dyrnu ar hyn am wythnosau bwygilydd, nid fel ag i newid meddwl y llywodraeth Lafur efallai, ond i ofalu fod cnewyllyn o'r etholaeth, o leiaf, na châi anghofio beth fyddai gan y gydwybod radicalaidd i'w ddweud am ynfydrwydd o'r fath.

Mater arall, lleiafrifol ei ddiddordeb efallai, ond dangosydd o safonau bywyd a meddwl cyhoeddus yng Nghymru, yw'r hyn yr wyf wedi cyfeirio ato o'r blaen yn yr ysgrif hon: argyfwng Prifysgol Cymru a'r ateb hollol loerig a gynigiwyd iddo y llynedd gan y Cyngor a'r swyddogion. Clod uchel i Karen Owen am gyfres o adroddiadau llawn yn *Y Cymro*. Ond distaw fel llygod fu gweddill y wasg a'r cyfryngau Gymraeg am hyn, sgandal fwyaf byd addysg yng Nghymru o fewn cof neb ohonom. Pam tybed?

Dim ond un peth a ddywedaf am feddyliau braidd yn drist pennod olaf y llyfr, y dadrith ynghylch y mudiad cenedlaethol a chyflwr pethau yn y Gymru ddatganoledig, – pethau a ddaeth yn themâu nifer o awduron degawd cyntaf ein canrif, yn cynnwys Robat Gruffudd, Arwel Vittle (neu Elis Ddu), Goronwy Jones y Dyn Dŵad, a Meic ei hun. Wrth rannu llawer o'r siomedigaeth, a gobeithio y daw rhyw awel wynt o rywle eto, – er na wn o ble – daw i'm meddwl sylw trawiadol Adrian Hastings yn ei lyfr da dros ben *The Ethnic Origins of Nations* (1997), ei bod yn bosibl i bobl, dan amodau hanesyddol arbennig, fynd yn fwy tebyg i wladwriaeth ac yn llai tebyg i genedl. Digwyddodd, meddai, i'r Alban am gyfnod o'i hanes. Ac efallai ei fod yn digwydd i Gymru heddiw.

Yn olaf, i'r byd eisteddfodol. Rhwng 2002 a 2012 fe ymgeisiodd Hwnco Manco, Blorens, Retina, Shasbi, Crambo, Elcawawcs, Fferegs, Coeca, Trostre a Xanthe oll yn eu tro am Goron yr Eisteddfod Genedlaethol; a dyna guro record Sylcos, Pythagoras, (?)Pygmalion, Efnisien, Hud ar Ddyfed a Penityas yn eisteddfodau 1948-54. Fel Harri Gwynn, fe ddaeth Meic Stephens yn ail neu'n nesaf ati o leiaf ddwywaith, ac fe ddylai fod wedi ennill o leiaf unwaith. Mae cam eisteddfodol yn rhan o hanes yr hen ŵyl ; yr ymateb iddo sydd wedi tawelu, rhan o 'fynd yn llai o genedl' efallai.

Llawer o bethau fel yna, mewn cyfrol ddifyr ac ysgogol tu hwnt.

(Blog Glyn Adda, 29 Hydref 2012.)

15.

Chwilio am Ffasgiaid

Richard Wyn Jones, *'Y Blaid Ffasgaidd yng Nghymru'. Plaid Cymru a'r cyhuddiad o Ffasgaeth* (Gwasg Prifysgol Cymru, 2013), £14.99.

Atgof chwithig am Eisteddfod Genedlaethol Casnewydd, 2004. Ar y pnawn Gwener yr oedd cyfarfod ym Mhabell y Cymdeithasau dan nawdd y mudiad ymreolaeth Cymru Ymlaen. Ar ôl rhyw bum munud yn Gymraeg, trodd un o siaradwyr y llwyfan i'r Saesneg gan fod ganddi, meddai hi, bwyntiau pwysig yn dilyn. Trawodd rai ohonom yn syth fod hyn yn torri rheol yr Eisteddfod. Bu peth protestio, a chododd un o'r gynulleidfa, gan egluro'n deg a phwyllog fod y cyfarfod, yn ôl ei dealltwriaeth hi, yn un a hysbysebwyd fel rhan o raglen yr wythnos ar y Maes, ac y dylai ddod o dan y rheol iaith. Ar ei thraws daeth llais o gefn y babell – llais cyfarwydd rywsut – 'Sit down you fascist!' Cododd rhyw ddeg i ddwsin ohonom a mynd allan, gan golli anerchiad Richard Wyn Jones: ymddiheuriadau iddo, ar ôl naw mlynedd. Cawsom ddarllen yn y *Western Mail* drannoeth y byddai perchennog y Llais, o'i ran ei hun, wedi galw'r heddlu i daflu'r Ffasgwyr o'r Maes.

Yn awr, mae cael eich gweld fel gwrth-Ffasgydd yn beth Chwith-saff i'w wneud, fel clodfori Aneurin Bevan, cytuno â Raymond Williams, neu wahodd Nelson Mandela i'ch 'Swper Delfrydol'. Fe'i bwriedir i blesio rhyw gynulleidfa Chwith-saff y tybir ei bod yn bodoli yn rhywle, does neb yn siŵr iawn ble, efallai rywle tua'r Cymoedd. Neu gall fod yng Nghaerdydd. Neu hyd yn oed yn Aberystwyth. Gwyddom hefyd am y defnydd trosiadol neu 'ysgafn' o'r geiriau Ffasgaeth, Ffasgaidd a Ffasgwyr, fel yn 'Ffasgydd iaith', 'Ffasgydd gwyrdd', 'Ffasgydd pabi coch' a 'Ffasgydd côt wlân'. A chwedl R.W.J., bydd wardeiniaid traffig a dyfarnwyr pêl-droed yn 'Ffasgiaid' ar dro !

Ond nac oedwn yn rhy hir gyda gwamalrwydd. Fel y pwysleisir ar ddechrau'r ymdriniaeth, nid oes cyhuddiad gwaeth, yn wleidyddol na moesol, na'r cyhuddiad o Ffasgaeth. Mae hela Ffasgwyr yn wasanaeth llesol, angenrheidiol, ac mae dau fath ohono : hela hen Ffasgiaid a hela Ffasgiaid newydd. Y math cyntaf yw dal a galw i gyfrif gyn-droseddwyr rhyfel a rhai gormeswyr eraill a wnaeth fawr ddifrod yn eu gwledydd ac yn y byd. Pob nerth, tra bydd un dihiryn yn aros, i dîm Simon Wiesenthal a phawb sydd ar yr un berwyl. Y gwaradwydd wedyn yw fod llywodraethau yn gwrthod mynd â'r mater ymhellach. Bythol anghlod i Jack Straw a'r llywodraeth Lafur am ollwng Pinochet yn rhydd. A ble roedd Kim Howells, gweinidog llywodraeth, y diwrnod hwnnw ? Yr ail fath yw cadw llygad am weithgarwch Ffasgaidd yn ein cymdeithas ni heddiw, a cheisio lladd peth felly yn yr egin, y gwasanaeth a wnaeth y cylchgrawn *Searchlight* ers bron i hanner canrif, a bellach ei wefan. Fe godir y cwestiwn yn aml, os Ffasgiaid, pam nad Comiwnyddion ? Oes, mae tebygrwydd mawr, fel y sylwyd yn ddigon aml, o ran yr effeithiau os nad y cymhellion. Ond gan fynd heibio i rai gwahaniaethau eraill, nodaf yn unig y gwahaniaeth hwn. Dyfais deallusion oedd Comiwnyddiaeth, peth wedi ei osod oddi uchod mewn amgylchiadau eithriadol iawn. Yr oedd y gwrthryfel yn ei erbyn yn rhwym o ddigwydd hwyr neu hwyrach. Peth gwerinol, cynghreddfol, yn codi oddi isod, yw Ffasgaeth, a gall godi mewn unrhyw gymdeithas os na sethrir ef yn syth. Fel y dengys dameg *Lord of the Flies*, cymerwch unrhyw ddyrnaid o fechgyn ysgol heb neb i'w gwastrodi ; buan iawn y cyfyd y bwli ei ddwrn, ac y dengys y dwl ei genfigen tuag at y deallus.

A chanrif y Ffasgwyr y tu ôl inni, ond a'r feirws yn barhaol bresennol dan yr wyneb, mae gwasanaeth angenrheidiol arall hefyd, sef yr hyn a rydd y gyfrol hon, ystyried cyhuddiadau o Ffasgaeth a daflwyd at hwn ac arall, a barnu a ydynt yn gyfiawn. Taflwyd rhai ohonynt at Blaid Cymru, a deil hynny i ddigwydd yn achlysurol. Os yw'r cyhuddiadau'n wir, medd R.W.J., yna mae mwyafrif y Cymry Cymraeg erbyn hyn wedi bwrw'u coelbren gyda phlaid Ffasgaidd. Os nad ydynt yn wir, 'rhaid ystyried beth y mae'r ailadrodd cyson yn ei ddweud wrthym am natur gwleidyddiaeth a diwylliant gwleidyddol Cymru.'

Casgliad y llyfr yw nad oes, ac na bu, achos i'w ateb. Wedi dweud na allaf ond cytuno, a'm bod yn edmygu'r drafodaeth am ei chrynoder, ei heglurder a'i phendantrwydd, cydiaf mewn dau bwynt yn unig, i godi ambell gwestiwn ac efallai i gynnig golwg fach ychydig yn wahanol.

§

(1) *'Tri ymosodiad nodedig'*. Geiriau R.W.J. yw'r isbennawd hwn. Sôn yr ydym am dri datganiad gan dri Chymro o sylwedd ac o safle yn ystod yr Ail Ryfel Byd (tt. 3-13). Mi fentraf fod cyhuddiadau aml, aml y pryd hwnnw yn y wasg Saesneg yng Nghymru, os nad o bleidio Hitler a Mussolini bob tro, o leiaf o annheyrngarwch i achos Prydain. Gallwn roddi bet, petaem yn edrych hen ffeiliau'r *Western Mail*, y byddai rhywbeth i'r perwyl ynddo bron bob dydd, fel y mae'n fet go sicr y bydd rhywbeth

gwrth-Gymraeg ynddo yfory. Ond yn ychwanegol at hyn dyma dri datganiad 'ym mhen ucha'r farchnad', fel y dywedir, dau ohonynt yn nau gylchgrawn Cymraeg syber *Y Traethodydd* a'r *Llenor*.

Hen gadno cyfrwys oedd y Prifathro Syr Emrys Evans, awdur ysgrif 'Y Rhyfel a'r Dewis' yn *Y Llenor*, Haf 1941. Wrth ei darllen eto, yr un yw fy nheimlad ag wrth ei darllen gyntaf, flynyddoedd lawer yn ôl : ei bod yn ddatganiad golau ac argyhoeddiadol o'r safbwynt Chwigaidd a Phrydeingar, ar wahân i un frawddeg lle'r aeth dros ben llestri gan wylltio Saunders Lewis i sgrifennu dychangerdd fer, chwyrn 'Y Gelain', sy'n delweddu Syr Emrys fel 'llyffant du'. Beth oedd cymhelliad y Prifathro, wn i ddim. Pam yr oedd hi mor bwysig argyhoeddi'r athrawon a'r gweinidogion a fyddai'n darllen *Y Llenor* ? Ni allaf ond derbyn ei fod yn dweud yr hyn yr oedd yn ei gredu, a barnaf fod y crynodeb a roddir yma o'i safbwynt yn un cywir : 'cyhuddo'r Blaid Genedlaethol o gyd-gerdded â Ffasgaeth yr oedd yn hytrach na'i chyhuddo o fod yn blaid Ffasgaidd yn ei hawl ei hun.'

Awdur yr ail ymosodiad oedd Dr. Thomas Jones (Rhymni a Choleg Harlech), cyn-ysgrifennydd y Cabinet, dyn a chanddo gysylltiadau Almaenig a Nazïaidd go agos ei hun tan yn union cyn y rhyfel. Gwnaeth ei sylwadau gerbron Cymmrodorion Caerdydd ym 1942, mewn anerchiad yr oedd ganddo ddigon o feddwl ohono i'w gyhoeddi wedyn fel 'The Native Never Returns' yn ei gyfrol o'r un enw (1946). Ateb i hwn yw ysgrif D.J. Williams, 'Y Ddau Ddewis', yn y gyfrol *Saunders Lewis, Ei Feddwl a'i Waith*, gol. Pennar Davies (1950). Ni wnaf ond dyfynnu dyfarniad cryno R.W.J. ar ddadl Thomas Jones, 'sydd mor gloff nes ei bod yn anodd ei chymryd o ddifrif'. Gall y darllenydd ofyn a yw'n cytuno, ar ôl darllen tt. 4-7.

Yn drydedd, dyma ysgrif 'Cymru Gyfan a'r Blaid Genedlaethol Gymreig' yn *Y Traethodydd*, Gorffennaf 1942, gan y Parchedig Gwilym Davies, hyrwyddwr mawr Cynghrair y Cenhedloedd a phererindotwr i Genefa cyn y rhyfel, ysbrydolwr 'Neges Heddwch Plant Cymru i'r Byd' a lluniwr cyfansoddiad UNESCO. 'Twyll resymu', 'cors anonestrwydd deallusol', 'hurt bost', 'cwbl bisâr', 'cwbl gyfeiliornus', 'digywilydd o hyf', 'celwydd oer, bwriadus' – dyna rai o eiriau R.W.J. amdani. Anodd yn wir yw meddwl yn wahanol, ac iawn yw gofyn, petai hi'n ysgrif ar unrhyw fater arall ac yn cynnwys y fath nifer o osodiadau di-sail, disylwedd, enllibus, a fyddai'r *Traethodydd* wedi ei chyhoeddi ? Ond ymddengys bod yr Hen Gorff bryd hynny mor falch o'r cyfraniad hwn gan Fedyddiwr fel y mynnodd ei gyhoeddi wedyn fel pamffled. Beth yn y byd mawr oedd y cymhelliad, tybed ? Pwy a dreiddia i feddwl y Cyfundeb ?

Fe ddown wedyn at gyfraniad W.J. Gruffydd i'r drafodaeth neu'r ffrae. Os iawn y deallaf, mae R.W.J. yn trin hwn fel rhywbeth ychwanegol, a gwahanol, i 'dri ymosodiad nodedig' Evans, Jones a Davies. Dyna sy'n gywir, ac rwy'n falch mai felly y'i gwelir. Sôn yr ydym am yr ysgrif 'Mae'r Gwylliaid ar y Ffordd', *Y Llenor*, Hydref 1940. Dewisais gynnwys hon yn y casgliad yr wyf newydd ei olygu, *Eira Llynedd ac Ysgrifau Eraill gan W.J. Gruffydd,* er mwyn i ddarllenwyr heddiw gael barnu yn ei chylch. (A rhaid imi ymddiheuro yma am ei chamddyddio'n '1941'.) Nid taflu'r cyhuddiad o Ffasgaeth y mae Gruffydd, ac nid pardduo'r Blaid y byddai ef ei hun, petai wedi cofio talu ei aelodaeth, yn dal yn Is-lywydd arni ! Yn hytrach, mae'r cymhelliad yn un Gruffyddaidd mynych, rheolaidd yn wir – ac un y gallwn, os ydym yn dewis, ei weld fel cymhelliad obsesiynol ac eithafol hunanganolog – 'fy ngwneuthur fy hun yn ddealladwy i'm cydwladwyr'. Efallai fod

Gruffydd yn un drwg am newid ei feddwl – gwnaeth enw felly – ond yma o leiaf y mae'n cyfiawnhau'r newid, yn esbonio'n glir a chydag angerdd pam, er gwaethaf greddf, tuedd ac argyhoeddiad y ffordd arall, y daeth ef i'r un casgliad â'r mwyafrif mawr, na ellid unrhyw fath o gyfaddawd â llywodraeth Hitler. Nid yw'n ymwneud â dadl yr heddychwr; gwyddom y byddai Gruffydd ymhlith y cyntaf i gydnabod dilysrwydd honno, – er ei fod yn dal, yn annisgwyl braidd, mai rheswm crefyddol yn unig a all fod yn sail iddi. Ar dir strategaeth yr oedd Saunders Lewis, yn ysgrifau wythnosol 'Cwrs y Byd', yn galw am heddwch o gyfaddawd. A oes rhywun heddiw, ac a fu rhywun oddi ar ddiwedd y rhyfel, yn credu y byddai hynny wedi gweithio ? Nid yw gofyn y cwestiwn yn gyfystyr â chyfiawnhau mewn unrhyw fodd holl fesurau Churchill tuag at fuddugoliaeth ddiamod.

Oedaf ennyd â chwestiwn a allai fynd yn un mawr a chymhleth. Gwêl R.W.J. yn ysgrif Emrys Evans, a mwy fyth yn ysgrif Gruffydd, 'ragfarn wrth-Gatholig'. Onid mater o gydnabod ffaith sydd yn y ddwy ? Gwreiddiodd a ffynnodd Ffasgaeth mewn *gweriniaethau* (pwysleisiaf y gair) â'u crefydd yn Gatholig neu Uniongred. Lledodd drwy'r Almaen Brotestannaidd o Fafaria Gatholig, lle dechreuodd yr unben refru a chael gwrandawiad. Beth am yr Eidal? meddech. Ie, brenhiniaeth oedd yr Eidal mewn enw pan ddechreuodd *Il Duce* ar ei gampau ; newidiodd ef hi yn *Republica Italiana.* De'r Almaen, Awstria, yr Eidal, Sbaen, Portiwgal, Rwmania, Pwyl, Hwngari, Groeg, dyna dir ffrwythlon Ffasgaeth a lled-Ffasgaeth, gydag elfen gref yn Ffrainc a fu'n fwy na pharod i 'agor y llifddorau', chwedl Gruffydd, pan ddaeth y cyfle. Syrthiodd y gweriniaethau cyfandirol un ar ôl y llall – neu 'gyda'i gilydd' fyddai'n well disgrifiad efallai – gan eithrio'r Swistir a oedd â'i gwleidyddiaeth geidwadol unigryw ei hun, a hefyd ei mantais ddaearyddol o ran amddiffyn ei ffiniau. Un *weriniaeth Gatholig* sydd nad aeth yn unbennaeth *yn fy oes i.* Iwerddon yw honno. Llwyddodd y *breniniaethau Protestannaidd* (pwyslais ddwywaith eto) i wrthsefyll, ac eithrio drwy gael eu goresgyn fel yn achosion Norwy a Denmarc ; gyda hwy rhaid cyplysu gweriniaeth hanner-yn-hanner (yn grefyddol) Tsecoslofacia. Sefydlodd y breniniaethau, ar batrwm Lloegr, yr egwyddor fawr o wahanu a gwahaniaethu rhwng *y wladwriaeth* a'r *llywodraeth.* Dyna a wnaeth yn bosibl y radd o ddemocratiaeth sydd gennym, er y bu raid disgwyl yn ddigon hir iddi ddod i unrhyw fath o aeddfedrwydd. Methu â chydnabod hynny yw methu â chydnabod camp y Piwritaniaid neu'r Seneddwyr yn yr ail ganrif ar bymtheg, a gwelaf yma ddadl sy'n gwrthbwyso pob dadl wrth-frenhinol.

Gellid dadlau'n hir. Gyferbyn â chyfaddawdu, bargeinio ac yn aml cydweithio eiddgar y Babaeth â'r unbenaethau, a chyferbyn â'i hanfod awdurdodaidd hi ei hun, mae'n iawn gosod record wrth-Ffasgaidd anrhydeddus rhai Catholigion unigol.

Dau bwynt pellach ynglŷn ag ysgrif Gruffydd. Meddir : 'O ystyried mai yn 1940 yr ysgrifennwyd ac y cyhoeddwyd y llith, cyfnod pan oedd Hitler a Mussolini yn eu hanterth, trawiadol ac arwyddocaol yw i Gruffydd roddi llawer mwy o sylw ynddi i ran Ffrainc a Chatholigiaeth yn yr Adwaith nag i Natsïaeth a Ffasgaeth.' Arwyddocaol, ie, ond dealladwy ac nid amhriodol. Ffrengig oedd cysylltiadau yr hyn a welai Gruffydd, yn fwy cam na chymwys mae'n debyg, fel 'Plaid yr Adwaith' yng Nghymru. A chytunaf â'r haneswyr hynny a farnodd mai yn 'helynt Dreyfus' yn y 1890au y mae tarddiad yr hyn y daethom ni i'w adnabod fel Ffasgaeth Ewropeaidd yr ugeinfed ganrif. Mae rhan Ffrainc, gwlad na bu erioed yn gwbl gysurus â democratiaeth, a rhan carfan o'i phoblogaeth, a oedd hefyd yn cynnwys rhai o'r prif lenorion Catholig, yn fawr iawn mewn creu trychineb eu cenhedlaeth. (Gweler fy Rhagymadrodd i *Eira Llynedd*, tt. 23-4.) Yna fe ddyfynnir clo ysgrif Gruffydd : 'A chofiwn yn anad dim, fod eisoes yn y wlad hon ddynion sydd a'u dwylo ar y llif-ddorau yn barod i'w hagor, fel yr agorwyd hwy yn yr Iseldiroedd a Norwy a Ffrainc. Seithennin, saf di allan.' Yr oeddwn i bob amser wedi rhyw gymryd mai Prydain yw'r 'wlad hon', fel mor aml ar lafar. Mae rhywbeth yn dweud wrthyf o hyd mai dyna ydyw, ac mai cyfeirio y mae Gruffydd at bobl mewn safleoedd dylanwadol o fewn y Deyrnas neu'r Sefydliad Prydeinig a fyddai'n barod i droi côt pe deuai hi i'r gwaethaf. Efallai fy mod yn methu.

Pan oedd Gruffydd yn ysgrifennu am y 'Gwylliaid', gyda phethau i'r un perwyl yn rhai o 'Nodiadau'r Golygydd', ni wyddai y deuai yn fuan isetholiad am sedd seneddol Prifysgol Cymru, gyda'r cyfle mawr iddo ef wireddu'r hyn a fu'n rhyw fath o freuddwyd ganddo oddi ar ei ieuenctid. Pen draw'r hanes yw isetholiad Ionawr 1943. Drwy gyfrwng stori fer mi fentrais gynnig rhyw fath o ddehongliad o'r episod chwerw a niweidiol honno, gan awgrymu y gallai tro bychan, gyda gweithredu di-oed, fod wedi ei throi'n episod gadarnhaol.

§

(2) *Y niwed a wnaed.* Diau y byddai'n neisiach i bobl fel chwi a minnau, ddarllenwyr y blog, petai ambell un o arweinwyr cenedlaetholdeb Cymreig, yn y blynyddoedd rhwng y ddau ryfel, heb ddweud ambell beth. Fe'u dywedwyd, a dyna fo. A dengys R.W.J. gyda digon o enghreifftiau fod pethau tipyn mwy anghyfrifol a mwy anfad wedi eu dweud gan Churchill, Lloyd

George ac eraill yn yr un amgylchiadau heb ennyn unrhyw waradwydd o gwbl.

Yn ymarferol, faint o ddrwg a wnaed ? Llawer, barna'r awdur. 'Cyfres o haeriadau, *non-sequiturs* a bygythiadau' oedd anerchiad Dr. Thomas Jones. Ond 'ergyd drom iawn i'r Blaid Genedlaethol'. Bu'r cyhuddiad 'Ffasgaidd' 'yn faen melin am ei gwddf fyth er hynny.' Mater gwahanol, ond cysylltiedig, fu polisi swyddogol y Blaid o 'niwtraliaeth' yn ystod yr ail ryfel. 'Ysywaeth, costiodd safiad y Blaid yn y degawd o ryfela rhwng canol y 1930au a chanol y 1940au yn ddrud iawn iddi'n wleidyddol.' Ond gadewch inni ofyn eto, faint o niwed, yn etholiadol – sef yr unig beth o bwys yn y diwedd – a wnaeth y ddau beth ? Beth petawn i'n dweud 'dim llawer'? Yn wir, beth petawn i'n dweud 'dim o gwbl'? Arf hwylus i wleidyddion Llafur, pan fyddent yn cofio a phan na allent feddwl am ddim arall, fu'r cyhuddiad 'Ffasgaidd'. Ni chredaf iddo effeithio ar drwch yr etholwyr o gwbl. O'r ddau, mi allaf gredu fod y cysylltiad â heddychaeth wedi costio mwy i'r Blaid na'r cysylltiadau honedig adain-dde. I fath arbennig o feddwl, a hwnnw'n feddwl pur gyffredin, nid peidio ag ymladd Ffasgaeth oedd y pechod, ond peidio ag ymladd o gwbl, peidio â gwisgo'r siwt, peidio â bod yn un â'r mwyafrif mawr, mawr, a thrwy hynny fwrw peth amheuaeth ar ddoethineb neu foesoldeb y mwyafrif hwnnw. Efallai y byddai cymhariaeth â Phlaid Genedlaethol yr Alban o gymorth yma. Hyd y gwn, ni thaflwyd y naill gyhuddiad na'r llall ryw lawer ati hi, y Ffasgaidd na'r pasiffistaidd : ond tebyg iawn fu ei hynt i eiddo Plaid Cymru am ddau ddegawd, er gwaethaf llwyddiant annisgwyl a byrhoedlog yn etholaeth Motherwell ar ddiwedd y rhyfel. Cafodd William Wolfe bleidlais dda yn isetholiad West Lothian yn 1962, arwydd o bethau i ddod efallai. Ond 14 Gorffennaf 1966 yng Nghaerfyrddin fu'r ysgytwad mawr. Hwnnw a barodd y bydd refferendwm yn yr Alban y flwyddyn nesaf, beth bynnag ei ganlyniad.

Yn hanes Plaid Cymru fe fu – ac y mae o hyd – broblemau llawer dyfnach nag unrhyw gyhuddiadau di-sail y gallodd gwrthwynebwyr eu taflu ati. Mi enwaf ddwy. (1) Ei gwiriondeb hi ei hun. Plaid a lwyddodd, drwy ei pholisi cau ysgolion, i fforffedu ar un trawiad hanner ei chefnogaeth yng Ngwynedd. (2) Caledwch y talcen. Ar ôl ei ddarllen a'i ystyried lawer, caf hi'n anodd iawn anghytuno â llyfr deallus a doeth Anthony D. Smith, *The Ethnic Origins of Nations* (1986). Mae ganddo dair rhestr o bobloedd, tri chategori, oll o fewn gwladwriaethau a heb fod yn wladwriaethau eu hunain. Yn y naill ben mae'n gosod y Fflandryswyr, y Catalwniaid – a'r Albanwyr. Dyma inni genhedloedd, meddai. Yn y pen arall fe wêl y Sorbiaid a'r Galisiaid. '*Ethnies*' y mae'n galw'r rhain, pobloedd, grwpiau ethnig a chanddynt hunaniaethau digon gwydn hefyd, ond heb erioed groesi'r trothwy hwnnw a'n galluoga i ddweud 'cenedl' yn ddiamod. Ond rywle rhwng y ddwy hyn, mewn darlun yr addefa ei fod yn un digon symudliw a chymysglyd, rhydd restr arall eto : y Sikhiaid, y Naga, y Cwrdiaid, y Sisiliaid, y Corsicaniaid, y Llydawiaid – a'r Cymry. Ie, 'Gymry, pe baech chwi'n genedl', meddai Waldo, a chaed trawiadau cyffelyb gan Gwenallt, Saunders Lewis ac eraill, yn addef yr ansicrwydd. Gallwn, wrth gwrs, ddefnyddio 'cenedl' fel rhyw law-fer o hyd, am gymuned ag iddi rai, o leiaf, o briodoleddau cenedl. Os ydym 'genedlaetholwyr' yr ydym yn ceisio rhoi rhyw sylwedd i'r enw, ac yr ydym yn derbyn bod yn rhaid wrth beirianwaith llywodraeth, mesur o ymreolaeth, bach neu fawr, er mwyn diogelu'r hunaniaeth ddiwylliannol. Ond gwyddom yn ein calonnau fod rhywbeth hanfodol yn eisiau yn yr hunaniaeth honno, sef y parodrwydd cyson, greddfol, difeddwlddwywaith i'w hamddiffyn ei hun.

Bydd pleidlais yr Albanwyr y flwyddyn nesaf yn penderfynu llawer. Un canlyniad posibl fyddai gorfodi'r Cymry, yng ngeiriau anfarwol Harri Webb, 'i ymdeithio wysg eu cefnau tuag at annibyniaeth'. A fyddem yn barod ac yn atebol? A fyddai gennym yr adnoddau meddyliol? Pwy yn y byd mawr, o blith ein gwleidyddion, a allai roi'r arweiniad?

Dylai fod yn amlwg fy mod yn gwerthfawrogi'r llyfr hwn. Byddai'n dda meddwl y bydd darllen ystyriol arno.

(Blog Glyn Adda, 15 Tachwedd 2013.)

16.

Meddyliau mewn Arddangosfa

Ryw bnawn yn niwedd 1962 yr oedd tri neu bedwar ohonom, myfyrwyr yng Ngholeg y Gogledd, yn curo ar ddrws ysgrifenyddes y prifathro, a chyda ni drwch o ddalennau, sef 'Deiseb yr Iaith', y ddeiseb gyntaf yn gofyn am rai arwyddion a dogfennau dwyieithog yn y coleg. Dyma gynnyrch cyntaf ein hymateb i ddarlith 'Tynged yr Iaith', a chynnyrch ofnadwy o ymataliol, gochelgar ac ymddiheurol ydoedd. Yr oedd y ddeiseb serch hynny wedi ei harwyddo gan bron bawb o Gymry Cymraeg y coleg, myfyrwyr a staff, gan eithaf nifer o fyfyrwyr di-Gymraeg, ac wedi ei chefnogi gan Undeb y Myfyrwyr. Daeth Miss Nêst Morris-Jones, ysgrifenyddes y Prifathro, i'r drws, ac eglurwyd iddi, yn fyr iawn, beth oedd diben y pentwr papur. 'Wel, wyddoch chi sut bydd hi, mae'n siŵr, 'te hogia,' meddai hi. 'Diwedd y gân yw'r geiniog, mae'n siŵr, 'te.'

Y gwanwyn hwn, yn y coridor yn union tu allan i'r drws lle buom ni'n curo hanner canrif i eleni, gwelwyd arddangosfa dan yr enw 'Tynged yr Iaith', casgliad o eitemau yn rhoi stori'r ymateb i ddarlith Saunders Lewis, a rhai o'r canlyniadau o fewn y Coleg ar y Bryn. Trefnwyd yr arddangosfa gan Wasanaeth Archifau Prifysgol Bangor, a dyma rai meddyliau wrth ymweld â hi. Yr oedd rhai o'r dogfennau yn fyw iawn yn fy nghof, gan mai fi a'u rhoddodd i'r archifdy. Yr oedd eraill nad oedd fy nghof mor glir yn eu cylch. Ac eraill eto y byddai'n dda gennyf fedru eu hanghofio. Un o'r rhain oedd papur a sgrifennwyd gan mwyaf gen i, yn cefnogi'r ddeiseb. Ni allaf ddioddef ei ddarllen gan mor ddiniwed a chyfaddawdol ydyw !

Gan werthfawrogi'r arddangosfa, dyma ychwanegu ambell atgof a llenwi peth, mi obeithiaf, ar yr hanes.

Dan y gwydr yn ogystal roedd nodyn ataf i gan y Prifathro, Dr. (fel yr oedd bryd hynny) Charles Evans. Yr unig beth sydd ganddo i'w ddweud yw nad oedd y ddeiseb wedi ei chyflwyno drwy'r sianelau priodol. Oedd, yr oedd hi, petai fater am hynny. Ond nid aed i ddadlau am y pwynt hwn gan i wrthwynebiadau dyfnach a mwy cyndyn ddod i'r wyneb yn fuan wedyn. Ddechrau 1963 gwrthodwyd y ddeiseb yn fflat gan Senedd y Coleg, ac ymddengys na allodd yr ychydig athrawon cadeiriol Cymraeg eu hiaith wneud dim i droi meddwl y mwyafrif yn y corff hwnnw, – nid y byddai pob un ohonynt yn dewis gwneud. Datganodd y Prifathro mai 'annerbyniol mewn egwyddor' oedd fod myfyrwyr yn cyflwyno cais o'r fath. Yn gryf o'r un farn yr oedd Kenneth Lawrence, y Cofrestrydd, ac Arglwydd Kenyon, Llywydd Llys y Coleg. Yn y tri hyn cafodd Cymry'r coleg, Cymdeithas yr Iaith yn ei dyddiau cynnar, a chenedlaetholwyr ledled Cymru, dri chocyn hitio a wasanaethodd am flynyddoedd ; teg yw nodi eu bod yn cynrychioli barn mwyafrif mawr y staff academaidd. Lladmerydd cryf arall i'r gwrth-Gymreigrwydd sylfaenol hwn oedd yr Athro Almaeneg, Keith Spalding, neu a rhoddi iddo ei enw iawn, Karl Spaltz. Almaenwr gyda record wrth-Nazïaidd dda oedd Spalding, a phob clod iddo am hynny. Ond fel llawer o fewnfudwyr i Brydain o Ganol a Dwyrain Ewrop yn hanner cyntaf yr ugeinfed ganrif, yr oedd yn ddiarhebol o wrth-Gymreig ; dod i Brydain i fod yn Saeson, hyd y gallent, a wnaeth y bobl hyn, ac yr oedd darganfod unrhyw hunaniaeth arall yn yr Ynys hon yn dramgwydd mawr iddynt ; enghreifftiau llachar o'r un peth yw Eric Hobsbawm a Bernard Levin. Nid y geiniog, felly, oedd 'diwedd y gân', fel y rhagwelai'r ysgrifenyddes – er y cymerwyd hynny'n un o'r esgusion – ond gwrthwynebiad gwleidyddol a diwylliannol.

Pan welwyd fod y Senedd (sef yr Athrawon) yn gwbl wrthwynebus, penderfynodd y deisebwyr, gyda chefnogaeth barod Cyngor y Myfyrwyr eto, gyflwyno'r cais i Gyngor y Coleg, ac yna i'r Llys, y cyrff llywodraethol lleyg, lle disgwylid mwy o gydymdeimlad. Bu rali fawr yn y cwad allanol, a chryn blastro ar bosteri. Di-ddim fu ymateb y Cyngor a'r Llys hefyd. Aeth y plastro'n beintio, a dilynodd ton ar ôl ton o brotest, gan barhau am dros ugain mlynedd, gyda materion eraill dadleuol iawn fel ehangu'r coleg a phenodiadau staff yn dod ynghlwm wrth gwestiwn 'statws yr iaith'. O ganol y 1970au ymlaen y gwelwyd consesiynau gwirioneddol o ran iaith arwyddion a dogfennau, ac un consesiwn o bwys fu creu neuadd breswyl Gymraeg ym 1974.

Un o agweddau pwysicaf yr hanes, a dôi hynny'n eglur yn yr arddangosfa, yw fod gwahaniaeth barn ymhlith Cymry'r Coleg ar sut i symud ymlaen, am ba faint y dylid gofyn a pha fath bwysau y dylid ei roi. Oedd, yr oedd yno 'blaid Cochise' a 'phlaid Geronimo', fel mewn llawer sefyllfa gyffelyb. Yr oedd carfan ohonom – a dywedaf 'ohonom' gan fy mod yn un – a deimlai mai 'o dipyn o beth y dôi hi', peidio â gofyn gormod ar y dechrau, peidio â thramgwyddo, bod yn gwrtais, bod yn adeiladol, yn gyfansoddiadol, yn ddoeth! 'Gwên fêl yn gofyn fôt', tybed? Ond yn cael dim ond 'na' yn ddiolch, fel y deuthum innau i feddwl ar ôl rhai misoedd. Ofn 'gwneud mwy o ddrwg nag o les', ofn 'colli ewyllys da', lle nad oedd ewyllys da i'w golli. Yr oedd carfan arall yn fwy parod i estyn am y brwsh past, ac yna'r brwsh paent, a llais y garfan honno oedd y daflen fachog

'Welsh Not ar y Bryn' gyda'i gwrthddadl fwy gwleidyddol a'i chyhuddiadau penodol, wrth eu henwau, yn erbyn y Dynion Drwg Drama a enwais uchod. Fe'i gwelid hithau yn yr arddangosfa, nesaf at y 'Welsh Not' llythrennol o un o ysgolion Bangor. Penri Jones a Robat Gruffydd oedd yr awduron. A dyma'r lle i grybwyll, efallai, mai gwir gychwyniad yr ymgyrchu ym Mangor y blynyddoedd hynny oedd dwy ysgrif gan Robat, dan yr enw 'Y Nyth Annibynnol a'r Goeden Grin', a gyhoeddwyd ym mhapur *Y Dyfodol* – papur gweddol ochelgar, gan mwyaf, dan fy ngolygyddiaeth i y flwyddyn honno. Y Cymry Cymraeg – hwythau'n mynd yn lleiafrif yr union flynyddoedd hynny, oedd y criw bach yn y 'nyth', heb ddeall fod y goeden wedi crino oddi tanynt. Rwy'n amau fod rhesymeg yr ysgrifau hyn yn rhy galed i'r rhan fwyaf ohonom ; ond fe agorwyd llygaid. Daethant allan ar 22 Chwefor a 5 Mawrth 1962, ond rwyf bron yn sicr – tybed a yw Robat yn cofio ? – eu bod wedi eu hysgrifennu cyn inni wrando ar 'Tynged yr Iaith' ar 13 Chwefror.

Yr oedd yma wahaniaeth pur sylfaenol o ran athroniaeth a dehongliad o'r sefyllfa. O'n hochr 'ni' (fel y mae'n rhaid imi ddal i ddweud), yr oedd y syniad y byddai tipyn o amlygrwydd, a mwy o amlygrwydd wedyn, a mwy eto yn y man, e.e. *penawdau* Cymraeg yn y prospectws – nid y testun cyfan ! – yn cryfhau safle'r Gymraeg, yn rhoddi iddi 'statws', ac o dipyn i beth yn ei 'hachub'. Yr oedd yr ochr arall wedi deall yn well neges ganolog Saunders Lewis, gwneud gweinyddiaeth yn amhosibl heb y Gymraeg. Ni ellir anwybyddu ychwaith y ffactor o gymhellion a gobeithion personol, ac efallai y byddai golwg ar yrfaoedd rhai o'r naill garfan a'r llall dros yr hanner canrif wedyn yn dweud rhywbeth am y pethau hynny.

Soniais am bapur *Y Dyfodol*. Daw hyn â ni at stori gyfochrog a gorgyffyrddol â stori'r 'ymgyrchoedd iaith'. Roedd i honno hefyd ei lle yn yr arddangosfa, ac rwy'n meddwl y gallaf gyfrannu ambell atgof i lenwi'r darlun. Yn ystod yr un blynyddoedd, dyweder 1961-5, yr oedd wyth o gyhoeddiadau, Cymraeg a Saesneg, yn ymddangos o blith myfyrwyr y coleg, a'u nifer bryd hynny tua 1,500. Asgwrn cynnen parhaus drwy'r blynyddoedd cyn hynny oedd faint o'r naill iaith ac o'r llall a ddylai fod, yn arbennig yn y cylchgrawn llenyddol *Omnibus* a'r papur pythefnosol *Forecast*. Hanner yn hanner oedd *Omnibus*, y Cymry weithiau'n cael trafferth llenwi eu hanner hwy, ond hynny'n ormod gan rai o'r di-Gymraeg. Un tudalen allan o wyth oedd yn *Forecast*, digon i roi iddo'r isdeitl '*a'r Dyfodol*', ond weithiau dim llawer mwy. Yr oedd golygyddion gwir alluog yn dal i fethu cael cyfranwyr ar gyfer y tudalen, a'r di-Gymraeg yn dal i gwyno bod honno i mewn o gwbl. Yng ngwanwyn 1960 ymwahanodd *Omnibus* yn ddau gylchgrawn derbyniol iawn, un ym mhob iaith, y *Spectrum* Saesneg a'r *Ffenics* Cymraeg. John Rowlands oedd sylfaenydd a golygydd *Ffenics*, ni chredaf iddo gael anhawster i'w lenwi, ac yr oedd pawb o'r ddeutu yn hapus iawn ar y canlyniad. Wedi'r llwyddiant hwn yr oedd John yn barod ar gyfer rhywbeth mwy.

Cofiaf yn glir y noson, yng ngwanwyn 1960. Yr oedd criw bach ohonom, Cymry Neuadd Reichel, wedi ymgasglu yn ystafell Bedwyr Lewis Jones, tiwtor yn y neuadd, newydd ddechrau y sesiwn hwnnw ar ei waith fel darlithydd yn Adran y Gymraeg. Sgwrsio am hyn a'r llall. Yn sydyn o dan y drws daeth copi o *Forecast*, rhywun yn ei ddosbarthu felly i'r tanysgrifwyr. Bwriodd Bedwyr olwg arno, gan chwilio i ddechrau am y dudalen Gymraeg. Yn y rhifyn hwnnw yr oedd hi wedi mynd i lawr i ... un eitem ! Dau englyn oedd yr eitem, a'r teitl 'Poem' uwch eu pennau. Ffrwydrodd Bedwyr, fel y gwelais ef yn gwneud ar achlysuron eraill; rhwygodd y papur yn dipiau a'i daflu i'r bin sbwriel. Dyna gyrraedd rhyw derfyn. Y tymor wedyn cyhoeddodd John Rowlands y byddai'r *Dyfodol* yn cychwyn fel papur cwbl Gymraeg, annibynnol, wyth tudalen. Gwahoddodd Philip Wyn Jones, Bleddyn Davies a minnau i'w helpu, ac ymddangosodd y rhifyn cyntaf fis Ionawr 1961. Ni chafwyd unrhyw drafferth llenwi'r papur ag eitemau o bob math, aeth yn fwy o faint, ac o fewn rhyw flwyddyn yr oedd y gwerthiant tua mil a hanner, diolch i danysgrifiadau cynfyfyrwyr a pheth diddordeb gan y cyhoedd hefyd. Olynais i fel golygydd yn 1961-2, ac rwy'n credu mai'r olyniaeth dros yr ychydig flynyddoedd nesaf oedd: Dafydd Huw Williams, Derec Llwyd Morgan, Emlyn Davies, Dafydd Elis Thomas, Emyr Price, Cenwyn Edwards a Norman Williams. Cyn bo hir gwelwyd yr un datblygiad yn Aberystwyth pan ymwahanodd *Llais y Lli* oddi wrth y *Courier* Saesneg-yn-bennaf a dod yn bapur pur radicalaidd a fu mewn helynt gyda'r awdurdodau fwy nag unwaith.

Wedi dwy flynedd o einioes *Y Dyfodol*, a seiliau busnes pur dda wedi eu gosod iddo, yn gyntaf gan John Gee (gor-ŵyr y golygydd a'r cyhoeddwr o Ddinbych) ac yna gan Dafydd Huw Thomas, yr oeddem yn barod i ehangu eto. Yr un oedd y stori, cynnwys Cymraeg y cylchgrawn rag wedi mynd yn fychan a thenau ddifrifol, yn gysgod truenus o'r hen *Tonicle* dwyieithog a digrif dros ben. Heb ofyn caniatâd neb, dyma gyhoeddi ddechrau 1963 y byddai papur cwbl Gymraeg yn rhan o ymdrech elusennol y rag y flwyddyn honno. Daeth yr enw *Bronco* o rywle, gan mai 'i bobl bron o'u co' y byddai'r papur. Fe'i llanwyd mewn deuddydd neu dri o gyd-chwerthin a chyd-sgriblo, yr oedd wedi talu ei ffordd cyn gwerthu'r un copi gan gymaint yr hysbysebion (sylwaf nad oeddem yn gwarafun cyhoeddi rhai Saesneg, mwy nag yr oedd *Y Cymro* a'r *Faner* y blynyddoedd hynny) ; argraffwyd pum mil ar hugain o gopïau a'u gwerthu bron i gyd, y rhan fwyaf mewn dau ddydd Sadwrn caled ond hwyliog ar ôl trefnu manwl. Golygais i *Bronco* ddwywaith, a'm holynu gan John Roberts ac Ifan Roberts. Credaf iddo gadw'i safon, a'i werthiant, am ryw bump i chwe blynedd.

Mae dwy ffaith i'w nodi am yr ymysgwyd newyddiadurol hwn. Yn gyntaf, yr oedd wedi dechrau cyn traddodi 'Tynged yr Iaith', er ei bod yn iawn ei weld fel ffrwyth yr un teimlad fod 'rhaid gwneud rhywbeth'. Yn ail, dengys batrwm clir o sefydlu pethau Cymraeg annibynnol, a'r rheini'n llwyddo wedyn, cwbl groes i'r duedd mewn rhai cylchoedd heddiw o droi pethau'n ddwyieithog.

Wedyn disgynnodd ar ein clyw sylw Alun R. Edwards, llyfrgellydd arloesol Ceredigion a sylfaenydd y Cyngor Llyfrau, y byddai *Bronco* misol yn atgyfnerthiad mawr i'r Gymraeg. Dyma fynd ati eto, Dafydd Huw Thomas a minnau a thîm dawnus o gyfranwyr, a chynhyrchu'r papur *Miriman*. Cytunodd cwmni Woodalls, Croesoswallt, perchenogion *Y Cymro*, i'w gyhoeddi am rai misoedd fel arbrawf, a chawsom lawer o help gan staff *Y Cymro* yng Nghaernarfon. Siomedig braidd oeddem mai dim ond deuddeng mil a werthodd y rhifyn cyntaf, adeg Eisteddfod ddigalon Llandudno, 1963 ! Beth na roddid am y gwerthiant hwn i unrhyw bapur Cymraeg heddiw ? Setlodd y ffigiwr tua chwe mil, ond barnodd y cwmni fod y draul yn ormod. Sut y byddem ni wedi dod i ben petai wedi parhau, wn i ddim. Cynhwysai *Miriman* dipyn o nonsens a dychan, tebyg i *Bronco*, ond tipyn hefyd am y byd pop, Saesneg ac Americanaidd, ac am gychwyniadau bach, bach y byd pop Cymraeg.

Dof yn ôl yn awr at y cysylltiad rhwng y mentrau newyddiadurol hyn ac agweddau gwleidyddol, oherwydd mae hynny'n rhan bwysig dros ben o'r hanes. Yng ngolwg rhai o'n cydfyfyrwyr, sef y rhai mwy milwriaethus, mwy cenedlaetholaidd, mwy parod i 'weithredu'n uniongychol' fel y dywedir, yr oedd *Bronco* a *Miriman* yn rhy ddiniwed o'r hanner, a hynny ar ddau gyfrif. Yn gyntaf, yr oeddent yn ofnadwy o lednais o ran cynnwys ac ieithwedd. 'Dim rhyw, Cymry ydym!' Ac yn ail, nid oedd eu dychan yn taro'n ddigon caled yn erbyn targedau penodol. Canlyniad y gwahaniaeth hwn fu cynhyrchu'r rhifyn cyntaf o *Lol* gan Penri a Robat ym 1965. Addas mai gyda chopi o'r rhifyn cyntaf hwnnw y daw yr arddangosfa i ben! *Lol* ac wedyn Y Lolfa, dyna, yn eironig efallai, gofebau mwyaf parhaol *Bronco* a *Miriman*, a da fu gweld eu llwyddiant dros y blynyddoedd.

Cymerai ysgrif arall, a dwy, a thair, i fesur yr ennill a'r golled ym Mangor dros yr hanner can mlynedd er pan fuom ni'n curo'r drws. Ni all neb wadu na bu enillion, ar ryw lefel. Ond a oes unrhyw un am ddadlau na bu colled? Ganol y 1980au olynwyd Evans, Lawrence, Kenyon a Spalding gan oruchwyliaeth ac arni wedd lawer mwy Cymreig. Dan yr oruchwyliaeth honno aeth ffrwd yr ehangu yn llifeiriant di-droi'n ôl. Gellid dal, mae'n ddiau, nad oedd dewis arall, o dderbyn diffiniad llywodraeth y dydd o 'brifysgol hyfyw'. Ond daw i'r meddwl sylw a wnaeth Lenin ryw dro, mai'r blaid flaengar, neu'r 'Chwith', yn y byd cyfalafol, sy'n gwneud y pethau gwir adweithiol. Anghofier y 'cyfalafol', gall yr un peth ddigwydd ym mhob cymdeithas. Aeth Kennedy i mewn i Viet-nam, a daeth Nixon allan.

Ai 'curo ofer fu'? Beth petaem ni'n mynd eto, yn yr hanner gwyll ryw gyda'r nos dawel, a churo ar yr un drws, a galw: 'Tyrd yn ôl, Syr Charles Evans; efo penci gwrth-Gymreig fel ti, o leiaf fe wyddem ble roeddem yn sefyll'? Hollol wirion?

Ac un peth, megis ôl-nodyn. Yn ystod deugain mlynedd ym Mangor, pedair gwaith, a hynny'n fyr, y siaredais i â'r Prifathro Evans. Fe'i cefais, y pedwar tro, nid yn unig yn iawn, ond yn ddymunol. Rhyfedd o fyd, bob amser.

(*Barn*, Gorffennaf-Awst 2012.)

17.

Ffederaliaeth : Cyfle ynteu Magl ?

Yn rhifyn enghreifftiol y cylchgrawn arfaethedig *Sylw* (Awst 2009) mae Cynog Dafis yn trafod llyfr newydd David Melding AC, *Will Britain Survive beyond 2020 ?* ac yn gweld rhai pethau yn ei ddadl yn adleisio rhyw bethau a ddywedais innau ychydig flynyddoedd yn ôl. Gallwn ddadlau ynghylch ystyr 'adleisio' : go brin fod Mr. Melding yn gwneud ei bwyntiau *am* fy mod i wedi eu gwneud eisoes ; ond os golygir fod y ddau ohonom, yn dod o gyfeiriadau gwahanol iawn a chydag amcanion gwahanol, wedi digwydd taro ar rai o'r un pethau, mae hynny'n berffaith bosibl. Beth bynnag, dyma archebu'r llyfr yn syth gan y Sefydliad Materion Cymreig (pris £11.99 a'r cludiant), a'i ddarllen â diddordeb mawr. Ailddarllen rhai o'm hen ysgrifau fy hun hefyd, yn y gyfrol *Agoriad yr Oes* : copïau'n dal ar gael o'r Lolfa, pris £14.95. Diolch am y geirda, Cynog !

Cynnyrch y cyfnod rhwng dau refferendwm oedd y rhan fwyaf o'm hysgrifau i, a'r cymhelliad yn gymysgedd, ar y naill law, o ddiddordeb mwy-neu-lai academaidd yn esblygiad syniadau'r Cymry amdanynt eu hunain ynghyd â'r mynegiant llenyddol ohonynt, ac ar y llaw arall awydd i ganfod rhyw ffordd ymlaen dros fryniau tywyll, niwlog y blynyddoedd 1979-97. Yn sicr nid fy mwriad oedd bwrw'r mudiad cenedlaethol a'r mudiad ymreolaeth yn eu holau, ond y gwrthwyneb. Rwyf am gofnodi eto na ddywedais air yn erbyn annibyniaeth i Gymru, ar dir moesol, gwleidyddol nac economaidd. Awgrymais yn unig fod rhyw bethau – pethau dwfn a gwydn – yng ngolygwedd y Cymro arno'i hun a oedd yn awgrymu y byddai rhyw lun ar ffederaliaeth o fewn Ynys Brydain yn nod ymarferol i gyrchu ato. A fyddai'n ateb terfynol, ni ddywedais. Oherwydd, yn un peth, byddem yn sicr, hwyr neu hwyrach, o ddod wyneb yn wyneb â 'gwir broblem Ynys Brydain' (*AYO*, t. 97). Hanfod y broblem honno yw bod esblygiad, hunaniaeth a hunanganfyddiad yr Alban yn dra gwahanol i eiddo Cymru, ac yn cyfeirio'n fwy diamwys tuag at annibyniaeth. Cwestiwn pellach yw sut y byddai Lloegr yn cymryd at undeb ffederal neu led-ffederal. Wedi pallu o'r wladwriaeth unedol a sicrhaodd lwyddiant Lloegr dros nifer o genedlaethau, onid annibyniaeth fyddai ei dewis hi ? Y rhai ohonom a fu'n darllen tipyn ar y *Daily Telegraph* dros y blynyddoedd diwethaf, gwelsom arwyddion o duedd i feddwl felly. Pen draw'r duedd fyddai cicio'r Cymry allan. Fe enir rhai cenhedloedd yn annibynnol, mae eraill yn ennill annibyniaeth drwy ymdrech, ac mae eraill eto y gwthir eu hannibyniaeth arnynt gan amgylchiadau. Un pryder sy'n codi ei ben weithiau yw a fyddai Cymru'n seicolegol barod ar gyfer amgylchiadau felly pe baent yn ei goddiweddyd.

Mae amcan Mr. Melding yn wahanol, sef diogelu'r undeb. Cred fod y wladwriaeth unedol bellach yn ansefydlog, ac mai cofleidio rhyw ffurf ar ffederaliaeth yw gobaith y Deyrnas os yw i oroesi 'tymestl o genedlaetholdeb'. A siarad o'r ochr hon, ni allaf ddweud fy mod yn clywed dim o sŵn y dymestl ar hyn o bryd, ond fel y pwysleisia Mr. Melding mae grymoedd yn gweithio dan yr wyneb drwy'r adeg, a gall pethau ddigwydd yn sydyn weithiau. A rhoi un enghraifft yn unig, pan gyhoeddodd Gwynfor Evans *Diwedd Prydeindod* yn 1981, pwy fyddai'n proffwydo yr ysgrifennid y llyfr nesaf ar yr un testun gan wleidydd

Ceidwadol, aelod o Gynulliad Cenedlaethol Cymreig, yn ei ddisgrifio'i hun fel 'cenedlaetholwr' ac yn annog ei gyd-Dorïaid i wneud yr un modd ?

Gobaith gwreiddiol Mr. Melding, meddai, oedd 'hyrwyddo dehongliad Torïaidd o hanes y genedl Gymreig o fewn y wladwriaeth Brydeinig'. Ond wrth ddarllen y llyfr, ac yna wedi ei orffen, yr hyn a welaf i yw dehongliad a fydd yn newydd, yn anghyfarwydd ac yn agoriad llygad i Dorïaid yn anad neb. Dyma inni Gildas, Beda, Pelagius, Gwrtheyrn, Sieffre o Fynwy, Gerallt Gymro, y Gododdin, y Mabinogi, Armes Prydain, Richard Price, Iolo Morganwg, David Jones, John Davies, R.R. Davies a Gwyn Alf Williams ; rhyngddynt yn cyflwyno stori go wahanol i honno lle mae 'Lloegr Eingl-Sacsonaidd' yn dilyn 'Prydain Rufeinig', a lle'r arweinir ymlaen drwy Alfred a'r Cacennau, Magna Carta a Gwragedd Harri VIII at 'eu Godidocaf Awr'. Yn gynyddol wrth ddarllen ymlaen, cefais fy hun yn gofyn cwestiwn, ac efallai y bydd rhai o'r darllenwyr Ceidwadol yn ei ofyn hefyd : ble mae'r Dorïaeth ? Gyda phob tudalen disgwyliwn ryw chwiff o'r brandi a'r sigârs, rhyw gip ar y bochau porffor dicllon, rhyw ebwch gan y Llew Prydeinig – neu man lleiaf rhyw amddiffyniad go egnïol o'r farchnad rydd a threthi isel ynghyd ag ymosodiad ar 'ormod o lywodraeth'. Ond dim o'r pethau hyn : sy'n awgrymu y bydd gan dipyn o Dorïaid Cymru dipyn o ffordd i'w thrafaelio eto os ydynt am gofleidio Torïaeth Mr. Melding. Faint ohonynt fydd yn darllen y llyfr, nis gwn. Ond gan mai yr awdur yw eu cyfarwyddwr polisi, byddai'n well iddynt wneud. Yn wir, rwy'n gobeithio y gwnânt, oherwydd fe gânt drafodaeth olau, ddiddorol, adeiladol, un sy'n rhydd o rai o'r rhagdybiau mwyaf llyffetheiriol ynghylch sefyllfa'r Cymry.

Mae rhai o'r dyfarniadau yn gonfensiynol, ond nid llai cywir am y rheswm hwnnw cofier. Mae hefyd nifer o ddyfarniadau sydd yn ffres ac annibynnol ac wedi eu mynegi'n fachog. Rhaid croesawu'r gweld clir a'r dweud croyw ar sawl testun. Amheuir y dogmâu cyffredin nad oedd y fath beth â 'chenedlaetholdeb' cyn y Chwyldro Diwydiannol, neu cyn y Diwygiad Protestannaidd. Gwrthodir rhoi unrhyw goel i'r enllib Llafuraidd cyfarwydd fod Saunders Lewis yn 'pro-fascist'. Cydnabyddir athrylith Iolo Morganwg a phwysigrwydd gwleidyddol creu Gorsedd y Beirdd, 'an act of towering genius'. Dywedir y gwir am gomisiwn Kilbrandon, rhagredegydd refferendwm 1979, 'its chaotic and prolix report'. Atgoffir ni peth mor ddiweddar mewn hanes yw'r Deyrnas Gyfunol fel yr ydym ni'n ei hadnabod, mor fyr fu einioes yr Ymerodraeth Brydeinig, a chyn lleied hefyd y galar ar ei hôl. Ond pwysleisir yr un pryd mai'r Cymry oedd awduron y *syniad* o un wladwriaeth yn Ynys Brydain, gwirionedd a anghofiwn yn rhy aml. Teflir heibio'r ofergoel bod rhyw 'werthoedd democrataidd creiddiol' yn diffinio Prydeindod; nid yw'r rheini, medd Mr. Melding yn hollol gywir, ond gwerthoedd unrhyw wladwriaeth ryddfrydol fodern. Mae ganddo hefyd bethau na allant ond bod yn gaswir i'w blaid ei hun, mwyaf arbennig ei chyfraniad alaethus yng nghyfnod Salisbury, Balfour, Bonar Law a Carson, sef can mlynedd union yn ôl, tuag at ddwysáu problem Iwerddon: 'awr dduaf a mwyaf dinistriol y Blaid Geidwadol'. O na bai rhyw Dori wedi cyhoeddi'r gwirionedd hwn ddechrau'r 1970au, fel ag i osgoi ailadrodd rhai o'r un camweddau gan lywodraeth Heath.

Yn gynnar iawn yn y llyfr (t. 4) fe welir yn glir ac fe ddatgenir yn groyw un ffaith sylfaenol am ymwybyddiaeth Brydeinig a pherthynas pobloedd Prydain. Y ffaith honno, a ddylai fod yn fan cychwyn pob ystyriaeth bellach, yw mai yr un peth yw Prydeindod a Seisnigrwydd i'r Sais, ac mai rhywbeth i'r bobloedd Geltaidd yn unig yw'r 'cenedligrwydd dwbl'. Bydd rhai ohonom yn adnabod hon yn syth fel 'dadl J. R. Jones' (awdur na chyfeirir ato, a hynny'n rhyfedd braidd, o sylwi ar amrywiaeth ac addasrwydd ffynonellau'r ymdriniaeth). Ys gwn-i a gytunai Mr. Melding â cham nesaf ymresymiad J.R.J., mai dim ond un wir genedl sydd yn Ynys Brydain, cenedl y Saeson?

Cloriennir annibyniaeth a ffederaliaeth, y ddwy yn eu tro, a'r un mor ystyriol y ddau dro, heb chwythu na rhefru. Y casgliad dan y pen cyntaf yw nad oes dadl absoliwt yn erbyn annibyniaeth, ac y gallai fod yn iawn mewn amgylchiadau arbennig petai'n ddewis pendant y bobl. Am ffederaliaeth, dodir o'r neilltu yn deg ac yn daclus y gwrth-ddadleuon mwyaf cyffredin: nad yw'r bosibl rhwng unedau anghyfartal eu maint; ei bod yn groes i gymeriad 'organaidd' cyfansoddiad anysgrifenedig Prydain; ei bod yn gymhleth; y byddai'n arwain at chwalfa. Ni saif yr un o'r gwrthwynebiadau hyn, medd Mr. Melding. Ei gasgliad hollol deg yw nad oes dim o'i le ar annibyniaeth o ran egwyddor ... ond bod yn well ganddo ffederaliaeth.

Gofyn wedyn (t. 215), pam y mae cenedlaetholwyr yn ofni'r ateb ffederal? Mewn ateb i'r cestiwn, dywedaf ddau beth. Yn gyntaf, nid wyf mor sicr eu bod. Dyfalaf yn hytrach nad gwrthwynebus ydynt, ar hyn fel ar bethau eraill, ond rhy ddiog i feddwl rhyw lawer. Yn ail, ceisiaf osod, mor glir ag y gallaf, yr hyn sydd, neu a allai fod, yn wrthwynebiad dilys a sylfaenol o du cenedlaetholwr. Ar fwy nag un cyfrif byddai ffederaliaeth yn ateb atyniadol, yn cynnig setliad y gallai mwyafrif da o'r etholaeth Gymreig fod yn gysurus gydag ef, yn dod ag amrediad o bwerau gwir fuddiol, ac yn gosod statws Cymru fel cenedl tu hwnt i bob amheuaeth. Yn erbyn hynny mae'r pryder y byddai'n ateb rhy braf, ac y byddai'n gosod atalfa ar 'y broses', proses a allai, mewn amgylchiadau arbennig, arwain at rywbeth mwy a gwell. Ai cyfle a fyddai, ynteu magl ? Yn rhan o wladwriaeth ffederal, ni byddai Cymru'n aelod o'r Gymuned Ewropeaidd nac o'r gymuned fyd. I genedl-wladwriaethau annibynnol yn unig y mae'r aelodaeth honno'n agored. Mae Luxembourg yn aelod, nid yw Catalunya – mae mor syml â hynny. Byddem, drwy dderbyn ffederaliaeth, yn fforffedu'r hawl i unrhyw bresenoldeb rhyngwladol ; yn gyfnewid byddem yn prynu'r moddion a'r rhyddid i drefnu'r rhan helaethaf o fywyd Cymru yn ôl ein goleuni ac i gwrdd â'n hangen. Pe bai hynny'n cynnwys y moddion i ddiogelu'r Gymraeg a rhywsut yn y byd i'w hadfer, a fyddai'n ddigon o gyfnewid am bopeth arall ? Daliaf i gael pyliau o feddwl felly.

Soniaf cyn terfynu am rai cwestiynau a rhai anawsterau eraill y mae darllen y llyfr wedi fy ngyrru i'w hailystyried. Hwyrach y gall rhai o'r darllenwyr gynnig atebion lle rwyf yn anwadalu.

Trefn ffederal ar sail sofraniaeth gwahanol genhedloedd Prydain, dyna weledigaeth Mr. Melding, ac nid wyf yn amau dim ar ei diffuantrwydd. Un o broblemau Cymru, hyd y gwelaf i, yw sut i ddatgan y sofraniaeth. Nid yw'n broblem i'r Alban, gyda'i chyfundrefnau cyfreithiol ac addysgol ar wahân, ei chof am senedd a brenhiniaeth, ei hamrywiaeth o symbolau poblogaidd. Am Loegr, mae hi'n cyhoeddi ei sofraniaeth bob dydd o'r flwyddyn drwy ryw ddefod neu'i gilydd, ac yn cyflogi teulu brenhinol i fod yn ganolbwynt y ddefodaeth. Er mor gyfoethog yw Cymru mewn rhai cyfeiriadau, mae hi'n dlawd o symbolau a sefydliadau i'w hatgoffa iddi fod, rywdro cyn 1997, yn genedl wleidyddol – cred rhai na fu. Wn i ddim a allwn yn ddiogel fynd yn ôl i'r flwyddyn 383, pan 'aeth Macsen Wledig o Gymru a'n gadael yn genedl gyfan'; peryg y byddai rhywun yn gofyn ble mae'r dystiolaeth. Ond yn sicr gallwn fynd yn ôl i 1404. Ailagor

Senedd Machynlleth, ar ôl sicrhau iddi sylfaen ddemocrataidd a demograffaidd briodol, a rhoi iddi ran yn llywodraeth Cymru, dyna, fe ymddengys i mi, y ffordd orau ac efallai'r unig ffordd o gyhoeddi'r sofraniaeth honno sy'n beth mor ganolog yng ngweledigaeth a strategaeth wladgarol Mr. Melding. Byddai'n fodd o ddatgan nad datganoli yw'r cyfan o ymreolaeth ; byddai'n rhywbeth gweladwy, diddorol, hanesyddol, gyda'r elfen o ramantiaeth sydd, fel y gŵyr y sefydliad Seisnig yn well na neb, yn un o anhepgorion gwleidyddiaeth lwyddiannus.

Cymru, Lloegr a'r Alban, ie, iawn. Ond beth am Ogledd Iwerddon ? Byddai raid i unrhyw Geidwadwr feddwl a llyncu'n galed iawn cyn hepgor honno o'r undeb ffederal ; ar y llaw arall, sarhad ar yr Alban a Chymru, heb sôn am Loegr, fyddai eu gosod mewn unrhyw fodd ar yr un gwastad â'r Chwe Sir. Os cenedl ddiwladwriaeth fu Cymru, gwladwriaeth ddigenedl fu, ac yw, Gogledd Iwerddon fel yr ydym wedi ei hadnabod oddi ar 1920. Nid oes ateb yn y pen draw ond i Ulaidh helaethach, y dalaith hanesyddol, ddod o hyd i'w dyfodol mewn undeb arall.

Down yn awr at anawsterau creiddiol, bron na ddywedem 'clasurol', sef y rhai y mae a wnelont â rhannu cyfrifoldebau. Wedi cytuno mai'r llywodraeth ganolog, neu ffederal, sy'n rheoli mewnfudiad, fe'n gadewir ni Gymry â chwestiwn caled, pwy sy'n rheoli mewnlifiad ? A fu cwestiwn llai academaidd erioed ? Cyn bwysiced, pwysicach fe ddywedai rhai, yw cwestiwn 'amddiffyniad Ynys Brydain rhag estron genedl', a dyfynnu testun awdl un o hen eisteddfodau'r Gwyneddigion. Ganed Plaid Genedlaethol Cymru o'r Rhyfel Byd Cyntaf, gyda'r egwyddor 'martsied Lloegr ffordd y myn y tro nesaf, peidied â disgwyl i ni fartsio gyda hi', egwyddor leiafrifol a hynod amhoblogaidd, ond un ddiosgoi wrth ddiffinio cenedlaetholdeb Cymreig modern. O fudiad a fu'n hynod eclectig ar nifer o bethau eraill, fe gadwodd y Blaid yn bur gyson at yr egwyddor hon, tan y diwrnod ychydig dros ddwy flynedd yn ôl pan estynnodd yr arweinyddiaeth groeso brwd i Academi Filwrol Sain Tathan. Yr unig reswm y gallaf feddwl amdano pam nad yw trwch yr aelodau eto wedi galw'r arweinwyr yn chwyrn i gyfrif yw eu bod yn methu â choelio'u clustiau.

Rwy'n credu ein bod yn dod yn awr at y fan lle mae'r llwybrau'n gwahanu. Mae hyn nid am fod Mr. Melding yn Dori; byddai unrhyw wleidydd Llafur llwyddiannus yn cymryd yr un safbwynt yn union. Ysgrifenna (t. 219): 'There are too many grey areas where devolved administration can compete for jurisdiction with Westminster. The SNP's anti-nuclear stance on defence illustrates the danger.' Gobaith Mr. Melding yw y byddai trefniadaeth ffederal dan gyfansoddiad ysgrifenedig yn symud yr amwysedd hwn gan adael cyfrifoldeb amddiffyn yn derfynol ddiamwys yn nwylo'r llywodraeth ganolog. Darllenwn yn wir am ddadl ddicllon ('angry exchange', fel y dywedir) yn San Steffan yn ddiweddar: David Cameron yn haeru, 'fe all llywodraeth y DU leoli Trident ym mha fan bynnag y myn', ac Alex Salmond yn ateb, 'ddim yn yr Alban'. Dros yr hanner can mlynedd diwethaf, ac yn brigo i'r wyneb bob hyn a hyn, bu traddodiad ymhlith cenedlaetholwyr Cymreig ar yr adain dde o fynnu nad yw pwnc arfau niwclear yn berthnasol o gwbl i'r achos cenedlaethol, ac y dylid gwahaniaethu rhyngddo a mater Penyberth, a oedd yn effeithio'n uniongyrchol ar dir Cymru ac ar y Gymraeg. Nid wyf erioed wedi cytuno. Oherwydd yn union fel y crewyd yr undeb i fod yn galon ymerodraeth, yr un modd fe gynhelir y rhwysg milwrol er mwyn parhau'r undeb. Os gall cenedlaetholwyr yr Alban a Chymru gyfrannu rhywbeth, bach neu fawr, tuag at amddifadu Lloegr o'i harf niwclear, rhaid ystyried hynny'n rhan o'u cenhadaeth hanesyddol. I'r Cymry, dyma'n wir fyddai Dial Dafydd ap Gruffudd.

A ydym i'w chrynhoi hi felly: annibyniaeth, diwedd Trident; ffederaliaeth, cadw Trident? Ac ai dyma'r pwynt lle mae cenedlaetholwyr yn ffarwelio â Mr. Melding gan ddiolch iddo am lawer o bethau difyr a chall? I awgrymu ateb, rwyf am fentro nid yn unig y peth ofer hwnnw, dyfalu, ond hefyd ac am y tro y peth gwirion hwnnw, darogan. Mae'n ymddangos i mi y gallai llywodraeth Albanaidd ffederal, ddim llai na llywodraeth annibynnol, petai'n dewis, ei gwneud hi'n amhosibl cadw Trident yn Aber Clud. Ond cyn i hynny ddigwydd, peidier â synnu gormod ped achubid y blaen, ac osgoi'r embaras mawr yng nghoridorau grym, drwy benderfyniad i beidio ag adnewyddu'r arf drudfawr. Rhydd i bawb ddehongli'r penderfyniad wedyn, yn ôl ei chwaeth ei hun, fel un mawrfrydig gan Brydain (cyffelyb i derfynu'r gaethfasnach ers talwm), neu fel un pragmataidd i ailddosbarthu costau arfogaeth. Na synner, ymhellach, os bydd y Ceidwadwyr wedi deall hyn o flaen Llafur. I ddarllenwyr y *Telegraph* mae arwyddion bron bob dydd. Yr hyn sydd wedi rheoli ymddygiad Llafur mewn swydd, bron o'r cychwyn cyntaf, yw ofn colli Lloegr Ganol, neu a'i roi fel arall, ofn y Torïaid. Yr oedd yr un peth yn union yn wir am y Rhyddfrydwyr o'u blaenau. Nid oes raid i'r Torïaid ofni'r Torïaid, oherwydd hwy yw'r Torïaid.

Heddiw, 18 Tachwedd 2009, dyma adroddiad Confensiwn Cymru Gyfan i law. Gwelaf fy enw fel un o'r tystion drwy'r Rhwydwaith. Yr hyn a anfonais fel tystiolaeth oedd drafft cynharach o'r hen ysgrif hon, a sgrifennais ddechrau Awst. Dof yn ôl hefyd, yn fyfïol, at fy hen lyfr *Agoriad yr Oes*, y cyfeiriodd

Cynog Dafis mor garedig ato. Ryw ddiwrnod ym mis Chwefror mi es â bwndel bach o gopïau i gyfarfod â chynrychiolwyr y Confensiwn a oedd yn cynnal eu stondin mewn canolfan siopa ym Mangor. Nid oedd dim un ohonynt am brynu copi, pawb â'i esgus : 'ni'n gorfod bod yn niwtral', ''sdim arian 'da fi'. Cytunodd un ohonynt i wneud nodyn o'r teitl, y cyhoeddwr a'r pris a sôn wrth gadeirydd y Confensiwn amdano. A gafodd ef ei gopi, a'i ddarllen, nis gwn, oherwydd nid oes llyfryddiaeth o ffynonellau printiedig gyda'r adroddiad. Yr oeddwn wedi rhyw led-obeithio am Syr Emyr :

> A phan ddaw ef i adrodd,
> Os na wnaiff fy nghofio i,
> O cofied David Melding,
> Sydd, er ei fod yn Dori,
> yn dweud fwy neu lai yr un peth â mi.

Ond fe ddywed y Confensiynwyr, mae'n debyg, mai maes eu llafur hwy oedd pwerau'r Cynulliad Cenedlaethol, ac agweddau etholwyr Cymru tuag at helaethu'r rheini. Nid oedd disgwyl iddynt fwrw'u golygon tuag at diroedd pell ffederaliaeth ac annibyniaeth, ac nis gwnaethant. Am annibyniaeth, y cyfan a ddywedir yw fod rhyw wyth y cant o'i phlaid, a llawer yn ei hofni, neu, a bod yn fanylach, yn ofni bod 'pwerau llawn' yn gyfystyr â hi. Wrth ddarllen yr adroddiad yn gyflym heddiw, methaf â gweld yr un gair yn dechrau â 'ffed-'.

Pwnc at rywdro eto, mae'n ddiau. Popeth a ddywedaf o hyn i'r diwedd, fe'i dywedaf fel un na waredodd byth ei ffobia o refferenda oddi ar yr ail o Fawrth, 1979. Pan ac os daw dydd ceisio barn y Cymry mewn refferendwm eto, ni bydd prinder o ddewisiadau posibl, ond faint ohonynt a fydd yn cyrraedd y papur pleidleisio sy'n gwestiwn arall. Am ddewis (1), cau'r Llywodraeth a'r Cynulliad a phopeth sydd yn y Bae, a throsglwyddo'r siop, y merlyn a'r drol unwaith eto i ofal rhyw William Hague neu ryw John Redwood, fel y bu yn y dyddiau gynt, fe awgryma'r adroddiad fod y gefnogaeth iddo yn llai nag y byddwn i wedi disgwyl. Mae'n debyg y bydd yno'r dewis (2) o aros yr un fath. (3) 'Senedd lawn'? 'Yn aml,' medd yr adroddiad (adran 6.2.6) , 'câi "pwerau llawn" ei gamddehongli gan godi ofn ar rai a oedd yn cysylltu'r term ag annibyniaeth.' Ond, Gonfensiynwyr, mae 'pwerau llawn' *yn* gyfystyr ag annibyniaeth ; neu fe fyddant, hyd oni rowch chi ddiffiniad o 'pwerau llawn' sy'n dangos y gwahaniaeth. Beth am (4) cydraddoldeb â'r Alban ? Diddorol fyddai cael ymateb y Cymry i hwn. Os oes dadl yn ei erbyn, pwy sydd am godi ar ei draed i'w rhoi ? Ac a oes rhywun am sbelio'r cwestiwn yn gwbl eglur ? – 'a hoffet ti, Gymru, fod yn gydradd â'r Alban ond gan barhau, wrth gwrs, yn israddol ac atebol i Loegr ?'. Dyna ichwi bedwar dewis. Ond daliwch arni ... mae yna un posibilrwydd arall (5) a fyddai o leiaf yn werth ei ystyried. Cydraddoldeb rhwng Cymru, yr Alban a Lloegr, oll o dan y goron – neu, a dilyn awgrym gogleisiol ond nid disynnwyr Mr. Melding yn ei Brolog, o dan ddwy goron ? Nid oes dim yn yr adroddiad i awgrymu y bydd y cwestiwn hwn ar y papur pleidleisio. Ond dyma'r cwestiwn a fyddai'n ei setlo-hi, ac efallai y daw ei awr.

(*Y Faner Newydd*, Gaeaf 2009.)

18.

Ffarwel i'r Ffydd Ffederal

David Melding, *The Reformed Union : The UK as a Federation*. Llyfr digidol, i'w lawrlwytho o safle'r Sefydliad Materion Cymreig.

Dyma ni mewn blwyddyn a all fod y fwyaf tyngedfennol mewn mil o flynyddoedd i bobloedd Ynys Brydain ... ac a all beidio. Cawn weld sut yr â pethau tua'r Alban 'na ...

Un sy'n credu fod rhywbeth mawr ar droed, a bod gofyn ymbaratoi ar ei gyfer, yw David Melding AC. Yn 2009 cyhoeddodd y Sefydliad Materion Cymreig lyfr Mr Melding, *Will Britain Survive beyond 2020 ?*, ac adolygais ef yn *Y Faner Newydd*. Bellach dyma'i ddilyn gan *The Reformed Union*, a gyhoeddir gan yr un corff ond mewn ffurf ddigidol yn unig. Y dewis i ni'r darllenwyr felly yw un ai rhythu'n galed ar y sgrîn neu wario ffortiwn ar brintio'r testun. Dewisais i'r dull cyntaf, gan edmygu'r ffordd eglur y gosodwyd y gwaith allan, ond gan ofidio tipyn bach na chawn y llyfr yn fy llaw. Petai hwn yn llyfr Cymraeg, gallaf ddyfalu'n weddol hyderus faint fyddai ei werthiant. Tua chant a hanner. Dyna'r gwerthiant heddiw i unrhyw lyfr Cymraeg sy'n golygu tipyn o feddwl. A yw penderfyniad y cyhoeddwyr i beidio ag argraffu yn golygu eu bod yn credu y byddai prynwyr llyfr Saesneg hyd yn oed yn brinnach ? Neu na byddai prynwyr o gwbl ? Mae'r olaf yn gwbl bosibl. Yn 1996, ar ryw hwrdd, sgrifennais lyfryn Saesneg ar bwnc tebyg iawn i bwnc Mr. Melding, ac adroddodd y cyhoeddwyr wrthyf na werthwyd

UNRHYW gopïau. Mi welais UN copi ail-law wedyn, ond prin yr oedd hi'n werth imi wario ar stamp i hawlio fy mreindal. Dyna'r sefyllfa, a rhaid yw ei derbyn. Mae'r gynulleidfa Gymraeg i unrhyw beth dadansoddol, syniadol yn fechan, fechan fach. Nid oes cynulleidfa Saesneg yng Nghymru. Trist, a datblygiadau mor dyngedfennol o'n blaenau ? Dyna fo.

Yn ei lyfr blaenorol ysgrifennai Mr. Melding fel Ceidwadwr o Gymro, cwbl barod i'w alw ei hun yn genedlaetholwr Cymreig, ond yn credu hefyd fod gwerth ym Mhrydain Fawr fel undeb, yn credu ei bod yn bryd meddwl am gamau i'w diogelu, ac yn credu mai ei thrawsffurfio o fod yn wladwriaeth unedol (neu 'ymgorfforol') i fod yn wladwriaeth ffederal oedd yr ateb. Rhyngom a hynny daeth etholiad Senedd yr Alban, Mai 2011, gyda'r Blaid Genedlaethol yn ysgubo i rym gyda mwyafrif dros bawb. Rhoddodd hyn daerni newydd i ddadl Mr Melding, a chydag ychydig fisoedd mewn llaw, mae ei lyfr diweddar yn apêl ben-set ar i unoliaethwyr gydio yn y posibilrwydd ffederal cyn ei bod yn rhy hwyr. Do, fe fu'r Blaid Genedlaethol yn drech na system a gynlluniwyd yn arbennig i'w rhwystro rhag byth gael mwyafrif clir. Camp arbennig iawn, ryfeddol yn wir. Ac eto nid rhywbeth a oedd yn groes i holl ddeddfau natur. 'Pwy feddyliai yn 1999 y byddai hyn yn bosibl ?' gofyn Mr Melding. Ateb : yr SNP.

Mewn atgof ...

Gan y gall blog droi'n fath o gyffesgell, mi ddygaf fy nghyffes yma. Fe sylwyd gan ambell un fod Mr. Melding a minnau wedi bod yn dweud pethau eithaf tebyg. Gwir mae'n siŵr, er ein bod yn cychwyn o fannau gwahanol. Dywedaf dipyn bach o'r hanes, gan addo peidio'ch cadw'n hir. Yn y flwyddyn 1965 dois i wybod am lyfr Moray McLaren, *If Freedom Fail : Bannockburn, Flodden, the Union.* Hyd heddiw mae'n dal yn un o'r llyfrau gorau ar gefndir hanesyddol cenedlaetholdeb yr Alban. Flwyddyn cyn i Gwynfor Evans gychwyn y broses a fydd yn arwain at beth bynnag a ddigwydd y mis Medi hwn, sgrifennai McLaren fel cenedlaetholwr a gredai fod angen taer am ffurf ar ymreolaeth i'r Alban, ac a ragwelai, ar sail ei ddarlleniad ef o hanes, mai rhyw fath o drefniant ffederal fyddai'r ateb. Arwr ei ymdriniaeth oedd y Tori Andrew Fletcher o Saltoun, a ymgyrchodd yn daer dros undeb ffederal yn hytrach na'r undeb ymgorfforol a ddaeth i fod yn 1707 – 'uno dwy senedd' ond un o'r ddwy'n diflannu ! Ac yn wir mae Fletcher yn arwr gan Mr. Melding hefyd. Yr un flwyddyn, 1965, darllenais her Alwyn D. Rees ar ddiwedd ysgrif yn *Barn* : 'Y Cymro, adnebydd dy Brydeindod'. Ymatebodd yr Athro J. R. Jones yn ei ffordd ei hun i'r un her, a daeth ei ddadansoddiad disglair yn ddylanwad mawr ar garfan o'r mudiad cenedlaethol. Gan dderbyn llawer o oleuni ac ysbrydoliaeth o waith J.R.J., deliais i ar drywydd dipyn yn wahanol, a diau un mwy ymylol – neu gwbl ymylol ! – ym marn y rhan fwyaf o genedlaetholwyr. Daliwyd fy mryd fwy a mwy gan y drychfeddwl o Ynys Brydain dros ganrifoedd yn llenyddiaeth y Cymry, gafael y Cymro ar yr Ynys (ddychmygol efallai – gwlad y galon yn fwy nag unrhyw realiti daearyddol), a'i amharodrwydd i'w gollwng hi'n derfynol i'r Saeson. Nid oedd modd gwadu effeithiau negyddol y syniadaeth hon, syniadaeth fythaidd yn wir, – ond tybed, tybed nad oedd modd ei throi hi'n rhywbeth cadarnhaol er gwaethaf popeth ? Ymreolaeth a fyddai'n golygu mwy, nid llai, o lais i'r Cymro – fel i'r Sgotyn – o fewn y Deyrnas ? Cydraddoldeb *mewn egwyddor* rhwng Lloegr, Cymru a'r Alban ? Dyna'r ffordd, roeddwn yn rhagdybio, i Gymru gael rhai pwerau. Ac o fewn y rhagdyb honno yr oedd un arall, y byddid yn defnyddio'r pwerau i adeiladu, i atgyfnerthu sefydliadau Cymru yn cynnwys y prif sefydliad, y Gymraeg. 'Rhagdybiau naïf' meddech efallai, a gallech ddyfynnu llawer o brofiad y pymtheng mlynedd diwethaf o'ch plaid.

Daliaf i gredu hyn, a chaiff pawb anghytuno: *petai ffederaliaeth y dewis ger bron ym 1979, a phe bai ymgyrch wedi ei threfnu'n iawn o'i blaid, byddai IE wedi ennill yn yr Alban ac yng Nghymru, hyd yn oed y tro hwnnw.* Dyfalaf ymhellach : petai rhywbeth fel hyn yn ddewis o flaen yr Albanwyr y mis Medi nesaf hwn, byddai hi'n IE drwy fwyafrif mawr.

Nid dyna'r dewis

Ond nid dyna'r dewis. Gofynnir i'r Albanwyr ddweud IE neu NA wrth ateb arall, yr unig ateb y mae'r Blaid Genedlaethol, ar sail ei dealltwriaeth hi o'r angen, ac ar sail ei thraddodiad a'i hargyhoeddiad cyson, yn dymuno i'w hetholwyr ei ystyried. Annibyniaeth yw hwnnw. 'Mynydd i'w ddringo' medd sylwebyddion. Diamau, ond mynydd sydd yn dechrau edrych yn llai y dyddiau hyn. At ryw fath o ffederaliaeth buasai'n ddringfa haws, esmwyth hyd yn oed. Ond amlwg fod y cenedlaetholwyr yn bendant eu meddyliau nad y gwir drysor a fyddai'n eu disgwyl ar ddiwedd y ddringfa honno. Dyma felly 'fynd amdani' heb afradu mwy o amser, a chyn ei bod yn rhy hwyr.

Wrth ddweud 'y gwir drysor' rydym yn golygu dau beth. Yn gyntaf, gafael ar gyfoeth olew'r Alban, i'w fuddsoddi dros dymor hir mewn cronfeydd er budd bywyd yr Alban yn lle'i fod yn cael ei daflu ymaith gan lywodraethau Prydain ar ryfeloedd a phob math o afradlonedd arall. Yn ail, anfon Trident i ffwrdd o aber Afon Clud.

Mae'r mater olaf yn poeni Mr. Melding. Yma mae ef a

minnau'n gwahanu'n llwybrau, wedi bod yn cyd-deithio cryn dipyn, a'r gwahanu hwn yn amlygu'r gwahaniaeth yn ein mannau cychwyn. Wrth ymwrthod â Trident, barna Mr. Melding, mae llywodraeth yr Alban yn 'ymyrraeth', yn 'tresmasu' ('encroach' yw ei air) â 'mater gwladwriaethol'. Yr ensyniad yw na all 'amddiffyn' fod yn fusnes ond i lywodraeth Brydeinig ganolog, – neu, a rhoi'r peth yn amrwd, i'r Sais. Cychwyn y cenedlaetholwr Albanaidd, a Chymreig hefyd, o fan tra gwahanol, gan ystyried fod 'amddiffyn' yn 'fater i ni'n hunain' (*own affair*) yn anad yr un, a chan goleddu hefyd syniad pur wahanol i syniad y wladwriaeth Brydeinig am beth yw ystyr 'amddiffyn'. Peth diweddar iawn yn hanes y wladwriaeth honno yw 'Gweinyddiaeth Amddiffyn' (Ministry of Defence). Tyfodd wedi'r Ail Ryfel Byd fel atodiad i'r Weinyddiaeth Ryfel (War Ministry), gan fenthyca'r enw oddi ar 'Bwyllor Amddiffyn yr Ymerodraeth' (The Committee for Imperial Defence). Nid amddiffyn y boblogaeth oedd diben y pwyllgor hwnnw, ac ni bu hynny erioed yn flaenoriaeth yn ystod rhyfeloedd Prydain Fawr. Amddiffyn yr Ymerodraeth oedd y peth, a dyna ydyw o hyd mewn egwyddor. Yr unig Ymerodraeth sydd ar ôl bellach yw'r un gartref honno y mae Deddf Uno 1536 yn sôn amdani ('This Realm is an Empire'), ond amddiffyn honno yw pwrpas Trident. Dyna pam y mae anfon Trident i ffwrdd yn beth canolog i genedlaetholdeb yr Alban, a dyna pam mai cenedlaetholdeb yr Alban yw'r unig rym a all gyflawni tasg y mae'r Chwith Brydeinig ragrithiol wedi gwrthod ei hwynebu dro ar ôl tro ar ôl tro.

(Yn wir, fwy nag unwaith yn ei ymdriniaeth, fe nododd Mr. Melding ffaith drawiadol, sef na bu i'r un wladwriaeth yn Ewrop, drwy ymuno yn yr Ail Ryfel Byd, amddiffyn yn llwyddiannus ei phoblogaeth ei hun. Gwir yw hynny, a gellir dal mai'r unig wladwriaethau a allodd amddiffyn eu poblogaethau yn amgylchiadau'r dydd oedd y rhai niwtral – Sweden, Y Swistir, Iwerddon. Ond fe arwain hynny wrth gwrs at y ddadl ynghylch moesoldeb niwtraliaeth yn yr un amgylchiadau. Ac estyn y ddadl i dir theoretig – ac wn i ddim a gytunai Mr. Melding â'r dadansoddiad hwn – gellir dal mai dwy nodwedd ddiffiniol dau ryfel byd yr ugeinfed ganrif oedd: (a) pobloedd yn ymosod ar bobloedd, mewn 'rhyfel cyflawn' (*total war* fel y dywed yr haneswyr), a (b) gwladwriaethau'n ymosod ar eu pobloedd eu hunain. (Gweler fy llyfr *Camu'n Ôl a Storïau Eraill*, tt. 366-7.)

Dau nod

Rhown hi fel hyn. Ac wrth inni ei rhoi fel hyn, mae'n debyg na all Mr Melding a Cheidwadwyr eraill o Gymry gytuno â ni heddiw; ond barnaf fod rhai ohonynt yn bobl ddigon deallus i ddod i gytuno ymhen amser. Crafwch y gwir genedlaetholwr Cymreig, heddiw fel ym 1925, ac fe gewch fod ganddo ddau obaith, dau nod. Addysg, Iechyd, Ffyrdd, Tai, Amaeth, Diwydiant, Swyddi, Ynni – i gyd gyda ni ac yn gofyn sylw bob amser. Ond y ddau ddiddordeb, y ddau bwrpas sylfaenol? (1) Diogelu'r Gymraeg ('Diogelu'r Cymro' fel y dywedai llyfr Simon Brooks a Richard Glyn). (2) Torri crib balchder milwrol Lloegr. Daeth sylfaenwyr cenedlaetholdeb modern Cymreig allan o'r Rhyfel Mawr. Fe losgasant Ysgol Fomio. (Am yr un rheswm mae cadw Trident, ac yn wir ei gwahodd i angori yng Nghymru, yn rhan o feddylfryd Prydeiniwr 'banál'. Bu tipyn o sôn, yn sgil sylwadau Simon Brooks a Richard Glyn am 'Banal Nationalism', teitl llyfr gan Michael Billig, a thebyg y bydd hwnnw'n beth y cawn lawer ohono dros y pedair blynedd nesaf.)

Maint y newid

Am dair canrif fe ymrithiodd Lloegr fel 'Prydain' i wynebu'r byd ac i geisio'i reoli. Fel 'Prydain' fe adeiladodd ymerodraeth – un fyr iawn ei pharhad, prin drigain mlynedd fel y dywed Mr. Melding, ond un y taflodd y Cymry eu hiaith ymaith er mwyn y fraint o gael perthyn iddi ! Heb yr Alban, ni bydd Teyrnas Gyfunol, ni bydd Prydain Fawr ond fel ymadrodd daearyddol, ni bydd Jac yr Undeb ond fel rhyw eitem o wisg ffansi. Byddai'r newid yn aruthrol, ac nid yw pobl Lloegr na Chymru eto'n deall hynny. A beth am unoliaethwyr Gogledd Iwerddon ? Ble bydd y Brydain y bloeddiodd y rhain eu teyrngarwch iddi dros genedlaethau ? I ble'r ân' nhw ? Pwy fydd biau Gibraltar ? A'r Malvinas ? Ai Lloegr ynteu Prydain a gymerodd feddiant ar y rheini ? A fydd 'Cymanwlad Brydeinig' ? A fydd BBC ? A fydd BBBC (Bwrdd Rheoli Bocsio Prydain) ? Rwy'n meddwl y bydd, oherwydd rydym 'ni Brydeinwyr' (defnydd R.T. Jenkins o'r gair, nid defnydd J.R. Jones) yn rhai da am fyw gydag anghysonderau er mwyn osgoi trafferth ; mae hynny'n gryfder ynom. Ond y cwestiwn mwyaf oll : pan na fydd Prydain i feddiannu Trident, a fydd Lloegr yn ei gadw yn eiddo iddi ei hun ? Hebddo, a all hi dorsythu mwy ar lwyfan y byd ? A fyddai hi'n dymuno hynny ? Ynteu a fyddai hi'n derbyn fod y gêm – gêm mil o flynyddoedd – ar ben ?

Ambell gwestiwn

Tra bydd Lloegr yn gofyn y cwestiwn hwnnw iddi ei hun, cystal ein bod ninnau Gymry yn gofyn ambell gwestiwn. A'r posibilrwydd wedi dod mor agos y gall y peth ddigwydd – yn ddigon agos, o leiaf, i ddychryn rhai sy'n ofni iddo ddigwydd

– nid yw ond iawn i ni ofyn, unwaith eto, ar gydwybod, pam y byddem yn dymuno'i weld yn digwydd. A all ein cymhelliad fod yn un o'r rhain, er enghraifft? Sbeit at Bobol Drws Nesa (sef, bob amser, wrth gwrs, 'y rhai odia'n y byd' fel y canodd Mynyddog)? Eiddigedd methiant wrth lwyddiant? Tro sâl gwas â'i feistr – fel yn *Othello*, *Cysgod y Cryman* ac *A Man for All Seasons*?

Ac ystyriwn hyn. Mae'r pwerau mawr i gyd yn ddrwg. O ran hynny gall pwerau bychain fod yn gythreulig o ddrwg o fewn eu cylchoedd eu hunain, fel y gwelwyd yn chwalfa Iwgoslafia. Heb ei masg 'Prydain', byddai'n anodd i Loegr gadw ei lle ar Gyngor Diogelwch y Cenhedloedd Unedig. Ar yr un trawiad fe gollai UDA ei chymar – 'partner' i rai, 'pwdl' i eraill – yr ochr hon i Iwerydd. Beth fyddai'r canlyniadau i'r byd? Cwestiwn mawr iawn.

Gadawaf y cwestiynau gyda'r darllenwyr, ond gall y rheini efallai ddyfalu beth fyddai ateb yr hen Glyn Adda. Mi ddywedaf hefyd pa beth, uwchlaw popeth arall, sy'n fy nhueddu at yr ateb hwnnw. Mae'n hen bryd inni gael tipyn o HWYL. Hwyl yw'r peth nad ydym wedi ei gael yng Nghymru oddi ar ddatganoli. Mae meddylfryd Llafur mor banál, – a defnyddio'r gair hwnnw eto. Ac mae Plaid Cymru mor llac ei gafael ar bob dim. A dyfynnu'r drysorfa honno o ddoethineb, *Storïau'r Henllys Fawr*, 'Mae'r hen le 'ma wedi mynd cyn fflatied â haearn smwddio'. Byddai IE gan yr Albanwyr y mis Medi hwn yn ANDROS O HWYL.

Os mai NA ...

Os 'NA', rhagwelaf y funud hon na ddaw dim byd o'r 'fargen ffederal' y mae Mr Melding – gydag ewyllys da, pwysleisiaf eto – yn sôn amdani, sef rhyw wobr i'r Alban am aros o fewn yr Undeb. Pa wobr? Am beth y gallai'r Alban fargeinio? Mae ganddi eisoes: ei thafodiaith gref (er cwbl ddi-statws, yn rhyfedd braidd o gofio mai hi yw ail iaith Prydain o ran cryfder), ac iaith arall y mae'n rhydd iddi wneud mwy ohoni os yw'n dewis; ei llenyddiaeth genedlaethol gyfoethog; ei heglwys sefydledig; ei chyfundrefn gyfraith; ei chyfundrefn addysg; ei dinasoedd hanesyddol; y chwisgi, yr uwd, y grug, yr ysgall, Noson Burns, Campau'r Ucheldiroedd, Anghenfil Loch Ness, y pibau, y cilt, y *sporran*, y *skian dubh*, – llawer o bethau nad oes gan y Sais unrhyw wrthwynebiad iddynt, yn wir y mae'n ddigon hoff ohonynt ac yn falch o gael eu benthyg o ran hwyl weithiau (yn wahanol iawn i'w agwedd at rai o bethau'r Cymry, sy'n gallu ei anesmwytho'n fawr). Beth mwy y gall yr Albanwr ei ofyn? Down yn ôl at yr un ddau ateb. Gafael gadarn ar gyfoeth yr olew. A bod heb Trident. Hynny nis caiff o fewn yr Undeb.

Os mai IE ...

Os bydd i'r Albanwyr, rhwng heddiw a mis Medi, weld rhesymeg hyn, nid ein lle ni Gymry yw gweiddi, 'Ara' deg! Daliwch arni nes byddwn ni'n barod!', ac embaras yw gweld Prif Weinidog Cymru'n trio cymell y Sgotyn i gymryd y Ffordd Isaf yn lle'r Ffordd Uchaf. Er gwell neu er gwaeth, mae'r Alban wedi symud i gêr uwch. Saeth a ollynger, ni ellir ei galw'n ôl. *Alea iacta est*. Ac yn y fath amgylchiadau cystal bod yr hen G.A., beth bynnag am Mr. Melding, yn rhoi ffarwel i'r ffydd ffederal.

Os IE gawn ni, a'r Alban yn mynd, mae dyn yn ceisio dychmygu sut le fydd ar ôl. Bydd gweddill o wladwriaeth unedol, ond datganoledig i fesur, yr awgryma Mr. Melding enwau digrif arni – 'Prydain Fechan', neu 'Lloegr Fwy'. Byddai'n briodol ei galw'n 'Lloegr a Gogledd Iwerddon'. Ni fyddai raid cynnwys

'Cymru' yn y teitl, oherwydd heb ddiddymu Deddf Uno 1536 fe erys Tywysogaeth Cymru'n 'dragwyddol gorfforedig', chwedl y ddeddf honno, yn 'hon, ein teyrnas Loegr'. Pryd y dechreuai'r Cymry ymdeimlo â'u safle eithafol ddarostyngedig, a chychwyn ar yr ymdaith a ragwelodd Harri Webb 'wysg eu cefnau tuag at annibyniaeth'? Yn fuan? Yn hwyr? Byth? Yr wyf am fentro dyfaliad heddiw: yn fuan. Ond bydd troi'r ymdeimlad yn sylwedd yn gofyn math o arweiniad nad yw yma ar hyn o bryd.

Cwestiwn arall, cyn bwysiced â'r un. Sut Loegr fyddai hi o fewn yr undeb cloff, clwyfedig hwn? Gall fod rhai Ceidwadwyr – dof ar eu traws fel darllenwr, achlysurol bellach, ar y *Daily Telegraph* – yn ymgysuro wrth feddwl y ceid wedyn Loegr gwbl Geidwadol. I eraill ohonom, efallai mai achos arswydo yw meddwl am Loegr honco Dorïaidd gyda Boris yn Brif Weinidog a'i holl bolisïau yn rhai i blesio'r *Telegraph* a'r *Daily Mail*. Wrth geisio rhagweld eto, nid wyf mor sicr mai i hynny y dôi hi. Heb yr arf niwclear, y 'rôl fyd-eang', yr hiraeth am rwysg ymerodrol, nid yr hyn a adwaenwn ni fel 'Torïaeth' fyddai'r ochr Geidwadol mwyach. (Ac yn hanesyddol, creadigaeth y Chwigiaid, o dipyn i beth yn ystod y ddeunawfed ganrif, fu'r rhan fwyaf o'r nodweddion a gysylltwn â Siôn Ben Tarw – y pethau sydd, i lygaid rhai ohonom o leiaf, yn annymunol ac yn chwerthinllyd.) Fe welai rhywrai hefyd, siawns gen i, y byddai angen ailgyflunio mawr ar y Chwith, ac na byddai llaw farw'r Blaid Lafur yn ddigonol yn yr amgylchiadau. Eled yr Alban ymlaen, a gwneud y weithred. Fe all Lloegr wedyn anghofio 'Rule Britannia' (gan na bydd Britannia, yn ystyr y gân honno, – gwaith Sgotyn wrth gwrs). Fe all gadw 'Land of Hope and Glory' yn unig fel tipyn o hwyl ar Noson Olaf y Proms. Ac fe all ddechrau anturio ymlaen yn ysbryd tra gwahanol anthem aruthrol Blake – a ddylai ddod yn anthem genedlaethol iddi. Rwy'n meddwl fod gan y Sais yr adnoddau, a'r synnwyr, i wneud hyn.

Dewis arall ?

A'r wladwriaeth unedol wedi mynd, a'r ffederasiwn heb ei hadeiladu, rhydd Mr. Melding beth ystyriaeth i'r dewis arall, conffederasiwn neu gyd-ffederasiwn. Ystyr hynny yw undeb llac, gwirfoddol i hyrwyddo buddiannau cyffredin. Ffederasiwn yw Eglwys Bresbyteradd Cymru, 'Yr Hen Gorff'; conffederasiwn yw Undeb yr Annibynwyr. Tuag at ddiwedd ei ymdriniaeth mae Mr. Melding i'w weld yn rhyw gynhesu at hwn fel rhywbeth tipyn gwell na dim. Gwêl hefyd y cenedlaetholwyr yn ochri tuag ato, hynny'n awgrymu rhyw newid o 'genedlaetholdeb' i 'neo-genedlaetholdeb'. Mewn ateb i hyn dywedaf – ac rwy'n bur sicr o'm pethau – nad oes dim byd *neo-* ynddo. Dyma beth yr oedd Gwynfor Evans yn ei drafod ac yn ei gymeradwyo'n aml yn y 1950-60au.

Rydym yn ddyledus i Mr. Melding am drafodaeth olau unwaith eto.

(Blog Glyn Adda, 24 Ionawr 2014.)

19.

Tafodiaith, Bratiaith a Slang

Dan y pennawd 'Beirniadu bratiaith yn gwneud niwed' adroddodd *Golwg* am ddarlith gan yr Athro David Crystal yng Ngŵyl y Gelli eleni. Trawyd fi gan un frawddeg yn arbennig :

> 'Mi fydd y boi ar *Pobol y Cwm* yn dechrau dweud 'blogio' er enghraifft, ac osgoi defnyddio ryw ymadrodd y mae ryw bwyllgor wedi'i greu, na fydd yn golygu dim i neb.'

'Blog, blogio, blogiwr, blogwraig' a ddywedaf innau oddi ar pan ddaeth y cyfryw bethau i fod ; dyna a ddywed nid yn unig y boi ar *Pobl y Cwm* ond pawb ohonom, a dyna a ddywedwn bellach hyd ddiwedd amser. Hyd y gwn i, nid oes neb wedi meddwl am unrhyw beth gwahanol. Beth yw'r ymadrodd arall y mae rhyw bwyllgor wedi ei greu ? A pha bwyllgor oedd hwnnw ? Creadigacthau byd ffantasi yw'r 'ymadrodd' a'r 'pwyllgor' yn y frawddeg hon. Creu bwgan o'r pedant Cymraeg, neu'r gor-gywirwr iaith, sydd yma, i gyd-fynd â rhyw ddogma ffasiynol, arwynebol.

Yn ystod blynyddoedd o ddarlithio ar gystrawen y Gymraeg, ac o geisio cyflwyno yn sgil hynny ychydig o egwyddorion ieithyddiaeth a'r ddealltwriaeth fodern o iaith, bu imi elwa ar lyfrau'r Athro David Crystal, *What is Linguistics ?* (1968), *Lingustics* (1971) ac eraill, a gobeithio imi lwyddo i gyfleu rhai o'u gwersi i'm myfyrwyr. Nid oes dim cyflwyniadau gwell i'r cwestiynau y mae ieithyddiaeth fodern yn eu gosod, ac i'r modd y mae hi'n gwahaniaethu oddi wrth ieitheg draddodiadol. Ond bob tro y gwelaf yr Athro Crystal yn troi ei sylw at y Gymraeg, ei sefyllfa a'i phroblemau heddiw, mae'n ymddangos i mi ei fod yn cefnu yn y fan, nid yn unig ar ddoethineb yr ieithyddwr, ond ar bob synnwyr cyffredin hefyd.

Trawodd hyn fi gyntaf wrth wrando darlith ganddo i Urdd y Graddedigion ym Mangor rai blynyddoedd yn ôl, ar ennill a cholli iaith yn ein byd heddiw, testun llyfr ganddo. Ar ôl rhoi amrywiaeth difyr o enghreifftiau, rhai yn frawychus a rhai yn galonogol, trodd at achos diweddar yng Nghymru. Yr oedd un o'r grwpiau roc Saesneg o Gymru (Manic Street Preachers, os cofiaf yn iawn) wedi lansio albwm newydd â slogan Gymraeg. Iawn. Ardderchog. Yn anffodus yr oedd y slogan yn hollol annealladwy! Tynnodd rhywrai sylw at hyn; ac yn ôl David Crystal dyna'r drwg mawr a wnaed. Dyna ddadwneud holl effeithiau da cyhoeddi'r albwm hwnnw. Ystyr hyn, a'i dilyn hi i'r pen, yw nad oes gan y defnyddwyr Cymraeg hawl i ddisgwyl na safon na synnwyr. Eu lle nhw yw bod yn dawel, a chnoi'n ddiolchgar unrhyw friwsion a deflir i'w cyfeiriad.

Yr un yw rhesymeg y ddarlith ddiweddar, a barnu o leiaf wrth grynodeb *Golwg*. Yr holl ddrwg sydd yng Nghymru heddiw, 'beirniadu bratiaith' yw ei achos. Dyma sy'n mynd i beryglu'r 'holl bethau y mae'r Gymraeg wedi eu hennill ers hanner canrif, gyda ffigurau'r Cyfrifiad yn codi a chodi'. Am y cymal olaf ni wnaf unrhyw sylw, ond dyma ambell awgrym arall.

Yn gyntaf, prin ei bod yn werth ailadrodd bellach yr hen ystrydeb, bod yn rhaid i iaith newid er mwyn goroesi. Mae pawb call yn gwybod hyn. Ond mewn amodau arbennig, tebyg iawn i'r amodau sydd yng Nghymru heddiw, fe all iaith newid, dan bwysau iaith arall, yn y fath fodd nes dadfeilio'n llwyr. Siawns gen i na allai'r Athro Crystal gytuno â hyn.

Yn ail, mae bratiaith yn rhan o bob iaith, ac mae iddi ei defnydd. Mewn llenyddiaeth, er enghraifft, gellir ei defnyddio i greu digrifwch drwy dynnu sylw ati ei hun, fel y gwna Daniel Owen, Charles Dickens a Goronwy Jones y Dyn Dŵad. Fe ŵyr y Sais yn union pryd, ac ar ba achlysuron, i'w defnyddio. Fe ŵyr y Cymro call hefyd.

Yn drydydd, mae yma wahaniaeth cenhedlaeth, oes. Oherwydd y pwysau sydd ar y Gymraeg (fel ar bob iaith yn y byd ond y Saesneg), oherwydd ein sefyllfa wleidyddol-ddiwylliannol, oherwydd aeddfedu o rai tueddiadau sydd ar waith ers cenedlaethau yn dilyn camgymeriadau'r gorffennol, mae i'w ddisgwyl bod gafael y to iau ar y Gymraeg yn llai sicr. Ac yn gyffredinol, felly y mae, er bod eithriadau. Er hyn i gyd, darlun camarweiniol o'r sefyllfa, cartŵn gwael, yw hwnnw lle mae'r ifanc blaengar, goleuedig i gyd ar un ochr (ac yn byw 'yn yr unfed ganrif ar hugain'), ac ar yr ochr arall ryw hynafgwyr blin, gorfanwl yn sgyrnygu ac ysgwyd eu dyrnau. Yn y bôn, nid rhwng ifanc a hen y mae'r gwrthdaro hwn, ond rhwng yr ynfyd a'r call. Rhwng yr anwybodus, hunandybus ar y naill law, ac ar y llaw arall y 'Cymro dirodres' hwnnw y soniodd Syr John Morris-Jones amdano.

Yn ddiweddar mi fûm yn darllen, dethol a golygu llawer ar gyfer y gyfrol *Beirniadaeth John Morris-Jones* yng nghyfres 'Cyfrolau Cenedl'. Caf achos i werthfawrogi o'r newydd geidwadaeth oleuedig rhai o ysgrifau cynnar Morris-Jones ar bynciau iaith, lle roedd yn dechrau dadwneud gwaith y bobl hynny, y trychinebus William Owen-Pughe yn bennaf ohonynt, a oedd wedi *ymyrryd* â'r Gymraeg yn ystod y bedwaredd ganrif ar bymtheg gan *feddwl eu bod yn gwybod yn well.* Caf achos hefyd i ofidio peth fod Syr John, fel beirniad barddoniaeth, wedi caledu yn ei agwedd ar rai pethau ac wedi mynd weithiau'n bedantig ; ac ni allaf feddwl am esboniad heblaw syniad arbennig am urddas yr awdl, ac efallai gyfaredd arddull Goronwy Owen. Fe dâl inni astudio eto ei ysgrif awdurdodol ar y Gymraeg yn ail argraffiad y *Gwyddoniadur* (1891), a'i ysgrif 'Cymraeg Rhydychen' yn *Y Geninen* (1890). Gwyddai John Morris-Jones yn iawn, a gwyddai ei gyfoeswr Emrys ap Iwan, y gwirioneddau hyn : mai peth sy'n esblygu yw iaith ; mai llafar sy'n dod gyntaf, gyda llên yn ceisio adlewyrchu hwnnw ; ac mai arferiad y siaradwr dirodres sy'n gosod safon iaith. Yr ydym ninnau'n gwybod ac yn deall hyn, pawb sydd wedi elwa ar arweiniad y ddau ddysgawdwr mawr dros ganrif a mwy.

Peidied David Crystal â siarad fel pe na bai rhai fel ni yn gwybod hyn. Yn wir, efallai, os nad yw wedi ei darllen, y câi ef ychydig oleuni o'm hen ddarlith fach i, *John Morris-Jones a'r Cymro Dirodres* (1997). Câi fwy o oleuni o ddarlith bwysig iawn Rhisiart Hincks ar *Yr Iaith Lenyddol fel Bwch Dihangol* (2000), sy'n dangos yn gliriach na dim erioed y cyd-destun gwleidyddol sydd i'r cyfan. Mae Rhisiart Hincks i'w ganmol yn fawr am y pethau a ddywedodd, a byddai'n dda gweld aelodau eraill o Adrannau Cymraeg y colegau yn cyrraedd yn awr ac yn y man am ordd neu bastwn i roi swaden go galed i'r ffiloreg sy'n cael ei phedlera drwy'r Adrannau Ieithyddiaeth y dyddiau hyn.

Hanfodol yw bod y wasg Gymraeg yn adrodd am yr hyn a ddywedir ac a feddylir, o bob safbwynt, yng Nghymru a'r tu hwnt heddiw. Ond cymerer gofal rhag ailadrodd ffwlbri heb wên ar wyneb, a'i borthi wedyn fel y gwnaeth *Golwg* yn ei ysgrif olygyddol (yr un dyddiad), 'Dangos parch at ieuenctid'. Nid oes a wnelo affliw o ddim â 'pharch at ieuenctid'; mae a wnelo bopeth â pharch at synnwyr, eglurder ac at briod deithi ein hiaith.

§

Mewn llythyr yn *Golwg* cydiodd y Prifardd Robat Powell yn rhai o'r pynciau uchod. Croesawaf yn fawr ei sylwadau. Mae'n hollol gywir nad yr un peth yw bratiaith a slang, er bod geiriaduron – gan gynnwys, mae arnaf ofn, *Geiriadur yr Academi* – yn tueddu i'w trin felly. Beth yw'r gair Cymraeg am *slang*? Slang, mae'n debyg.

Peth arall eto yw tafodiaith. Siarad ei dafodiaith y mae Thomas Bartley, er enghraifft. Mae ei hoff ymadrodd, 'twbi shŵar' wedi 'gwneud ei wely' yn y dafodiaith, fel mai prin y mae Thomas yn ymwybodol ohono fel Saesneg. Nid yw'n ceisio bod yn glyfar wrth ei arfer. Gwahanol yw defnydd Wil Bryan o 'yr hen *chum*', '*humbug*', '*true to nature*' a llawer o bethau cyffelyb. Mae Wil yn meddwl ei fod yn ffraeth a blaengar wrth daflu'r rhain i mewn – a phwy ohonom, y rhai y mae gennym ddwy iaith, sydd heb wneud peth tebyg ar dro? Ond daw hyn yn fath o obsesiwn gyda Wil, ac mae fel petai'n cymysgu mwy ar y ddwy wrth iddo fynd yn hŷn, cymaint nes ymylu, o leiaf, ar fratiaith, er bod ei gystrawennau'n gywir a dealladwy yn y naill iaith a'r llall.

Y gwir siaradwr bratiaith yn llyfrau Daniel Owen yw Mr. Brown y Person. Cymeriad hynaws yw Mr. Brown, fel y myn Saunders Lewis ein hatgoffa ('llawer llai o'r hyn a eilw'r Saeson yn *prig* nag ydyw Bob Lewis a Wil Bryan'); ond nid yn ieithyddol y mae ei gryfder. Mae'n gamdreiglwr cyson ac mae ei gystrawennau'n blentynnaidd. 'Cymraeg Person Drama' sydd ganddo, perthynas agos i 'Gymraeg Cipar Drama' ar yr hen lwyfannau. Cyfiawnhad hyn, yn llenyddol, yw creu digrifwch. Mae consenswS yn y Dreflan i roi pardwn ffŵl i rywun fel Mr. Brown; wedi gwneud hynny gellir dehongli ei feddwl. Tebyg, ond eto gwahanol, yw iaith Sam Weller a chymeriadau eraill gan Charles Dickens. Nid trwy golli iaith (neu esgus ei cholli, neu hanner ci dysgu) y daw'r rhain yn gymeriadau cartŵn, ond trwy gofnod manwl o ynganiadau lleol, sy'n cyferbynnu'n amlwg â'r iaith safonol y mae gan y Sais barch digwestiwn ati.

Mae Wil Bryan hefyd yn defnyddio slang, neu – yn fwy manwl – yn ei ddyfeisio. *Dyfais* yw slang; mae ynddi elfen drosiadol, greadigol yn ei chychwyniad. '*Waterworks*' yw gair Wil am 'ddagrau', ac mae unrhyw un o natur ddagreuol yn mynd yn 'hen *waterworks*' ganddo yn y fan. Drwy hyn mae Wil yn ei ddiffinio'i hun fel aelod o grŵp, sef hogiau clyfar, bydol-ddoeth yr oes.

Yn awr, a dod at un o bwyntiau Robat Powell, ai slang yw termau fel 'niwc' a 'sgrîn' yn iaith y Cofi ? Dyna oeddynt, mae'n debyg, yn eu cychwyniad, sef mewn rhyw fath o Sacsneg. Ond yn fuan wedi eu dyfodiad i Gaernarfon fe aethant yn rhannau safonol o'r dafodiaith; 'niwc' oedd y gair am 'niwc'. Ond eto pan yw rhywun o ardal arall, neu o'r tu allan i gyrrau'r dref, yn eu defnyddio, fe ânt yn ôl yn slang. Yr oeddem ni, plant pentref o fewn chwe milltir i Gaernarfon, yn meddwl ein bod yn glyfar ers talwm wrth ddweud 'dwy niwc'; nid oedd y gwir Gofi'n meddwl amdani felly.

Rhoddodd Robat Powell ei fys ar ddwy enghraifft briodol, a phoenus, o'r duedd tuag at fratiaith: y defnydd llac o 'dal' a'r gystrawen anfad, ddisynnwyr 'dydyn nhw heb'. Efallai fy mod yn hollti blewyn, ond gwelaf ryw radd o wahaniaeth rhwng y ddau achos. Cymerwn 'mae o dal yno', neu 'mae o yno dal'.

(A oes eraill yn cael yr un argraff â mi, mai cystrawen sy'n hoff gan ferched ifainc yw hon? Yr un adran o gymdeithas, mae'n ymddangos i mi, sy'n hoffi cloi pob gosodiad â'r gair '*so*', ac sy'n gweithio'r 'rîli rîli' yn wirioneddol galed.) Drwy hepgor yr 'yn' (neu'r ''n') o'i flaen, mae 'dal' yn colli ei rym fel berf ac yn dod i gael ei drin fel petai'n adferf. Fy nyfaliad i yw y down i ddygymod â hyn; ond mae rhai yn ddiweddar ac yn hollol iawn wedi tynnu sylw at yr amwysedd yn 'mae dynes dal yno'! Ond am 'dydyn nhw heb wneud', ni ddaw unrhyw Gymro call byth i ddygymod â hon. Yr ystyr yw 'maen nhw wedi gwneud', gyda dau negydd yn diddymu ei gilydd, fel mewn algebra. Yma mae synnwyr yn dadfeilio a'r iaith yn troi'n nonsens trwy ddiogi ac anwybodaeth. Peidied neb, gan gynnwys cyfranwyr papurau a chylchgronau Cymraeg, ag ysgrifennu 'dydyn nhw heb' byth eto! Dyma yw bratiaith.

Ie parhaed y drafodaeth, fel y dywed Robat Powell. A gobeithio y cawn ni wybod yn fuan beth oedd y pwyllgor hwnnw, a beth oedd y gair Cymraeg am 'blogio' a fathwyd gan y pwyllgor.

(Blog Glyn Adda, 8 Awst 2017.)

20.

Sgwrs i Gîcs

ESBONIAD. Cylch o bobl yw'r 'Gîcs Gramadeg' a fu'n cwrdd yng Nghanolfan Bedwyr, Prifysgol Bangor i drafod agweddau ar ramadeg a geiriaduraeth. Ar gael yn awr dan olygyddiaeth Delyth Prys mae e-gyfrol o ddarlithoedd y cylch. Gofynnwyd i mi ddweud gair ar noson lansio'r gyfrol, a dyma f'ychydig sylwadau.

Annwyl gyd-Gîcs,

Neu 'Annwyl gyd-Îcs' ddylwn i ddweud efallai. Rydw i am ddyfynnu ichi heno ychydig linellau o lyfr bychan y ces i'r pleser mawr o'i hyrwyddo drwy'r wasg yn ddiweddar, sef golygiad newydd o gerddi'r anfarwol John Evans, y Bardd Cocos. Ac – fel y bydd arweinydd cymanfa ganu yn hoffi dweud – wrth imi ddyfynnu, *meddyliwch* am y geiriau.

(1) Morgan Lloyd, yn ddi-oed,
Ddaeth o Lundain ar ei ddau droed
Bob cam.

(2) Y gath mi rydd frath :
Mae hi yn gynffonnog, gronnog,
Croeniog, ffroeniog, dihoeniog ;
Mae hi ar ei cholyn yn un rholyn,
Yn watsio, ac yn catsio llygod yn llu ;
A'r llygod yn llu a redant o'r tŷ
Pan welant hwy hi.

Mae hi yn chwilotog llygotog.
Gan chwilota o'r naill dwll i'r llall,
Ac o'r naill dwll i'r llall,
Ac o'r naill gornel i'r llall,
Ac o'r corneli i'r cwpwrdd corneli,
Ac ar ôl Neli, ac yn y môr heli
Y bydd diwedd Lowri.

(3) Fe adeiladwyd llong fawr
A'i henw hi yn Great Eastern,
O waith y seiri, yn aneiri,
Yn naddu coed, yn ddi-oed,
Cyn mynd dros ei hoed yn ddi-oed ;
O waith y boiler makers,
A rhai wedi troi yn Quakers,
O waith yr engineers,
A rhai yn gweiddi 'my dears !'

Rydw i am ofyn rŵan, wnaethoch chi sylwi ar un peth nad oedd yn y dyfyniadau yna ? Na, wnaethoch chi ddim sylwi efallai, oherwydd doedd o ddim yno. Gwell imi ateb fy nghwestiwn fy hun. Beth nas ceir yng ngherddi'r Bardd Cocos ? Ateb : gwall gramadeg. Yn un peth, roedd y Bardd Cocos yn cyfansoddi ar lafar, ac o'r herwydd yn llwyr osgoi'r iaith goeg, annilys sy'n andwyo gwaith llawer o brydyddion llythrennog ei oes. Pwy bynnag gymerodd y cerddi i lawr a pharatoi'r argraffiad gwreiddiol (? 1879) – ac mae'n dipyn o ddirgelwch pwy oedd hwnnw – clod iddo yntau hefyd am gadw'n ddilychwin iaith gywir y bardd. Ond yn ail, a hyd yn oed yn bwysicach efallai, doedd gan y Bardd Cocos mo'r adnodd angenrheidiol hwnnw ar gyfer gwneud gwall iaith, sef gwybodaeth o iaith arall. Rydym ni Gymry heddiw yn gwneud gwallau, nid am ein bod yn ddrwg, nac yn dwp, nac yn ddiog – er efallai ein bod yn bob un o'r rheina – ond o'n gwybodaeth o iaith arall, mewn sefyllfa lle mae'r iaith honno'n drech am resymau gwleidyddol a diwylliannol. Oedd, roedd gan y Bardd Gymreigiadau fel 'watsio' a 'catsio', ac roedd yn medru odli *Quakers* a *boiler-makers*, *engineers* a *my dears*; ond doedd asid y Saesneg ddim wedi bwyta i mewn i gystrawennau ei Gymraeg.

Pob gwall mewn Cymraeg heddiw, mae'n tarddu o fedru Saesneg mewn sefyllfa ddwyieithog anghyfartal, ansefydlog. Ac fe ddigwydd mewn un o ddwy ffordd. Yn gyntaf, dilyn cystrawen y Saesneg hyd at fethu cyfleu ystyr. Ac yn ail, gyda'r un canlyniad, methu â thrin un o adnoddau'r Gymraeg am nad yw'r adnodd honno i'w chael yn y Saesneg. Cofiwch, nid am ffurfiol ac anffurfiol, safonol ac ansafonol, uwch ac is yr ydym yn sôn; mae'r amrywiadau hynny i'w cael oddi fewn i bob iaith, wrth reswm. Rydym yn sôn am gamgyfleu meddwl. Enghraifft? 'Dydw i heb molchi' lle golygir 'rydw i heb molchi' neu 'dydw i ddim wedi molchi'. 'Y dyn a brynodd car', lle golygir 'y dyn a brynodd gar'. A'r peth rhyfedd ac ofnadwy hwnnw, 'Prynwyd Wil y car'. Ac ymlaen hyd at ryw 30-35 o wallau y gellir eu nodi a'u rhestru. Mae'n gred gen i hefyd y gellir eu crynhoi i gyd mewn llawlyfr bychan iawn, ac rwy'n gobeithio gwneud hynny ar fyrder.[1]

Ar wahân i ddweud wrth bobl, ar air neu mewn print, 'dyma sy'n iawn', beth a ellir ei wneud? Fe ellir gosod esiampl, ond i hynny fod yn llwyddiannus mae'n rhaid i'r esiampl gyrraedd rhyw nifer neu ryw gyfartaledd o bobl. Efallai y gwnewch chi oddef gair bach o brofiad, ac wrth ddweud y profiad nid y bwriad yw swnio'n gwynfannus. Yn ffyniant iaith mae llythrenogrwydd yn un ffactor. Iaith a siaredir gan bum can mil, fe fyddai'n gryfder mawr iddi petai, dyweder, hanner y siaradwyr yn arfer ei darllen yn rheolaidd. Ond beth sydd yna bellach i'r nifer hwnnw o Gymry ei ddarllen ? Diolch am y papurau bro, a fu'n angor i'r Gymraeg am ddeugain mlynedd. Adeiladu ar y sail hon oedd bwriad ein cwmni bach ni, Dalen Newydd, wrth gynhyrchu rhifynnau peilot *Tarian Arfon* a *Tharian Môn*. Papurau wythnosol oedd y rhain i fod, yn cael eu cynnal gan hysbysebion a'u rhannu am ddim a heb eu gofyn. Y nod oedd dosbarthu 30,000 yn wythnosol drwy siroedd Caernarfon a Môn (sef y ddwy sir go iawn), gan gychwyn cadwyn a fyddai'n cyrraedd tua 100,000 drwy Gymru. Can mil o gartrefi, dau gan mil (dyweder) o ddarllenwyr. Gwaetha'r modd doedd ein harolwg o hysbysebwyr y ddwy sir, sef canfasio rhyw bum cant o fusnesion gan rannu'r copïau peilot, ddim yn gwarantu digon o gefnogaeth i fentro ymlaen, ac ar ôl colli arian go fawr mae'r cynllun ar stop ar hyn o bryd. Cefnogaeth llywodraeth leol a Chynulliad? Unwaith eto dim digon, ac fe gollodd un cynrychiolydd etholedig o leiaf dair fôt o un tŷ drwy ddewis peidio ag ateb llythyr ynglŷn â'r mater. Argraff arall hefyd – o edrych yn ôl a chymharu ag adeg pan werthwyd bron i 25,000 copi o *Bronco* drwy Fôn ac Arfon – oedd fod pobl wedi dieithrio oddi wrth y Gymraeg, a'u gafael arni heb fod yn ddigon i ddeall hiwmor ynddi. Wn i ddim hoffai rhai ohonoch chi heno gopi i fynd adref o un o'r ddwy *Darian* ...? Fe'i cewch ar y diwedd, â chyfarchion Dalen Newydd Cyf.

Oddi fewn i'r un 500,000 hefyd fe fyddai'n beth da iawn, ac yn gryfdwr mawr i'r Gymraeg, petai yna gnewyllyn digon llythrennog i gael blas o hyd ar rai o glasuron yr iaith. Hyn, cynllun llawer iawn llai uchelgeisiol a llai rhyfygus na'r un o'r blaen, oedd tu ôl i lansio cyfres 'Cyfrolau Cenedl' a bellach 'Yr Hen Lyfrau Bach'. 'Cnewyllyn' o faint ddywedwn ni, o blith y 500,000 ? Beth am ryw un y cant, pum mil ? Yn y flwyddyn 1790 fe aeth Twm o'r Nant ati i werthu copïau o'i lyfr newydd *Gardd o Gerddi*. A'i bac ar ei gefn, a chyda help un ffrind, fe werthodd ddwy fil, a theimlo'n siomedig wedyn nad oedd wedi gwerthu mwy. Gwerthiant ein cyfrol ni, *Canu Twm o'r Nant*, rhwng 2010 a heddiw ? Tua dau gant. Y naw cyfrol arall yn yr un gyfres ? Prin gyrraedd y rhif hwnnw.

Nawr, mae dweud y drefn am beidio prynu llyfrau Cymraeg yn debyg iawn i ddweud y drefn am beidio mynd i'r capel, a dydw i ddim am ei wneud. Yn y ddau achos, mae yna resymau. Ond waeth inni gydnabod y ffaith : mae'r genedl lythrennog Gymraeg wedi mynd yn beth fechan fechan fach, sylweddol lai, mae'n debyg, na'r dosbarth cefnog Cymraeg-ddibynnol yr ydym ni i gyd yma'n perthyn iddo. Y genedl y cododd William Salesbury, Morgan Llwyd, Ellis Wynne, Twm o'r Nant, Goronwy Owen, Emrys ap Iwan, John Morris-Jones, W. J. Gruffydd i'w hannerch, dydi hi ddim yna, mae hi wedi mynd, wedi marw. Teg y gellir gofyn – ac efallai bod rhai ohonoch chi yn ei ofyn – pam dal ati o gwbl ? Mae un o ddau ateb : i rai ohonom ni, methu stopio ; 'hen arfer, hon a orfydd' ; i eraill, job, rhywbeth bach at fyw, rhywbeth i'n cario ni at ein pensiwn.

Car yn powlio i lawr yr allt ar danc gwag yw Cymru bellach, ac mae cysgod methiannau mawr, gwaradwyddus dros bopeth yr ydym yn ei wneud. Y pum can mil yna ; fe ddylai fod ganddyn nhw – neu gennym ni – dri neu bedwar papur newydd dyddiol. Dyma ni wedi methu sefydlu cymaint ag un. Methiant arswydus arall : ein bod ni, bron bawb sydd yma heno, a phawb sydd â'r un cymhwyster â ni, sef gradd Prifysgol Cymru, wedi caniatáu i'r hyn sydd wedi digwydd i Brifysgol Cymru ddigwydd.

'Digon o feddyliau duon,' meddech chwithau. Oes gen ti'r un neges bositif i'r genedl heno 'ma? Onid oes yna rywbeth yn rhywle i gynhesu traed Cymro ar noson oer fel hon? Oes, a dyma fo. Y dyddiau diwethaf yma mi fûm yn ymdroi ychydig yn yr hen faes geiriadurol unwaith eto, ac wrth wneud hynny yn rhyfeddu o'r newydd at allu'r Gymraeg i fynegi pethau. Ffordd arall o'i roi: iaith ymhlith ieithoedd ydi'r Gymraeg, dim mwy a dim llai na hynny. Unrhyw beth y gellir ei ddweud mewn iaith arall, yn cynnwys iaith rymusaf y byd, fe ellir ei ddweud yn Gymraeg, dim ond meddwl tipyn bach. Cwestiwn ichi: pam mae Geiriadur yr Academi mor fawr a thrwm? Ateb: er mwyn colbio'n galed ar ei ben bawb sy'n dweud 'does yna ddim gair Cymraeg am y peth-a'r-peth', lle dylai ddweud wrth gwrs 'wn i mo'r gair'.

Dros dro y mae pob geiriadur, fel y gwyddom oll. Os byth y daw cyfle i ddiweddaru Geiriadur yr Academi yn y ffordd briodol, sef mewn argraffiad newydd, bydd tipyn go lew o eiriau'n mynd i mewn iddo nad oeddent yn bod, yn Saesneg na Chymraeg, pan gyhoeddwyd o gyntaf. Un o'r rheini ydi *geek*. Rwy'n gweld ein bod ni wedi cynnwys gair lled agos o ran ystyr, sef *nerd*, a'n bod ni wedi cyfleu'r ochr lwydaidd, liprynnaidd, sbrychlyd i'r cymeriad arbennig hwnnw. Ond mae ochr arall i'r *nerd*, fel y gwyddom ni, sef ei arbenigedd, ei feistrolaeth ddihiwmor ar ryw faes neu'i gilydd. Mae i'r *geek* hefyd ei ddealltwriaeth o bwnc, wedi dod o lwyr ymroad; ond onid oes hefyd ryw ochr ddigri-ddiniwed i'r *geek*? Rhyw arbenigwr sy hefyd yn sbrych, dyna yw'r *nerd*; arbenigwr sy hefyd yn rhyw Ddici Bach Dwl yw'r *geek*. Ydw i'n iawn? Cwestiwn llenyddol o bwys mawr: ai *nerd* ynteu *geek* yw'r cymeriad anfarwol hwnnw sy'n awdurdod digymar ar fyd y genau goeg, ac yn gwbl analluog i drin y byd hwn, yr hen gyfaill Gussie Fink-Nottle? Pa air y byddai P.G. Wodehouse wedi ei ddewis petai'r ddau air yn bod yn ei oes ef? A'r cyfieithiad gorau o *geek*, yr un a fyddai'n cwmpasu'r holl amrediad ystyr? *Gîc(-s, giciaid)* wrth gwrs. Ac efallai dylai *nerd* fynd yn *nyrd(-iaid)* hefyd.[2]

Mae, medden nhw i mi, yn y Deyrnas hon gymdeithas barchus ac aruchel o'r enw 'Y Gymdeithas Fathemategol Frenhinol'. Ac medden nhw eto, mae gan honno ei chinio blynyddol, ac yn y cinio mae'n arferol cynnig llwnc-destun: 'Iechyd da i Fathemateg Bur. Na foed iddi byth fod o unrhyw ddefnydd i neb.' Ar y llaw arall, gwyddor ddefnyddiol iawn ydi Gramadeg. Hir oes iddi hithau.

(Sgwrs ym Mangor, 22 Ionawr 2015.)

[1] Bellach *Iawn Bob Tro* (Dalen Newydd, 2016).

[2] Ar ddiwedd y cyfarfod cefais awgrymiadau gan rai oedd yn bresennol. 'Nyrdyn (nyrdod)'. Da iawn. Ac atgoffwyd fi, yn gwbl briodol, i gynnwys 'nyrden' hefyd. 'Welis i ddim nyrdyn 'run fath ag o 'rioed.' 'Be haru ti'r nyrdan wirion?'

21.

Trwy Ofer Esgeulustod ...

Brad a Dinistr Prifysgol Cymru

'Fe allwch chi dwyllo pawb beth o'r amser, a thwyllo rhai bob amser, ond allwch chi ddim twyllo pawb bob amser.' Abraham Lincoln.

Dod i fwrw glaw

Ar 21 Hydref 2011 fe gyhoeddwyd gan ei Chyngor, ac fe adroddwyd hynny gan y cyfryngau, fod Prifysgol Cymru i'w huno â chorff arall, Prifysgol Cymru : Y Drindod Dewi Sant. Yr oedd hyn i ddigwydd drwy fesur seneddol, erbyn Ionawr 2012. Ni bu'r briodas eto. Fel y byddan-nhw'n dweud, 'fe ddaeth i fwrw glaw'.

Gan bwyll ...

Trychineb, trasiedi, llanast, ffiasgo, ffars, hanci-panci – defnyddiwyd y geiriau hyn oll i alw'r hyn a ddigwyddodd i Brifysgol Cymru dros y blynyddoedd diwethaf, ac sy'n dal i ddigwydd. Mae pob un o'r geiriau'n berthnasol yn ei ffordd.

Ond wrth ystyried yr holl helbul hwn, efallai mai'r angen cyntaf yw PWYLL.

Da fyddai inni ein hatgoffa'n hunain i ddechrau o rai ffeithiau sylfaenol.

Beth yw Prifysgol Cymru? I ateb y cwestiwn mae gofyn dweud yn fyr beth *oedd* Prifysgol Cymru, gan mai gweddill yw'r hyn a welsom ni dros y blynyddoedd diwethaf o sefydliad llawer mwy a mwy ystyrlon.

Daeth Prifysgol Cymru i fodolaeth trwy siarter ym 1893 fel prifysgol ffederal o dri choleg, – Aberystwyth, Bangor a Chaerdydd. Ychwanegwyd Coleg Abertawe ym 1920, a daeth Ysgol Feddygaeth Caerdydd yn rhan o'r Brifysgol ym 1931. Ym 1971 ymunodd Coleg Dewi Sant, Llanbedr Pont Steffan, ar ôl cryn betruso ar y ddwy ochr, a ellid cynnwys sefydliad eglwysig – Anglicanaidd yn yr achos hwn – o fewn prifysgol a fwriadwyd yn un genedlaethol, anenwadol. Fel mewn unrhyw sefydliad ffederal, yr oedd i'r rhannau eu llais yn y drefniadaeth ganolog, ac yr oedd y canol yn rheoli gweithrediadau'r rhannau yn ôl cytundeb a gorfforwyd mewn siarter a statudau.

Adlewyrchid yr undeb ffederal mewn tair prif ffordd.

(a) Yr oedd Llys y Brifysgol, ei chorff llywodraethol goruchaf, yn sefydliad eang, democrataidd, yn cynrychioli ar y naill law y colegau ac ar y llaw arall y cyhoedd neu'r gymdeithas yng Nghymru drwy nifer o gyrff.

(b) Yr oedd arholi cyffredin, yn arwain at radd Prifysgol Cymru. Os cywir fy nealltwriaeth, bu papurau arholiad cyffredin ar un adeg, a hyd yn bur ddiweddar yn adrannau'r Clasuron; ond ni sefydlwyd yr arfer o arholi canolog fel ym mhrifysgolion Caergrawnt a Rhydychen. O fewn cof y rhan fwyaf ohonom y gwarant o safon y radd oedd bod arholwyr allanol annibynnol, fesul pwnc, yn cloriannu a chymharu'r holl gynigion wedi i'r colegau unigol osod eu harholiadau a marcio'r gwaith. Wrth i rif y myfyrwyr dyfu lleihaodd yr elfen o arholi cyffredin nes diflannu.

(c) Yr oedd y Brifysgol yn cynnal nifer o gyrff at ei defnydd ei hun ac at wasanaeth dysg a diwylliant yng Nghymru yn y ddwy iaith. Y pennaf o'r rhain oedd Gwasg Prifysgol Cymru a

Geiriadur Prifysgol Cymru. Trwy waddoliad, daeth Gregynog, ei holl drysorau a chyfleusterau, at wasanaeth y Brifysgol yn y 1960au. Ym 1985 crewyd y Ganolfan Uwchefrydiau Cymreig a Cheltaidd yn Aberystwyth. Yr oedd i'r Brifysgol hefyd amlder o Fyrddau na bûm erioed yn rhy eglur ynghylch eu diben. Beth a estynnid gan 'Y Bwrdd Estyn', er enghraifft? Y mwyaf gweithredol o'r rhain oedd y Bwrdd Gwybodau Celtaidd, sydd bellach dan yr un reolaeth â'r Ganolfan.

Swyddogion a Graddedigion

Ffordd arall o ofyn 'beth yw Prifysgol Cymru?' yw gofyn 'pwy yw ei haelodau?'. Wrth ateb y cwestiwn rhaid imi ddatgan na wn i ddim, o brofiad nac arall, am weithrediadau mewnol y Brifysgol, a'm bod yn seilio popeth sydd yma ar wybodaeth gyhoeddus a geir ar wefan y Brifysgol ac yn ei Chalendr blynyddol. Mae cyfansoddiad y Brifysgol yn ddogfen faith a manwl, yn cynnwys y Statudau, yr Ordiniannau, y Rheoliadau &c &c. Y neges glir a ddaw trwy'r cyfan yw fod i'r Brifysgol ddau gategori o aelodau: *y Swyddogion a'r Graddedigion*.

Nifer bychan bach yw'r swyddogion, gyferbyn â'r degau o filoedd o raddedigion. Y swyddogion uchaf yw'r *Ymwelydd* (Y Frenhines), a'r *Canghellor* (Tywysog Cymru), pennaeth lleyg y Brifysgol. Yr arferiad o'r cychwyn oedd ethol y Canghellor gan Lys y Brifysgol. Gallai fod yn unrhyw un, ond aelod o'r teulu brenhinol a fu bron o'r cychwyn. Y Tywysog Charles ydyw oddi ar y 1970au. Mewn rhai prifysgolion, er enghraifft Caergrawnt a Rhydychen, mae'r Gangelloriaeth yn swydd eithaf gweithredol. Swydd addurnol, neu 'mewn enw' ydyw ym Mhrifysgol Cymru, a chynrychiolir y Canghellor mewn dyletswyddau o ddydd i ddydd, ac eithrio ar achlysuron prin iawn, gan y *Dirprwy*

Ganghellor (Pro-Chancellor), prif swyddog lleyg gweithredol y Brifysgol. (Ystyr 'lleyg' yn y cyswllt hwn, yw 'heb fod ar y staff academaidd'.) O dan yr hen drefn ffederal o bedwar, yna pump ac yna chwe choleg cyfansoddol, gweithredai pob prifathro yn ei dro fel *Is-Ganghellor (Vice-Chancellor)*, pennaeth academaidd gweithredol y Brifysgol. Yn ddiweddar daeth y teitl 'Is-Ganghellor' i gael ei arfer fwyfwy yn lle 'Prifathro'; hyd yn oed cyn bod Bangor, Aberystwyth &c yn dyfarnu eu graddau eu hunain, cyfeirid fel 'Is-Ganghellor' at yr hyn a arferai fod yn 'Brifathro', a cheir bellach *'Ddirprwy Is-Ganghellor' (Pro-Vice-Chancellor)* (Is-Brifathro, gynt)! Yn ddiweddar iawn fe ddechreuodd y prifysgolion newydd, sef y cyn-golegau Prifysgol, urddo eu Cangellorion eu hunain, h.y. arfer y teitl 'Canghellor' yn lle 'Llywydd y Llys'.

Gydag ymadawiad y cyn-golegau i fod yn brifysgolion eu hunain, h.y. yn dyfarnu eu graddau eu hunain, yn negawd cyntaf y ganrif hon, bu newidiadau mawr i gyfansoddiad Prifysgol Cymru ac i'w swyddogion. Ildiodd y Llys ei alluoedd, gan beri bod y Cyngor yn llawer llai atebol nag o'r blaen i gyhoedd eang. Yn lle bod arno gynrychiolaeth o bob coleg (sef, yn bennaf, y prifathrawon), ceir tri Is-Ganghellor a thri Chadeirydd Cyngor yn cynrychioli'r cyfan o'r 'sector uwch'; ac yn ychwanegol penodir dwsin o 'aelodau annibynnol' mewn cystadleuaeth agored, gan banel bychan bach o ddewisiad y Dirprwy Ganghellor ei hun. Clywais ddweud fod y Cyngor yn Gymreiciach corff o ganlyniad, a dichon fod hynny'n wir ar un ystyr; ond mae ochr arall, fel y caf awgrymu. Mae hefyd Gadeirydd y Cyngor, wedi ei ddewis yn yr un modd. Tan Hydref 2011, yr Athro Marc Clement oedd yr Is-Ganghellor, gyda thri neu bedwar o Ddirprwy Is-Gangellorion (*Pro-Vice Chancellors*) gyda gwahanol gyfrifoldebau. Yn sydyn yn Hydref 2011, cawsom glywed mai yr Athro Medwin Hughes, a oedd hefyd yn bennaeth Prifysgol Cymru: Y Drindod-Dewi Sant (hithau i'w huno â Phrifysgol Fetropolitan Abertawe), oedd Is-Ganghellor Prifysgol Cymru bellach, gyda'r Athro Clement wedi mynd yn Llywydd – swydd newydd sbon. Felly dyna: Ganghellor, Dirprwy Ganghellor, Is-Ganghellor, Dirprwy Is-Gangellorion, Llywydd a Chadeirydd y Cyngor.

O dan yr uwch-swyddogion hyn daw staff y Brifysgol, tua 120 ohonynt i gyd, hwythau hefyd yn cael eu cydnabod yn swyddogion, a thrwy hynny yn aelodau o'r Brifysgol. Yn y Gofrestrfa ceir ysgrifenyddion a gweinyddwyr. Sut y rhennir eu dyletswyddau, ac yn wir beth sydd ganddynt oll i lenwi eu diwrnod, nis gwn; ond cymerwn fod y cyfan yn unol â rhyw statud, ordiniant neu reoliad yn rhywle. Staff, ac yn hynny o beth swyddogion ac aelodau, yw y rhain hefyd: staff Gwasg y Brifysgol, staff Geiriadur y Brifysgol, staff y Ganolfan Uwchefrydiau, a Staff Gregynog. Dywed y Calendr wrthym mai amrediad swyddogion y Brifysgol yw: o'r *Ymwelydd* a'r *Canghellor* hyd at ddau arddwr Gregynog. (Diddorol nad yw'r deiliaid cadeiriau personol, wedi eu penodi gan Brifysgol Cymru, ond eu cyflogi gan y cyn-golegau neu'r prifysgolion newydd, yn swyddogion o'r Brifysgol.)

Ei *graddedigion* yw mwyafrif mawr, mawr aelodau Prifysgol Cymru. Yn llenyddiaeth gyfoes y Brifysgol ei hun, e.e. yn y cylchgrawn *Campus* ac ar y wefan, sonnir llawer am '*gyn-fyfyrwyr*' neu '*alumni*' y Brifysgol. Mae hyn yn gwbl anghywir, anhanesyddol a chamarweiniol. Cyn-fyfyriwr o Fangor wyf i, *alumnus* o Fangor, canys yno y derbyniais fy addysg yn arwain at radd. Y funud y graddiais, sef drwy ysgwyd llaw â'r Dirprwy Ganghellor ar y pryd, a derbyn darn o bapur, deuthum yn *aelod* o Brifysgol Cymru (er imi aros ym Mangor i gwblhau gradd arall a dod felly, petai rhywun am hollti blewyn, yn fyfyriwr a chyn-fyfyriwr o Fangor ddwy waith). Drwy raddio yr ail dro nid enillais i ddim hawliau pellach ym Mhrifysgol Cymru, oherwydd yr oeddwn eisoes yn aelod. Petawn, ryw dro, am beidio bod yn aelod ohoni, cyfyng iawn fyddai fy newis. Gallwn, mae'n debyg, yrru fy ngraddau yn ôl. Yr unig ffordd arall i mi, a degau o filoedd yr un fath â mi, beidio â bod yn raddedig, fyddai bod y Brifysgol ei hun yn peidio â bod.

Dyna'r drefn felly, dyna'r ddealltwriaeth, ym Mhrifysgol Cymru. Nid yw yr un fath ym mhob prifysgol. Yn Rhydychen, er enghraifft, daw'r myfyriwr yn aelod o'i goleg *ac* yn aelod o'r Brifysgol yr un wythnos, er drwy ddwy weithred wahanol. Graddio *o'r* coleg ac *i'r* Brifysgol a wnaethom ni, hyd at ychydig iawn o flynyddoedd yn ôl, ac yn ôl y fformiwla rydym yn dal ein graddau un ai *ym* Mhrifysgol Cymru neu *ohoni*.

Wrth raddio hefyd eid yn aelod o *Urdd y Graddedigion*, gan dderbyn siars i fod â 'gofal yn wastadol am lwydd ac anrhydedd ein prifysgol a'n gwlad'. Gweithredodd yr Urdd drwy'r blynyddoedd ar ddau wastad : (a) *canghennau* – Bangor, Aberystwyth, Caerdydd &c ; (b) *adrannau*, wedi eu dynodi yn ôl pwnc – Athroniaeth, Clasuron, Diwinyddiaeth, Cymdeithaseg &c. Ar rai achlysuron, un yn arbennig, bu ei rôl yn allweddol mewn pennu cwrs y Brifysgol, drwy fod ganddi gynrychiolaeth weddol gref ar y Llys. Mae canghennau ac adrannau yn bodoli o hyd, ond yn ad-drefniad 2007 diflannodd yr enw 'Urdd', ynghyd â'r Pwyllgor Canolog, y Warden a'r Clerc. Rhan o'r broblem, rhan o'r trychineb, yw fod y *peirianwaith* a oedd yn gwneud y swyddogion yn atebol i'r graddedigion wedi peidio â bod, wedi ei ddinistrio. Dyma un o'r pethau a ddigwyddodd trwy ofer esgeulustod y graddedigion eu hunain a'r rhai a ddylasai eu cynrychioli.

Ond drwy'r cyfan deil y Siarter i dystio mai cyfuniad o (a) y swyddogion a (b) y graddedigion *yw* Prifysgol Cymru. Y graddedigion yw'r mwyafrif mawr mawr, a dywed Statud 11 (i) bod yn ofynnol i'r Brifysgol 'mewn modd a fydd wedi'i bennu drwy Ordiniant ymgynghori'n gyson â'i Graddedigion, y cyhoedd ac â chyrff sydd â diddordeb mewn hybu cenhadaeth y Brifysgol'. Tewch â sôn am 'ymgynghori'n gyson', nid ymgynghorwyd unwaith cyn penderfyniad nid dibwys 21.10.11. Wrth ddinistrio'r cyfrwng i ymgynghori â'r graddedigion, fe anghofiwyd diddymu'r rheol sy'n gwneud yr ymgynghori'n angenrheidiol. Pa ddilysrwydd sydd felly i unrhyw beth a wnaed oddi ar amser cinio'r diwrnod hwnnw ?

O dan Siarter

Ni all yr aelodau yn awr, ac ni allent erioed, weithredu fel y mynnont. Yr oeddent i weithredu o dan ddarpariadau'r Siarter, a ddyfarnwyd iddynt, gan ei diwygio o bryd i bryd, ar ran y Goron gan y Cyfrin Gyngor. Mae siarter prifysgol yr un fath, mewn egwyddor, â siarter unrhyw sefydliad arall, bwrdeistref er enghraifft. Mae'n datgan rhyddid y corff i weithredu yn ôl ei angen ac yn ôl ei oleuni cyn belled â'i fod yn cadw at rai amodau ac ymrwymiadau a wnaed ymlaen llaw. Mae siarter prifysgol yn ymorol, er enghraifft, na ellir chwarae o gwmpas fel y mynner ag adnoddau materol y brifysgol, adeiladau, tiroedd, gwaddoliadau &c. Nid oes hawl i'w gwasgaru rhwng y pedwar gwynt, nac i'w trosglwyddo i gorff arall.

Ffrindiau a gelynion

Enynnodd Prifysgol Cymru, dros y blynyddoedd, lawer o deyrngarwch a llawer o wrthwynebiad. Teyrngarwch gan rai, ac efallai gan genhedlaeth sydd wedi'n gadael bellach, am fod ynghlwm wrthi rywbeth o ysbryd 'Cymru Fydd', – gobaith, ymdrech a blaengarwch gwerin a bwrdeisiaeth Cymru diwedd Oes Victoria. Teyrngarwch gan lawer hefyd am ei bod i'w gweld yn gweithio, os nad yn berffaith, o leiaf yn bur dda: ei sefydliadau yn cyrraedd eu nod o wasanaethu diwylliant y genedl, a'r arholi traws-golegol yn rhoi cryfder arbennig yn ei graddau. Bu cenedlaetholwyr yn amwys eu hagwedd tuag ati, yn ei gwerthfawrogi fel sefydliad cenedlaethol a chynnyrch gobaith y bobl, a'r un pryd yn ddiamynedd tuag ati am ei pharchusrwydd, ei harafwch a'i diffyg arweiniad ym mater dysgu trwy'r Gymraeg. Beirniadwyd ei biwrocratiaeth, a'r cymhlethdod trefniadau a ddisgrifiodd ei hanesydd, Dr. Prys Morgan, â'r gair 'Bysantaidd'. Bu rhywbeth Mandarinaidd, saf-draw ynghylch ei gweinyddiaeth, ac un canlyniad i hyn yw nad oedd yn adnabod na chydnabod ei chyfeillion. Ond yn ogystal â'r diffyg amynedd hwn, a'r teimladau achlysurol o siom, fe welodd hi hefyd lawer o elyniaeth weithredol. Tarddai hwn o ddau le: yn gyntaf, o goleg Caerdydd; ac yn ail o blith yr academwyr di-Gymraeg drwyddi draw. I'r rhain yr oedd hi'n atalfa ar ehangu ac ar Seisnigo'r colegau. Nid oeddent yn gysurus gyda'r 'Cymru' yn ei henw, a chysylltent hi â chenedlaetholdeb Cymreig, – gan beri i genedlaetholwyr chwerthin weithiau. 'A hotbed of nationalism'!

Ddechrau'r 1960au codwyd y cwestiwn a ddylai hi barhau fel prifysgol ffederal, ynteu a ddaeth y dydd i wahanu'n bedair prifysgol. Cytunodd y Llys i sefydlu comisiwn a fyddai'n ystyried yr holl fater. Erbyn diwedd 1963 yr oedd yna ryw gymryd yn ganiataol ymhlith y dad-ffederalwyr, a rhyw dderbyn penisel gan eraill, mai gwahanu fyddai'r argymhelliad. Ond yng ngwanwyn 1964 cafwyd ar ddeall fod y comisiwn wedi hollti i lawr y canol.

Cyflwynodd ddau adroddiad cwbl groes, ac ar ddiwedd cyfarfod emosiynol o'r Llys pleidleisiwyd yn gryf dros gadw'r undeb ffederal. Nid oedd a wnelo 'cenedlaetholwyr' (fel y gwelid hwy bryd hynny) lawer â hyn. Yn hytrach, gwaith y consensws gwladgarol Chwigaidd neu Lib-Labaidd yn y Brifysgol a'r wlad ydoedd, dan arweiniad rhai fel yr Athro D.W.T. Jenkins o'r tu mewn ac Alun Talfan Davies o'r tu allan, a'r cyfan dan reolaeth Alwyn D. Rees, pennaeth Adran Allanol Coleg Aberystwyth. Fel aelod o'r comisiwn nid ildiodd ef fodfedd, ond ymosod bob cam, a chynhyrchu hollt eglur. Fel pennaeth adran, fel Warden Urdd y Graddedigion, ac yna fel golygydd *Barn*, daliodd i ergydio â dadleuon anatebadwy ac â dychan didrugaredd. Rhannodd a gwanhaodd yr ochr arall, eu hel i'w tyllau a'u taro i lawr bob tro y meiddient godi eu pennau. Am unwaith dyna droi'r byrddau ar y gwrth-Gymreigwyr 'eang', 'blaengar', 'goleuedig' yn eu golwg eu hunain. 'O fywyd, dyro eto hyn !'

Newidiadau

O hynny hyd ddiwedd y ganrif, a thros drothwy canrif newydd, fe allai ymddangos, ar yr olwg gyntaf, mai ymgadarnhau yr oedd Prifysgol Cymru. Daeth Coleg Dewi Sant i mewn iddi o'r diwedd, gan gwblhau saga hir a groniclir yn ddiddorol gan y Prifathro J. R. Lloyd Thomas yn ei lyfr *Moth or Phoenix ?* (1980). Gan ddechrau ag achredu eu cyrsiau, daeth colegau hyfforddi ac uwch-dechnegol i weithio tuag at raddau Prifysgol Cymru, ac o dipyn i beth dod yn rhannau ohoni. Erbyn degawd cyntaf y ganrif newydd gallai honni fod ynddi ddeg o sefydliadau cyfansoddol, a bu raid iddi addasu ei llywodraeth a'i gweinyddiad i gwrdd â hynny. Mewn ad-drefniad ganol y 1990au yr oeddid wedi ail-fedyddio'r hen golegau, gyda 'Choleg Prifysgol Gogledd Cymru' neu 'Goleg Bangor' yn dod yn 'Brifysgol Cymru, Bangor' ... ac felly ymlaen. Ar y pryd gallai hwn daro llawer fel newid synhwyrol, ffordd o fynegi fod Prifysgol Cymru yn bresennol lle bynnag yr oedd coleg ohoni ; ac yr oeddem wedi arfer erioed â dweud 'astudio yn y Brifysgol ym Mangor'. Ond yn weddol fuan daethpwyd i weld ei bod yn hawdd gollwng y gair 'Cymru' a dweud 'Prifysgol Bangor', 'Prifysgol Caerdydd' etc, a thrwy'r llithriad llaw hwn agorwyd cyfle newydd i'r dad-ffederalwyr. Yn gyfochrog yr oedd yr ehangu'n mynd rhagddo, a'r Brifysgol ffederal mewn gwirionedd wedi mynd yn rhy fawr ac yn rhy wasgarog i'w chynnal ei hun ac i weithredu'n effeithiol. Erbyn gweld, buasai ei siawns yn well petai wedi parhau'n brifysgol o bedwar neu bum coleg prifysgol 'go iawn' neu draddodiadol. Hyd yn oed petai Caerdydd wedi mynnu ymadael, buasai cryfder yn y lleill petaent wedi tynnu at ei gilydd.

Yn y cyfamser digwyddasai rhywbeth arall. Ym 1992 aeth Coleg Politechnig Trefforest yn 'Brifysgol Morgannwg', prifysgol newydd heb unrhyw gysylltiad â Phrifysgol Cymru. Ni fynegodd neb unrhyw wrthwynebiad i hyn ar y pryd, ac ni chofiaf i neb awgrymu y gallai greu problem i Brifysgol Cymru.

Mewn deng mlynedd, 1995-2005, digwyddodd newid aruthrol, eto nid mor syfrdanol fel na allesid ei ragweld. O fod yn 'gorff ambarél' gyda 10 uned oddi tano, daeth Prifysgol Cymru ei hun yn uned o fewn 'Addysg Uwch Cymru' ochr-yn-ochr â 13 arall. Derbyniwyd a chadarnhawyd y statws hwn yn 2005 gan gomisiwn mewnol dan gadeiryddiaeth Dafydd Wigley, a fu'n Ddirprwy Ganghellor am gyfnod byr. Ar y pryd bu cryn gam-ddisgrifio ar y newid, sef dweud fod Prifysgol Cymru wedi newid o fod yn 'gorff ffederal' i fod yn 'gorff conffederal' – cam-ddisgrifiad y mae Wikipedia yn dal i'w ailadrodd. Yr oedd 'conffederal' yn ddisgrifiad eithaf cywir, nid o Brifysgol Cymru ond o'r corff newydd, Addysg Uwch Cymru; ac un aelod o fewn hwnnw oedd Prifysgol Cymru bellach. Rhan o'r un ad-drefniad fu diddymu'r Llys, diddymu Urdd y Graddedigion a gadael y Cyngor yn gorff ymddangosiadol Gymreiciach efallai, ond llai democrataidd a llai atebol.

Yn 2001 cyhoeddwyd *Adolygiad Polisi Addysg Uwch* Pwyllgor Addysg a Dysgu Gydol Oes y Cynulliad Cenedlaethol. Gwelwyd ynddo un frawddeg – yr unig un efallai – ac iddi arwyddocâd ac effaith. Yr oedd honno'n argymell fod colegau Prifysgol Cymru'n dechrau rhoi eu graddau eu hunain. O fewn chwe blynedd yr oedd yr holl golegau wedi gweithredu ar yr argymhelliad. Yn 2007, er enghraifft, daeth i fod 'Brifysgol Bangor', – a lwyddodd yr un pryd, drwy ryw rifyddeg ddigon digrif, i ddathlu yn 2009 ei 'chanrif a chwarter' oed!

A'r broses hon ar waith, a oedd yna unrhyw beth a allasai ddiogelu Prifysgol Cymru? Yr oedd rhyw ychydig ohonom yn gobeithio mai yr un peth hwnnw fyddai iddi hi ei hun gydio yn y syniad o Goleg Cymraeg Ffederal, a ddôi'n rhan ohoni ac yn un o'i gwasanaethau sylfaenol, ac a'i gwnâi, yn wir, yn 'sefydliad dysgu' am y tro cyntaf. Rhwng cyhoeddi'r alwad gyntaf, 1998, a'i ddiwedd ef ei hun yn 2007, nid ymatebodd yr hen Gyngor o gwbl i'r alwad hon. Ymddengys ei fod yn llwyr yn erbyn. Ni bu agwedd y Cyngor newydd, o 2007 ymlaen, ddim gwahanol. Gwrthododd 'Adroddiad Wigley' grybwyll y posibilrwydd, er derbyn tystiolaeth o'i blaid. Y diwedd fu sefydlu yr hyn a elwir bellach 'Y Coleg Cymraeg Cenedlaethol' drwy benderfyniad llywodraeth Cymru ac yn llwyr ar wahân i fframwaith y Brifysgol. Efallai, efallai y byddai cydio yn y posibilrwydd hwn wedi rhoi pwrpas newydd i Brifysgol Cymru ac wedi anadlu iddi anadl einioes. Ond ni allwn byth fod yn sicr, oherwydd yr oedd pwysau yn ei herbyn o gymaint o gyfeiriadau pa un bynnag, a'r erydu wedi mynd mor bell. Yr oedd y camgymeriad mawr eisoes wedi ei wneud, sef colli ym mhopeth ond mewn enw y radd ffederal, gyffredin a roesai i'r Brifysgol gryfder ac arbenigrwydd. Taflwyd ymaith yr un peth a allasai ei chodi i reng prifysgolion gorau'r byd.

Erbyn diwedd degawd cyntaf y ganrif newydd yr oedd y Brifysgol yn chwilio am bwrpas i'w bodolaeth, a hefyd am gynhaliaeth ariannol. Digon o bwrpas, fe ellid meddwl, fyddai cynnal y 'pedwar sefydliad' a'u gwasanaeth amhrisiadwy. Ond ers blynyddoedd daethai'r rhain i ddibynnu ar ewyllys da colegau unigol, yn hytrach na bod Prifysgol Cymru'n derbyn cyllid yn ganolog ac yna'n ei ddyrannu i'r colegau. Yr oedd gan y Brifysgol o hyd gyfalaf sylweddol, ond diflannu a wnâi hwnnw yn gyflym heb incwm yn ei ben. Trodd Cyngor Prifysgol Cymru at beth a brofodd yn broffidiol i nifer o'r prifysgolion hŷn yn yr un blynyddoedd, y busnes o ddilysu graddau colegau a phrifysgolion newydd ledled y byd. Bu, i bob golwg, yn llwyddiant ac yn gryfder i'r 'pedwar sefydliad', mewn cyfnod pan yw Cyngor Cyllido Addysg Uwch Cymru (CCAUC neu HEFCW) yn fwyfwy amharod i noddi sefydliadau nad ydynt yn dysgu myfyrwyr yn uniongyrchol : daeth effeithiau hynny'n amlwg ar Wasg ac ar Eiriadur Prifysgol Cymru.

Y llithrigfa

Dyma, fel y gwyddom bellach, gychwyn ar y llithrigfa i lanast echrydus Hydref 2011. Yma mynegaf farn hollol bersonol. Yn jyngl y 'dilysu graddau' daeth y Brifysgol i gyffyrddiad â rhai sefydliadau amheus iawn eu perwyl, â 'phrifysgolion' dychmygol ac â chymeriadau broc. Ddwywaith o fewn blwyddyn datgelwyd rhai o'r pethau hyn gan raglenni'r BBC. Ni wnaeth y Brifysgol ei hun unrhyw beth anghyfreithlon, ac efallai ddim byd gwaeth na'r amryw brifysgolion eraill, Prydeinig a thramor, sydd yn yr un busnes. Cerdded a wnaeth i mewn i faglau twyllwyr. Ond wedi llosgi bysedd, iawn yw dal rhywrai yn gyfrifol, ac yr oedd y Cyngor cyfan yn gyfrifol.

Eto i gyd a thrwy'r cyfan, i un sylwedydd o leiaf, nid y troeon trwstan hyn – er eu trwstaneiddiwch – oedd yr ynfydrwydd mwyaf, ond yn hytrach y ffaith fod Prifysgol Cymru wrthi'n dilysu graddau ym mhedwar ban byd yn union ar ôl methu amddiffyn ei gradd ei hun yn ei gwlad ei hun !

Mêl ar fysedd oedd hyn i rai, a'r cyfle gorau eto i wireddu hen freuddwyd. Ers misoedd bu rhai'n cynllunio i ddatgorffori'r Brifysgol a rhannu'r gwaddol, peth fan hyn a pheth fan acw. Dyna fyrdwn Adroddiad McCormick, a gomisiynwyd gan Lywodraeth Cymru a'i gyflwyno fis Mawrth 2011. Ymystwyriodd yr hen elynion, rhai yn y cyn-golegau Prifysgol, rhai yn y Cynulliad Cenedlaethol, a rhai yn o leiaf un o dai Senedd Prydain Fawr. Galwodd yr Arglwydd Elis-Thomas am ymddiswyddiad holl aelodau'r Cyngor a hefyd am ddiddymu'r Brifysgol, a oedd 'wedi mynd i ddrewi' ; hefyd yr oedd ei seremonïau yn 'defnyddio iaith ffug-hynafol ac annealladwy'. Galwodd Leighton Andrews, y Gweinidog Addysg ar y pryd, ar i gadeirydd y Cyngor 'ystyried ei safle', ac am roi i'r Brifysgol 'angladd parchus'. Mynegwyd barn 'pum prifysgol' (Aberystwyth, Bangor, Caerdydd, Morgannwg ac Abertawe) gan Dr. John Hughes, Is-Ganghellor newydd Bangor, newydd gyrraedd o'r Ynys Werdd : 'brand llwgr' (*tainted brand*) oedd Prifysgol Cymru, a'i henw'n gwneud drwg i'r prifysgolion eraill. Amlwg nad ystyriodd yr Is-Ganghellor fod degau o filoedd o gyn-fyfyrwyr ei goleg yn dwyn y 'brand llwgr' hwn, ynghyd â rhai o'i staff, a bod rhai o'r rheini wedi eu penodi i gadeiriau personol gan Brifysgol Cymru. Hyd y gwn, ni chododd neb lais, ac er bythol gywilydd, aeth rhai aelodau o Gyngor Prifysgol Bangor ymlaen i borthi'r camddefnydd hwn o'r *blarney*. Fel y mae'r oes wedi newid : gellir dychmygu'r helynt petai'r diweddar Brifathro Syr Charles Evans wedi dweud peth mor sarhaus â hyn. Rhyfedd hefyd na alwodd neb eto am ddiddymu, er enghraifft, Ysgol Economeg Llundain, wedi iddi fod yn ymrwbio mor galed yn yr ysgolhaig ifanc Saif Gadaffi. Yno fe ymddiswyddodd Is-Ganghellor, ac yr oedd cyfiawnder yn dweud 'digon'! Ni thynnodd ef mo'r tŷ yn dipiau am ei ben wrth wneud, ac wele'r Ysgol eto'n drydedd ar ôl Caergrawnt a Rhydychen yn nhablau llwyddiant prifysgolion y Deyrnas. Ymlaen hefyd yr aeth raced y dilysu, gyda'r *Times Higher Education* yn adrodd 'Opportunists circle those left high and dry by Wales'.

Yn ystod yr un dyddiau, ddechrau mis Hydref 2011, yr oedd newid ar droed o fewn Cyngor y Brifysgol, – newid yr oeddid yn ei gynllunio, erbyn gweld, ers o leiaf fis Chwefror yr un flwyddyn. Penderfynwyd, am ryw reswm, fod dirfawr angen am swydd newydd o'r enw 'Llywydd', nad oedd neb erioed o'r blaen wedi clywed amdani. Symudwyd yr Athro Marc Clement i'r swydd honno. Rhoddwyd yr Athro Medwin Hughes yn ei le fel Is-Ganghellor, fel ei fod yn Is-Ganghellor ar ddau sefydliad yr un pryd : Prifysgol Cymru a Phrifysgol Cymru : Y Drindod-Dewi Sant.

Ar 13 Hydref cyhoeddwyd datganiad gan Brifysgol Cymru yn tystio ei bod hi'n gwbl ddieuog o unrhyw gamymddwyn ym mater y dilysu graddau. Yna tynnwyd y datganiad yn ôl yn syth !

Ar 21 Hydref, daeth pethau i'r pen. Cyhoeddodd D. Hugh

Thomas ei ymddiswyddiad o gadeiryddiaeth y Cyngor. Nid ymddiswyddodd neb arall o'r Cyngor, na neb arall o'r swyddogion. Yr hyn a gafwyd, yn hytrach, oedd yr adroddiad syfrdanol, ond sylfaenol a thrwyadl amwys, fod Prifysgol Cymru (a) yn cael ei diddymu, a'r un pryd (b) yn cael ei chyfuno â Phrifysgol Cymru : Y Drindod-Dewi Sant, drwy ddod o dan siarter Coleg Dewi Sant (1828), y siarter coleg hynaf yng Nghymru.

'Penderfyniad hanesyddol', meddai datganiad ar ran y Cyngor. Daw mwy nag un gymhariaeth i'r meddwl o fyd llenyddiaeth a ffilm. Ar ryw olwg, mae yma olygfa debyg i honno yn *Lorna Doone*, lle saethir y briodferch wrth yr allor ! Fe ddaeth Lorna drwyddi gyda gofal ... ond am Brifysgol Cymru, ni ellir bod mor ffyddiog. Gall y rhai ohonom sy'n cofio'r ffilm *The Last Days of Dolwyn* (1950), weld eto'r diweddglo dagreuol lle mae'r hen wraig (Edith Evans) yn agor y fflodiart a boddi'r pentref er mwyn cuddio trosedd ei mab (Richard Burton). Yn wir fe weithiodd, gan na bu raid – hyd yma – i neb o'r swyddogion, gan gynnwys yr Is-Ganghellor dwbl, ateb dros eu rhan yng nghawdel y dilysu graddau.

Yn union ar ôl ei 'diddymu' ar 21 Hydref, cyhoeddodd Prifysgol Cymru ddatganiad dan ei henw ei hun, gydag addewid i gyhoeddi rhagor o fanylion am yr uno arfaethedig yn y dyfodol agos. Meddai : 'Yn ei gyfarfod penderfynodd Cyngor Prifysgol Cymru sefydlu Adduned Cymru – a fydd yn sicrhau ymrwymiad parhaus o fewn y Brifysgol ddiwygiedig i gefnogi diwylliant Cymru.' Da iawn onidê, gan y rhai a oedd newydd orffen diwrnod o waith drwy werthu'r hen siop, a'r mul a'r drol i'w chanlyn. Rhagor am Adduned Cymru yn y man ...

Ymatebion

Bu amrywiaeth o ymatebion. Yn sydyn iawn, fe dderbyniodd y Tywysog Charles – 'derbyn yn raslon', fel y dywedir – wahoddiad i fod yn 'Noddwr Brenhinol' y sefydliad newydd, a chroesawyd hynny'n wresog gan yr Is-Ganghellor. Tu ôl i'r derbyn dibetrus, mae'n rhaid bod yna ragdybio fod y brifysgol newydd wedi dod i fod, neu o leiaf yn sicr o ddod i fod ; pennod ddiweddarach oedd cyflwyno mesur preifat yn San Steffan i beri i hynny ddigwydd (rhagor am hyn eto). A phetai dyn am fod yn gas, fe allai ddymuno i'r Tywysog well hwyl fel Noddwr Brenhinol y sefydliad newydd nag a gafodd fel Canghellor – a thrwy hynny amddiffynnydd a chynhaliwr – Prifysgol Cymru, swydd y mae, am a wyddom, yn dal ynddi hyd y dydd y diddymir ei Brifysgol dan ei ddwylo. Cyfyd cwestiynau cyfansoddiadol pellach : os y bwriad oedd i'r brifysgol newydd etifeddu popeth a berthyn i Brifysgol Cymru, oni fyddai hi'n etifeddu'r Canghellor yn y fargen, gan osgoi'r drafferth o'i wneud yn Noddwr Brenhinol yr eildro ? Mae'r holl beth yn gawdel dychrynllyd, chwerthinllyd, onid dyna'r gwir ?

Ymatebodd yr Arglwydd Elis-Thomas (*Golwg*, 27 Hydref 2011) drwy 'longyfarch Medwin Hughes yn fawr iawn ar ddod â hyn i fwcl'. Beth yn union oedd y bwcl, sy'n dipyn o ddirgelwch. Ai'r gladdedigaeth ai'r atgyfodiad ? Gan ddyn a oedd yn deisyfu pen y Brifysgol ar blât ychydig ddyddiau ynghynt, fe ddisgwyliech mai'r claddu oedd y gymwynas. Ond efallai fod yr atgyfodiad hwn yn ddiweddglo digon dirmygus, tila, chwerthinllyd a sarhaus. Ac os oedd Prifysgol Cymru, ryw fodd neu'i gilydd, i bara'n fyw o fewn rhyw gyfuniad newydd, beth am y 'drewi' hwnnw a oedd yn ffroenau'r Arglwydd hyd yn ddiweddar iawn ? A chwythwyd hwnnw i gyd ymaith gan wynt y chwyldro ?

Cafwyd ymateb yr un diwrnod gan Gyfarwyddwr y Ganolfan Uwchefrydiau (Dafydd Johnston) a Golygydd Geiriadur y Brifysgol (Andrew Hawke), mewn llythyr ar y cyd i *Golwg* ac i'r *Western Mail*, yn cyfeirio at ddyled eu dau sefydliad i Brifysgol Cymru, a mynegi 'ein dymuniad i aros yn rhan o'r Brifysgol yn ei ffurf ddiwygiedig'. Mae yma gryn ragdybio y byddai'r ffurf ddiwygiedig yn cadw holl gryfderau'r ffurf gyn-ddiwygiedig, a byddai'n dda gennyf ddweud fy mod yn gallu rhannu ffydd y ddau bennaeth. 'Unrhyw borthladd mewn tymestl,' mae'n debyg ; ond gall problemau godi lle mae'r harbwr-feistr hefyd yn gapten y môr-ladron sydd newydd sgytlo'r hen long. Daw cymhariaeth lenyddol-ffilmyddol arall i'r meddwl, y rhan honno o *Doctor Zhivago*, lle mae Zhivago (Omar Sharif), heb weld unrhyw ddewis arall, yn bwrw'i gariad a'i ferch fach ar drugaredd Komarovsky (Rod Steiger).

Cwestiynau heb eu hateb

Erys nifer o gwestiynau y byddai'n dda cael atebion iddynt yn dilyn y 'penderfyniad hanesyddol'. Ni bu Cofrestrfa'r Brifysgol yn fodlon eu hateb, na hyd yn oed gydnabod eu derbyn, ac ni welaf fod yr Is-Ganghellor wedi eu hateb mewn cyfweliadau. Dyma rai. Fe welir mai cwestiynau o ffaith yw'r rhain i gyd, nid o farn nac ychwaith o fwriad.

(1) Mewn datganiad a gyhoeddwyd yn y cylchgrawn *Times Higher Education*, 13 Hydref, tystiodd y Brifysgol ei bod yn hollol ddieuog ym mater y dilysu graddau, a bod cynllwyn yn ei herbyn gan y BBC ac eraill. Ond yn syth wedyn tynnwyd y datganiad yn ôl ! Pam yr edifeirwch sydyn ? Beth oedd safbwynt y Cyngor hyd at y foment, wythnos yn ddiweddarach, pan bwysodd y botwm hwnnw ?

(2) Os oedd ton o euogrwydd wedi eu goddiweddyd, onid y dewis i aelodau'r Cyngor oedd ymddiswyddo fesul un ac un, yn hytrach na gadael i bobl feddwl bod y Brifysgol ei hun yn cael ei diddymu?

(3) Ddyddiau yn unig cyn 'pwyso'r botwm', pam y teimlwyd yn sydyn yr angen am Lywydd, swyddog nad oedd neb wedi clywed amdano o'r blaen yn ystod holl hanes y Brifysgol? Beth oedd gwaith y Llywydd, a sut yr oedd yn wahanol i waith y Dirprwy Ganghellor, Cadeirydd y Cyngor, yr Is-Ganghellor a'r Dirprwy Is-Gangellorion? Yn ôl datganiad i'r wasg, 3.10.11, byddai'n 'gyfrifol am ehangu rôl y Brifysgol drwy arloesi a menter ac am uchafu ei chyfraniad, drwy ymchwil a phartneriaethau strategol, at adfywiad economaidd a chymdeithasol yng Nghymru, y DU ac yn fyd-eang.' Ond yn awr, 'tawn i'n marw, ymddengys fod swydd y Llywydd yn wag oddi ar Orffennaf 2012, pan aeth yr Athro Clement i swydd arall ym Mhrifysgol Abertawe. Llai na blwyddyn a barhaodd y swydd anhepgoradwy hon ar ôl yr holl symud cadeiriau.

(4) Y cwestiwn pwysicaf oll. Pam nad ymgynghorwyd â'r graddedigion, fel y myn y statudau? Pwy gafodd y syniad nad oedd angen gwneud hyn? Ar ba dir, neu ar gyngor pwy, y penderfynwyd fod rhai statudau i'w dilyn a rhai i'w hanwybyddu wrth wneud penderfyniadau mor dyngedfennol? Gan yr ymddengys nad yw Urdd y Graddedigion yn bodoli mwyach, beth, yng ngolwg y Cyngor, oedd y peirianwaith ar gyfer ymgynghori â'r graddedigion? Sylwer yma, nid ydym yn sôn am rywbeth niwlog fel 'cyfle i'r cyhoedd gael dweud eu dweud'. Yr ydym yn sôn am y gofyniad *statudol*, rhan o gyfansoddiad y Brifysgol. Cwbl gabolotshlyd oedd 'esboniad' yr Is-Ganghellor mewn cyfweliad â'r *Cymro*, lle'r ymddangosai fod cymdeithas

newydd ar gyfer y categori amhosibl hwnnw, 'cyn-fyfyrwyr' un ai *wedi* ei sefydlu neu ynteu *i'w* sefydlu 'yn y flwyddyn newydd'. Rhagor yn y man am y 'gymdeithas' hon ...

Yr un Brifysgol Cymru â Phrifysgol Cymru?

Oddi wrth gwestiynau ffeithiol at y Cwestiwn Mawr, athronyddol neu ddirfodol. A yw Prifysgol Cymru: Y Drindod-Dewi Sant (sydd bellach wedi ymgyfuno â Phrifysgol Fetropolitan Abertawe), yr un Brifysgol Cymru â Phrifysgol Cymru? Ateb: nac ydyw, hyd nes bydd y cyfuniad wedi ei gymeradwyo gan y Cyfrin Gyngor. Hyd yn oed wedyn, ai yr un un fyddai hi? Gofynnaf yn ddifrifol, a oes unrhyw un mewn gwirionedd yn credu hynny? *Unrhyw* un, yn cynnwys hyrwyddwyr mwyaf brwd y syniad? Wrth ei ofyn, ni chredaf fy mod yn anwybyddu nac yn dibrisio dim ar gryfderau colegau De-Orllewin Cymru. Teimlais erioed mai Coleg Dewi Sant, Llanbedr Pont Steffan, yw coleg delaf, brafiaf Cymru. Clod uchel iddo hefyd am ei gylchgrawn, *Trivium*, a ddaeth allan yn flynyddol o 1966 hyd 1990, cystal cylchgrawn, yn ei faes a thros y cyfnod hwnnw, â dim cyffelyb gan unrhyw brifysgol ym Mhrydain. (Ar ôl 1990 cafwyd rhai rhifynnau un thema; nid ymddengys fod y cylchgrawn yn dod allan o gwbl erbyn hyn.) Am bob ymwneud â Choleg y Drindod, Caerfyrddin, atgofion dymunol sydd gennyf, er bod y rheini'n ymestyn yn o bell yn ôl erbyn hyn. Hen le difyr ydoedd, gydag awyrgylch hwyliog a chadarnhaol. Ond ai Prifysgol Cymru? A all y cyfuniad hwn, wedi meddiannu trysor Prifysgol Cymru, fod yn Brifysgol Cymru, neu olynu Prifysgol Cymru, neu fod mewn unrhyw fodd neu radd yr un peth â Phrifysgol Cymru?

O blaid 'cynllun Caerfyrddin' mae dau beth, a rhaid i'w wrthwynebwyr mwyaf gydnabod hynny. Yn gyntaf, byddai'n cadw asedau Prifysgol Cymru gyda'i gilydd, yn hytrach na'u rhannu rhwng y perthnasau barus. Yn ail, o ran sicrhau rhyw fath o ddyfodol i'r Wasg, y Geiriadur a'r Ganolfan, fe *allai* weithio. A yw hyn yn ei wneud yn gynllun derbyniol ? Nac ydyw. Mae dwy o'r tair uned ym Mhrifysgol Cymru : Y Drindod Dewi Sant ynghyd â Metropolitan Abertawe yn golegau galwedigaethol. Nid oes ganddynt odid ddim i'w gyfrannu pan ddaw hi'n adeg (ac fe ddaw bob hyn a hyn) cloriannu ymchwil y prifysgolion. O safbwynt y Ganolfan yn arbennig, mae hyn yn beth i'w ystyried. Mae dwy ohonynt hefyd (nid yr un ddwy) yn sefydliadau enwadol, Anglicanaidd o ran eu tarddiad a'u sail. Rhaid ein hatgoffa'n hunain eto mai yn sefydliad anenwadol y bwriadwyd Prifysgol Cymru, wedi ystyriaeth a thrafodaeth ddwys gan ein teidiau Victoraidd.

Gosodaf y cwestiwn eto. A ddichon parhau Prifysgol Cymru mewn sefydliad arall a dwy o'i dair uned yn golegau galwedigaethol ? A dwy hefyd yn golegau enwadol yn y bôn ? Ac yna un o'r unedau – beth bynnag ei rhinweddau – yn goleg y Dyniaethau yn unig ? Mae'r syniad yn chwerthinllyd ac yn amlygu rhyw radd o ddigywilydd-dra sy'n esgor yn y diwedd ar fath o naifder.

Mae hefyd bwynt o resymeg sydd efallai'n werth ei grybwyll, a chydnabod yr un pryd nad yw prifysgolion erioed wedi eu rheoli'n gaeth gan resymeg. Pam y gelwir Prifysgol Cymru : Y Drindod Dewi Sant yn 'Prifysgol Cymru : Y Drindod Dewi Sant' ? Yr ateb yw fod Coleg Dewi Sant, Llanbedr Pont Steffan, wedi ennill y teitl 'Prifysgol' pan ddaeth yn un o golegau Prifysgol Cymru ym 1971. 'Coleg' oedd tan hynny. Cadwyd y dynodiad 'Prifysgol Cymru' pan unodd PC : Dewi Sant â Choleg y Drindod, Caerfyrddin, ac fe'i cadwyd hefyd wedi i'r cyfuniad newydd hwn ymadael â Phrifysgol Cymru fel rhan o'r newidiadau mawr wedi 2005. Cywiraf fy hun felly, gan dderbyn esboniad y cyfreithiwr Emyr Lewis yn *Y Cymro*, 26.10.12: nad yw'r enw 'Prifysgol Cymru: Y Drindod Dewi Sant' yn golygu fod Y Drindod Dewi Sant yn rhan o Brifysgol Cymru. 'Prifysgol Cymru' arall ydyw erbyn hyn, er mai o'r Brifysgol Cymru wreiddiol y cafodd yr enw'n wreiddiol. 'Dim dryswch' felly? Mwy o ddryswch, ddywedwn i, a hwnnw wedi arwain rhai pobl a ddylai wybod yn well i gymryd fod yr uniad eisoes wedi digwydd, gan fod yr enw yr hyn ydyw yn barod! 'Prifysgol Y Drindod Dewi Sant', neu 'Prifysgol Gorllewin Cymru: Y Drindod Dewi Sant', ddylai fod enw'r sefydliad newydd yn y Gorllewin.

Os nad yw graddedigion Prifysgol Cymru (sef, meddaf eto, mwyafrif mawr mawr aelodau'r Brifysgol) wedi meddwl am y pethau hyn eisoes, boed iddynt feddwl yn awr. Ble maent am 'ddal' eu graddau? Mewn prifysgol nad yw'n bod, a fyddai'n golygu yn dechnegol na byddai ganddynt raddau? Ym Mhrifysgol Cymru: Y Drindod Dewi Sant, bellach yn cynnwys Prifysgol Fetropolitan Abertawe? Ai ar gyfer hynny y buont unwaith yn astudio? Dyma gefn rhifyn o *Golwg*, 13 Mehefin 2013, gyda hysbyseb tudalen lawn Prifysgol Cymru: Y Drindod Dewi Sant a'i phartneriaid. Mae Coleg Sir Gâr yma, a Choleg Ceredigion (dau goleg chweched dosbarth), Canolfan Dechnoleg Amgen (Machynlleth) a sefydliad o'r enw Academi Llais Rhyngwladol Cymru. Ac, ydi'n wir, mae'r hen Brifysgol Cymru hefyd yn un o'r cwmni. Dyma lle mae hi bellach. Dyma'ch lefel chi, gannoedd o filoedd o raddedigion Prifysgol Cymru. 'Trawsnewid Addysg ... Trawsnewid Bywydau' medd pennawd yr hysbyseb. Trawsnewid ystyr y gair 'prifysgol' hefyd, choelia' i byth.

Hynotach fyth ... !

Daw rhyw newydd wyrth o hyd yn yr hanes hwn. Un o'r rheini fu cyflwyno mesur seneddol preifat a fyddai'n awdurdodi'r uno. Ac wedyn diflaniad y mesur. Trwyddo byddid yn trosglwyddo holl hawliau ac adnoddau Prifysgol Cymru i Brifysgol Cymru : Y Drindod Dewi Sant ; a hefyd yn gwahardd i unrhyw sefydliad heblaw Prifysgol Cymru : Y Drindod Dewi Sant arfer yr enw 'Prifysgol Cymru' o gwbl. Yma eto mae'n rhaid arnaf fy nghywiro fy hun. Do, fe gyhoeddwyd rhaghysbysiad o'r mesur, dyddiedig 28.11.11, yn y *Westminster Gazette* ac ar dudalen hysbysiadau cyhoeddus a chyfreithiol y *Western Mail*. Ni ddigwyddais weld y *Westminster Gazette,* ac mae'n siŵr fod miliynau yr un fath â mi. Ac amlwg na ddarllenais y *Western Mail* y diwrnod hwnnw'n ddigon manwl. Brysiaf felly i gywiro'r hyn a ddywedais hyd yma am 'beidio sôn bw na be wrth neb yng Nghymru'. Fe sibrydwyd 'bw' yn dawel a chwta, ond ni bu llawer o 'be' wedyn. Mewn cyfweliad â'r Is-Ganghellor yn y *Western Mail*, 10.11.11, ni chafwyd gair fod y mesur ar ei ffordd. Cwbl ddistaw hefyd fu rhaglenni'r BBC, a fuasai ychydig cyn hynny â chymaint diddordeb yn helynt Prifysgol Cymru. Adroddiad *Y Cymro*, 23.12.11, a dynnodd ein sylw at y mesur, ei gynnwys a'i ymhlygiadau. Ond yn yr un adroddiad dyma inni dro rhyfeddol arall, fod y mesur wedi ei dynnu'n ôl o San Steffan, gyda'r bwriad o'i gyflwyno yn y Cynulliad Cenedlaethol ddechrau 2012. Nid yw hynny wedi digwydd eto. Yn y cyfamser, nid yn unig bu Wikipedia'n adrodd yn iach fod Prifysgol Cymru *wedi* ei chyfuno â Phrifysgol Cymru : Y Drindod Dewi Sant yn ystod 2012, ond bu gwefan Prifysgol Cymru ei hun yn dyfynnu hynny, y peth cyntaf i daro'n llygad wrth inni Gwglio 'Prifysgol Cymru'.

Yn ddiniwed, wedi darllen adroddiad *Y Cymro*, mi drois at y We i gael ychydig rhagor o hanes y mesur. Rhaid ei fod ar wefan Prifysgol Cymru, meddwn i. Ond na, dim golwg ohono. O, gwefan Y Drindod Dewi Sant wrth gwrs ! Dyma'r lle i edrych ! Yn wir roedd yno amrywiaeth o bethau diddorol : 'SOS Sali Mali yn galw criw y Drindod DS', 'Hyrwyddo proffesiynoldeb drwy ddysgu seiliedig ar waith', 'Perfformiad newydd sbon i chwilio am olion yr eleffant fu farw yn Nhregaron', 'Ei Uchelder Brenhinol Tywysog Cymru i ddod yn Noddwr Brenhinol'. Ond y mesur seneddol a oedd i wneud y trawsnewidiad mawr yn bosibl ? Dim sôn. Wedi'r ddau hysbysiad bach tawel gwreiddiol yn Nhachwedd 2011, nid tan flwyddyn yn ddiweddarach, mewn dogfen hawl ac ateb ar wefan Prifysgol Cymru, y cyfeiriwyd ar goedd at y mesur.

Yr hyn sy'n drawiadol iawn yn y ddau hysbysiad hynny yw mai ar ran a than enw PC : YDDS y cyhoeddwyd hwy. Gan hynny ni ellir eu hystyried yn rhan o'r ymgynghoriad angenrheidiol rhwng Prifysgol Cymru a'i graddedigion. A pha un bynnag, *cyn* y penderfyniad mawr, nid ar ei ôl, yr oedd ymgynghoriad i fod.

Gwelwn fod Cyngor Prifysgol Cymru wedi dal i gyfarfod, gyda Mr. Alun Thomas yn y gadair. Ac o Gwglio am 'Urdd Graddedigion Prifysgol Cymru' fe ddaw hithau i'r golwg, a than yr enw hwnnw, nid ar wefan Prifysgol Cymru ond ar wefan Y Drindod Dewi Sant. I gael mwy o wybodaeth dywedir wrthym am anfon at *Y Clerc* yng Nghofrestrfa'r Brifysgol, Caerdydd. Yn y cyfamser mae Calendr y Brifysgol yn dal i restru Clerc a Warden Urdd y Graddedigion fel swyddi a ddaeth i ben yn 2007. Fel rhan o ddiwygiadau 2005-7, fel y cofir, fe ollyngwyd yr enw 'Urdd' a dweud yn unig 'Graddedigion Prifysgol Cymru' (gan ddechrau yr un pryd yr arferiad camarweiniol o alw'r graddedigion yn '*alumni*'). Ni roddwyd, hyd y gwn, unrhyw fath o reswm am y newid hwn na chyfiawnhad iddo, ac anodd gwneud rhych na rhawn o 'esboniad' yr Is-Ganghellor yn *Y Cymro*, 5.10.12. Rhagor am hyn isod ...

Chwiliais Galendr y Brifysgol 2011/12, yn brintiedig ac arlein. Os wyf wedi methu'r atebion i rai cwestiynau, yr wyf yn agored i'm cywiro. Ond mi chwiliais, ôl a blaen, i fyny ac i lawr. Yn ôl a ddeallaf – neu o leiaf ni chlywais yn wahanol – mae chwech o Adrannau Urdd y Graddedigion yn weithredol heddiw, pob un ac iddi ei maes ei hun, pob un yn cynnal darlithoedd, cyrsiau a chynadleddau (rhai yn amlach na'i gilydd), rhai a chanddynt gylchgronau neu gyhoeddiadau eraill. Dyma hwy, hyd y cofiaf: (1) Y Clasuron, (2) Diwinyddiaeth, (3) Athroniaeth, (4) Cymdeithaseg ac Economeg, (5) Ethnoleg a Bywyd Gwerin, (6) Diwylliant y 18-19 Ganrif. Fel mae'n digwydd, mi wn yn o lew sut i gysylltu â swyddogion pob Adran. Ond beth pe na bawn i'n gwybod? Pa help a gawn i gan y *Calendr*? Dim o gwbl. Dim enw, dim cyfeiriad, dim byd am weithgarwch yr un ohonynt. Bwriwch, ar y llaw arall, fy mod i am ymuno â Chorfflu Hyfforddi Swyddogion Prifysgol Cymru, neu'r Sgwadron Awyr, neu Uned y Llynges Frenhinol, fe ddywed yr un Calendr wrthyf yn syth ble i anfon. Mae fersiwn Gymraeg y Calendr yn rhestru 'Cymdeithas Cyn-fyfyrwyr'. Os oes 'Cymdeithas', disgwyliaf fod iddi swyddogion a phwyllgor; ond o droi i'r man priodol (t. 101) ni welwn ddim byd o'r fath, dim ond ychydig frawddegau cyffredinol i'r perwyl bod 'cyn-fyfyrwyr' y Brifysgol yn llysgenhadon iddi dros y byd, ac yna'r lled-addewid: 'Gellir cael manylion pellach, maes o law, ar wefan y Brifysgol'. Mae rhyw chwarae mig fel hyn o hyd, fel petai rhywrai yn y Gofrestrfa yn benderfynol o daflu llwch i lygaid graddedigion y Brifysgol, ei haelodau, y rhai a allasai fod yn gefnogwyr iddi yn awr ei hangen, ac a fyddai'n falch o fod, ond nad ydynt yn cael bod : oherwydd fe ymddengys fod yn well gan y Cyngor a'i swyddogion wrogi i elynion y Brifysgol na gwrando ambell dro ar ei ffrindiau.

Pennod arall ...

Nid Prifysgol Cymru mo'r unig brifysgol yn y byd, nac yng Nghymru chwaith, i ennill ychydig incwm drwy ddilysu cyrsiau a graddau colegau a phrifysgolion newydd. Un arall wrth y gwaith oedd Prifysgol Cymru : Dewi Sant, Llanbedr Pont Steffan. Yn ystod Tachwedd 2011 ysgrifennodd Hywel Roberts, Caernarfon, dri llythyr at yr Athro Medwin Hughes, yn codi cwestiynau ynghylch tri choleg yn Llundain a oedd mewn partneriaeth â Llanbed : 'College of Technology London', 'Grafton College of Management Service' a 'Newbold College'. Yr oedd Mr. Roberts am roi cyfle i ddatgan a dangos nad oedd y rhain yn golegau ffug megis y rheini y llosgodd Prifysgol Cymru ei bysedd drwy ymwneud â hwy. Mewn ateb a gyhoeddwyd yn *Y Cymro*, 25.11.11, adroddodd yr Athro Hughes iddo ef, gynted ag y daeth yn bennaeth ar Brifysgol Cymru : Dewi Sant, drwy yr uniad â Choleg y Drindod ddwy flynedd ynghynt, gychwyn proses o gau'r partneriaethau hyn. Ymatebodd Hywel Roberts (*Y Cymro*, 2.12.11) ei fod yn derbyn fod hwn yn benderfyniad doeth.

Stori wahanol, fodd bynnag, a welodd Mr. Roberts mewn un o'r achosion hyn wrth edrych yn ddiweddarach ar wefan 'College of Technology London' (adroddiad *Y Cymro*, 9.3.12). Mewn llythyr at eu holl staff a myfyrwr, sydd i'w weld ar y wefan, dywed rheolwyr CTL mai *eu penderfyniad hwy* oedd terfynu'r cytundeb â'r Drindod Dewi Sant (fel yr oedd bellach), ac i hynny ddigwydd ar 16.11.11. Dilyn nifer o gwynion gwir ddifrifol. 'Ers 18 mis,' fe honnir, 'bu CTL yn mynegi pryderon ynghylch safonau gwael YDDS mewn sicrhau ansawdd ac mewn gweinyddiaeth. Ni fedrodd YDDS ... roi i CTL unrhyw hyder y bydd digon o welliant yn y dyfodol. Barn CTL yw na all YDDS gyflawni tasgau sylfaenol, yn academaidd a gweinyddol, y gellid yn rhesymol eu disgwyl gan brifysgol ym Mhrydain.' Manylir mewn modd damniol ynghylch dogfennaeth anghywir ar berfformiad a chanlyniadau ymgeiswyr. Sonnir am roi'r dosbarthiadau gradd anghywir, graddau anghywir, methu rhai a oedd mewn gwirionedd wedi pasio, a hyd yn oed roi graddau i fyfyrwyr nad oeddynt yn bod. I gloi, dywedir: 'Bydd CTL yn awr yn ceisio partneriaid academaidd newydd, ac mae'n gobeithio y bydd YDDS yn anrhydeddu eu hymrwymiadau at y myfyrwyr sydd ganddi o hyd yn CTL.' Ar 25.5.12 aeth CTL i ddwylo derbynwyr.

Rhaid caniatáu y gall crochan bob amser alw tegell yn ddu. Ond dyma agor cwpwrdd arall. Yn enw pob synnwyr, ai Prifysgol Cymru: Y Drindod Dewi Sant yw'r corff i feddiannu cyfrifoldebau, galluoedd ac adnoddau Prifysgol Cymru? Sut yn y byd mawr y gall Cynulliad Cenedlaethol Cymru basio mesur yn awdurdodi hynny? Sut y gall y Cyfrin Gyngor dderbyn yn ôl siarter Prifysgol Cymru yn wyneb ansicrwydd o'r fath?

Dal i ddigwydd ...

Deil pethau i ddigwydd. Soniwn am rai.

(1) *Parhad y drafodaeth.* Bron yn wythnosol yn *Y Cymro* (dan yr hen oruchwyliaeth) fe gynhaliwyd trafodaeth mewn llythyrau ac adroddiadau. Amharod iawn fu'r cyfryngau eraill, print a llafar, i fynd dan wyneb y stori hon, sgandal fwyaf byd addysg yng Nghymru yn ein hoes ni. Pa ddylanwad sydd ar waith?

(2) *Parhad yr amwysedd.* PE BAI'R broses yn cael ei chwblhau, dan ba siarter y byddai'n digwydd? Clywir tipyn o sôn am siarter Coleg Dewi Sant, 1828, fel 'y siarter golegol hynaf yng Nghymru a Lloegr y tu allan i Rydychen a Chaergrawnt'. Ond gwelaf amwysedd mawr yma. Mae UN AI un peth NEU beth arall yn wir. UN AI (a) mae siarter 1828 wedi ei diwygio gan nifer o atodiadau fel nad yr un sefydliad yw'r PC : YDDS presennol â'r coleg diwinyddol Anglicanaidd gwreiddiol; NEU (b) mae siarter 1828, fel sylfaen y cyfan, yn golygu mai coleg diwinyddol Anglicanaidd yw PC : YDDS yn y bôn, o hyd (serch ei barodrwydd i ymrwbio ym Mohammed, Conffiwsiws ac unrhyw broffwyd arall a all ddod ag ambell swlltyn yn ei sgil). Yn wir ni wn i pa ddealltwriaeth sydd fwyaf cywir, ond gwelaf mai dau bosibilrwydd sydd i Brifysgol Cymru os daw'r cynllun hwn i ben: UN AI cael ei llyncu gan gyfuniad newydd sbon o goleg diwinyddol, cyn-goleg hyfforddi a chyn-goleg technegol, NEU fynd yn rhan o hen goleg Eglwysig. Y naill ffordd neu'r llall, ai dyma'r math o 'brifysgol' y dymuna graddedigion Prifysgol Cymru ddal eu graddau o hyn allan un ai 'ynddi' neu 'ohoni'?

(3) *Penderfyniad Cynhadledd.* Yng Nghynhadledd Flynyddol Plaid Cymru, Medi 2012, daethpwyd â chynnig ar ran Cangen Caernarfon yn cyfarwyddo Aelodau Cynulliad y Blaid i ofyn am ymchwiliad i ddigwyddiadau 2011; ac i wrthwynebu'r mesur seneddol os byth y daw i Senedd y Bae. Cefnogwyd y rhan gyntaf gan y cynadleddwyr, ond cefnogwyd gwelliant yn gwrthod y rhan olaf. Yn ôl rhai a ŵyr fwy na mi am reolau'r Gynhadledd, mae cryn amheuaeth a oedd y gwelliant mewn trefn. Yn ôl a ddeallaf, ni chlywyd eto ar lawr y Cynulliad yr alwad am ymchwiliad.

(4) *Rhydychen yn holi.* Wedi clywed, mae'n rhaid, hanesion am ryw lanast echrydus ym myd y prifysgolion yng Nghymru,

cefais gais gan y cylchgrawn *Oxford Magazine* am ysgrif yn crynhoi'r hyn a wyddwn. Cyhoeddwyd fy ysgrif, 'Mad Hatter in Wales', yn rhifyn 331 o'r cylchgrawn, wythnos gyntaf Tymor y Gwanwyn (Hilary Term, chwedl hwythau) 2013.

(5) *Uno sefydliadau.* Ar 1.10.12 ymunodd Prifysgol Fetropolitan Abertawe â Phrifysgol Cymru : Y Drindod Dewi Sant. Fel a ddigwydd weithiau wrth gorddi am bethau fel hyn, bu raid imi fy nghywiro fy hun. Yr oeddwn i wedi cymryd mai 'Prifysgol Cymru : Y Drindod Dewi Sant Metropolitan Abertawe' fyddai'r enw wedyn. Ond na, mae'r trydydd enw'n diflannu, oherwydd mewn egwyddor mae'r sefydliad yn diflannu. Arwydd neu rybudd clir mai diflannu a wnâi Prifysgol Cymru pe dôi'r arfaeth oll i ben. Fel yr ydym wedi crybwyll o'r blaen, ni byddai'r 'Prifysgol Cymru' yn 'Prifysgol Cymru : Y Drindod Dewi Sant' yr un Brifysgol Cymru â Phrifysgol Cymru. A dyma ddod â ni'n ôl at yr hen gwestiwn hwnnw eto, i ble byddai asedau Prifysgol Cymru'n mynd ?

(6) *Gair wrth lywodraeth.* Fis Medi 2012 yr oedd Llywodraeth Cymru'n gwahodd ymateb i Bapur Gwyn ar Addysg Bellach ac Uwch. Cafwyd cefnogaeth 350 o raddedigion i ddogfen fer yn cyfeirio'n benodol at sefyllfa Prifysgol Cymru, ac yn dweud :

> Gan gredu fod yr uniad a fwriedir yn dra anaddas ac annerbyniol, yr ydym yn argymell yn gryf fod Llywodraeth Cymru'n ystyried posibilrwydd arall. Mae yn hwnnw ddwy elfen gysylltiedig a chyd-ddibynnol : (a) Creu 'Ymddiriedolaeth Prifysgol Cymru' i fod yn gyfrifol am holl adnoddau a gwasanaethau'r Brifysgol. (b) Creu Cyngor Ymchwil y Dyniaethau i Gymru, i gyfeirio nawdd, nid yn unig at brifysgolion a cholegau ond hefyd at sefydliadau dysgedig neu academaidd nad ydynt yn uniongyrchol

ddysgu myfyrwyr. O gyfuno'r ddwy elfen hyn credwn y gellir diogelu pedwar gwasanaeth hanfodol Prifysgol Cymru, sef (i) Gwasg y Brifysgol, (ii) Geiriadur y Brifysgol, (iii) Y Ganolfan Uwchefrydiau Cymreig a Cheltaidd, (iv) Gregynog.

Gorffennid â galwad 'ar i Lywodraeth Cymru sefydlu ymchwiliad i weithrediadau Cyngor Prifysgol Cymru yn ystod y flwyddyn 2011'.

(7) '*Nid o reidrwydd*'. A gafodd yr alwad uchod unrhyw effaith? Wel, fe dâl inni graffu, er enghraifft, ar ddatganiad Leighton Andrews, y Gweinidog Addysg ar y pryd, 5 Rhagfyr 2012. Fel hyn y dywed rhannau o'r ymateb:

> Yn adroddiad Cyngor Cyllido Addysg Uwch Cymru (CCAUC), *Future Structure of Universities in Wales* (2011), argymhellwyd y dylid uno Prifysgol Cymru y Drindod Dewi Sant â Phrifysgol Fetropolitan Abertawe ac, *o bosibl, ond nid o reidrwydd, â Phrifysgol Cymru hefyd.* Roedd ymateb ysgrifenedig Prifysgol Cymru y Drindod Dewi Sant i'r adroddiad hwn yn pwysleisio unwaith yn rhagor ei bod wedi ymrwymo i'r uno ac i weddnewid Prifysgol Cymru. Rwyf eisoes wedi datgan fy mod yn derbyn cyngor CCAUC ac rwy'n croesawu'r camau a gymerwyd gan y sefydliadau hyn er mwyn gweithio i wireddu argymhellion CCAUC i gryfhau'r modd y darperir addysg uwch yn y De-orllewin. (*Para. 4*)
>
> Rwy'n cydnabod, er bod angen rheolaeth ofalus ar Brifysgol Cymru, bod agweddau da am [? = ar] y sefydliad sydd angen eu cadw. (*Para. 5*)

> Fel pob sefydliad addysg uwch arall yng Nghymru, rhaid i Brifysgol Cymru geisio addasu i'r heriau sy'n ei hwynebu yn yr unfed ganrif ar hugain. Rwyf i o'r farn bod y cynigion sydd wedi eu cyflwyno gan Gyngor Cyllido Addysg Uwch Cymru, os cânt eu gwireddu, yn cynnig cyfle iddi wneud hynny. (*Para. 7*)

Ym mharagraff 4, fi sydd wedi italeiddio '*o bosibl, ond nid o reidrwydd, â Phrifysgol Cymru hefyd'*. Os oedd y cyn-weinidog o hyd yn 'derbyn cyngor CCAUC', gallwn gymryd ei fod yn derbyn yr '*o bosibl, ond nid o reidrwydd'*. Dyma rywbeth bach felly i'w osod yn erbyn pob honiad fod y broses yn mynd rhagddi'n ddiwrthdro ac mai ei phen draw fydd trosglwyddo siarter Prifysgol Cymru yn ôl i'r goron, sef diddymu'r Brifysgol. Sylwn hefyd mai am 'addysg uwch *yn y De-orllewin*' y mae'r cyn-weinidog yn sôn. Wedyn, paragraff 5 : os oes 'angen rheolaeth ofalus ar Brifysgol Cymru', ac os oes 'agweddau da sydd angen eu cadw', onid oes yma ragdybio parhad ? Onid oes yma, os mewn côd, rywbeth eithaf gwahanol i'r alwad flwyddyn ynghynt am 'angladd parchus' ? Ac unwaith eto (paragraff 7), os 'rhaid i Brifysgol Cymru geisio addasu i'r heriau sy'n ei hwynebu yn yr unfed ganrif ar hugain' oni ragdybir ei bod hi i barhau ?

(8) *Gwneud Adduned.* Caed datganiad, 10.12.12, 'Cyngor Prifysgol Cymru'n cyhoeddi cronfa fuddsoddi werth miliynau o bunnoedd gyda chreu Adduned Cymru'. Yr oedd cronfa o £6.8 miliwn i'w neilltuo er mwyn sefydlu nifer o ymddiriedolaethau tuag at gynnal gwasanaethau sylfaenol y Brifysgol, – y Wasg, y Geiriadur, y Ganolfan Uwchefrydiau a Gregynog, a hefyd er mwyn gwarchod gwaddolion gwerth £5.5 miliwn a roddwyd i'r Brifysgol dros y blynyddoedd. Yn gyffredinol yr oedd y syniad i'w weld yn digon tebyg i'r hyn y bu rhai ohonom yn galw amdano

ers dwy flynedd a rhagor. Gan hynny yr oedd i'w groesawu. Ond erys cwestiynau, a dyma dri.

(a) Bron nad oedd yr adroddiadau'n arwain dyn i gredu mai 'Adduned Cymru' oedd yn dod â'r swm o £6.8 miliwn i fodolaeth, neu bod yr awdurdodau wedi ei dynnu o'r awyr drwy ryw foddion gwyrthiol, neu yn oed wedi ei gyfrannu o'u haelioni eu hunain. Pwy wnaeth yr Adduned, ac ym mhle, ac yng nghlyw pwy, a thrwy ba fath ddefod, a beth oedd ei geiriad, – sydd oll yn bethau nas gwyddom. Dal i gilwenu y mae'r hen amheuwr. Llwyth o lol yw hyn. Dan y drefn sydd bellach wedi ei dinistrio, nid oedd angen 'Adduned'; roedd y Brifysgol yn mynd ymlaen â'i gwaith, cynnal ei gwasanaethau ei hun, ac roedd pawb yn deall hynny.

(b) Gan mai bychain yw'r symiau, sut y bwriedir sicrhau incwm rheolaidd sylweddol yn eu pennau? Sonnir yn gyffredinol am 'geisio Cyllid Ewropeaidd at ddatblygu cyfleoedd newydd'. Dyma lle gallai sefydlu 'Cyngor/Bwrdd Ymchwil y Dyniaethau' i Gymru fod o gymorth mawr. A roddwyd ystyriaeth i hyn? Dylai hefyd fod yn ofynnol ar y prifysgolion newydd, sef y cyn-golegau prifysgol, gyfrannu'n deilwng, ac ni ddylai Cyngor Cyllido Addysg Uwch Cymru gael osgoi ei gyfrifoldeb.

(c) Ar ôl clustnodi dan yr Adduned y swm cymharol fychan hwn o arian a oedd mewn llaw pa un bynnag, beth am weddill cyfalaf y Brifysgol? I ble, ac at ba ddibenion, yr â hwnnw?

(9) *Tua Llundain.* O Ebrill 2012 ymlaen wele Brifysgol Cymru: Y Drindod Dewi Sant yn estyn ei chortynnau eto, gan agor campws ar lan Tafwys mewn cydweithrediad â chorff o'r enw 'London Executive Business School Ltd'. Fe all daro rhywun o'r tu allan mai antur go enbyd ydyw hon, yn cyd-daro'n union â thoriadau a diswyddiadau dirybydd, hanner ffordd

drwy'r sesiwn, gartref yn Llanbed, a'r rheini wedi achosi cryn anesmwythyd. Ond rhwng PC : YDDS a'i phethau, – dim ond iddi beidio â chael ei bodiau ar gyfalaf Prifysgol Cymru.

(10) *Methu ffurfio cymdeithas*. Mewn llythyr i'r *Cymro*, 5.10.12, adroddodd yr Is-Ganghellor fod Prifysgol Cymru 'wedi sefydlu Cymdeithas Cyn-fyfyrwyr'. A rhoi heibio am y tro amhriodoldeb y term 'cyn-fyfyrwyr', nodwn yn syml yr hyn sydd wir : nid oedd y fath gymdeithas wedi ei sefydlu pan oedd yr Is-Ganghellor yn ysgrifennu, ac nis sefydlwyd eto. Pe bai hi'n bod fe fyddem yn gwybod pwy oedd ei swyddogion a'i phwyllgor, a phryd a sut yr etholwyd hwy. Yn ystod 2013 bu'r Brifysgol wrthi'n ceisio sefydlu'r hyn yr wyf am ei alw'n 'drefniadaeth' ar gyfer y rhai y mae hi'n dal i'w galw yn 'gyn-fyfyrwyr'; nid wyf am ei alw'n 'gymdeithas', oherwydd ni fwriedir ar ei gyfer ddim o hanfod cymdeithas, sef cynrychiolaeth ddemocrataidd. Deirgwaith hyd yma, fe alwyd am ymgeiswyr ar gyfer 'pwyllgor cyswllt cyn-fyfyrwyr'. Methwyd â chael digon o ymgeiswyr (neu o leiaf ddigon o rai a fernid yn addas) erbyn dyddiad yn Ebrill, ac wedyn erbyn dyddiad yn Awst. Nid yw hyn yn syndod, oherwydd fe weinyddir y cyfan yn null Castell Franz Kafka : nid yw'r ymgeiswyr i gael gwybod am ei gilydd, nid ydynt i gael cyhoeddi anerchiad na rhaglen, ac ni chânt wybod ychwaith pwy yw aelodau rhyw bwyllgor bach yn rhywle a fydd yn eu penodi. A thrydydd dyddiad bellach wedi mynd heibio, cawn weld pa fath helfa o bysgod a geir.

(11) *Llyfr Du Caerdydd-Caerfyrddin.* Ar 6 Medi 2012 ysgrifennodd Hywel Roberts at yr Is-Ganghellor Medwin Hughes gyda chais dan Ddeddf Rhyddid Gwybodaeth am gopïau o agendâu a chofnodion cyfarfodydd Cyngor y Brifysgol oddi ar 19 Mai 2010 (sef y cyfarfod olaf ar wefan Prifysgol

Cymru). Dylai'r dogfennau hyn ddweud pethau y mae'n iawn ac yn anghenrheidiol i ni, aelodau'r Brifysgol, eu gwybod. Er enghraifft, pwy a gynigiodd, a phwy a eiliodd, benderfyniad mawr 21.10.11, a beth oedd sylwedd y drafodaeth cyn hynny? Wedi misoedd o'r hyn a alwai'r Gofrestrfa yn 'werthuso'r wybodaeth', fe ddaeth y cofnodion, ddiwedd Mai 2013. Fel y dengys y llun sydd ar ein clawr (detholiad o nifer llawer mwy), bu blacledio dyfal. Daw i gof eiriau anfarwol yr Is-Ganghellor wrth y *Western Mail*, 26.9.12: 'This is about having the chance to craft a new narrative'. Bellach dyma dalpiau helaeth o'r naratif ynghladd dan y düwch mawr, a thudalennau bwygilydd yn 'Redacted'. Mewn llythyr at Mr. Roberts rhoddwyd y rheswm: 'barn y Brifysgol yw bod yr wybodaeth yn ddarostyngedig i eithriadau dan y Ddeddf Rhyddid Gwybodaeth a dylech gymryd hyn fel Hysbysiad ffurfiol o Wrthod datgelu'r wybodaeth honno.'

(12) *Yn y ffos*. Mewn gohebiaeth â Hywel Roberts ddechrau Mai 2013 fe adroddodd Prif Glerc y Cyfrin Gyngor: (a) nad oedd y Cyfrin Gyngor eto wedi ystyried y cynllun uno, ac nad oedd yn ei ystyried ar y pryd; (b) ei fod yn deall fod Prifysgol Cymru am dynnu'r cynllun yn ôl yn ffurfiol a chyflwyno cynigion newydd 'yn y man'. Ystyr hyn, yn fyr, yw fod y cynllun gwallgof ar ei ochr yn y ffos. Dyma'r newydd mwyaf derbyniol eto i wir garedigion y wir Brifysgol Cymru. Gobeithio y bydd rhai eraill hefyd yn deall, yn cynnwys pawb a fu mor ffôl â chymryd fod yr uno yn anochel, a phawb a fu mor anghyfrifol â'i gefnogi ar goedd.

Na foed unrhyw amheuaeth, yr oedd y cyfansoddiad diwygiedig yn rhywbeth dros dro, i hyrwyddo'r uniad ac i wneud yn bosibl yn y man ddiddymiad llwyr Prifysgol Cymru. Sylwn yn arbennig fod y statud yn cyfeirio at 'ymgynghori â'r graddedigion' wedi ei dileu, ac mae mynd i'r drafferth o'i dileu yn awgrymu o leiaf beth euogrwydd am ei thorri. Yn wir nid oedd y drafft statudau newydd yn sôn o gwbl am *aelodaeth* o'r Brifysgol. Dyna ddwyn oddi ar y cannoedd o filoedd o raddedigion yr hyn yr oeddent wedi ei dderbyn drwy raddio, a dyna ddiwedd ar eu hawl i wrandawiad. Ond diolch byth, dan y cyfansoddiad presennol mae ein hawl yn sefyll, ac anodd gennyf ddychmygu'r Cyfrin Gyngor yn cymeradwyo newid yn hyn o beth.

Llwydd, anrhydedd a gwaradwydd

Mewn adroddiad i'r Gweinidog, 5.9.12, dywed yr Is-Ganghellor : 'Mae'r diwygiadau i'r Siarter yn dynodi cychwyn ar newid cyfansoddiadol na fydd modd ei wyrdroi, ac a fydd, maes o law, yn arwain at uno Prifysgol Cymru a Phrifysgol Cymru : Y Drindod Dewi Sant yn gyflawn. Ar y pwynt penodol hwnnw, ni fydd angen Siarter gyfredol Prifysgol Cymru bellach.' Dyma'r hyn na ddylai ddigwydd. Dyma'r hyn y dylai aelodau'r Brifysgol ei rwystro.

'Llwydd ac anrhydedd ein prifysgol a'n gwlad' yw'r pethau y mae graddedigion Prifysgol Cymru dan siars i'w gwarchod. Druan o'r 'llwydd' ; ac fel yr awgrymais o'r blaen, efallai ei fod wedi ei aberthu flynyddoedd yn ôl pan daflwyd ymaith y radd ffederal. Am yr 'anrhydedd', dyma beth mwy anodd rhoi bys arno, ac amhosibl ei fesur. Ond a oes rhywun am ddal nad yw'r anrhydedd wedi ei lychwino'n enbyd gan waith y Cyngor a'i swyddogion dros y blynyddoedd a'r misoedd diwethaf? Fe'u penodwyd i gynnal a hyrwyddo'r Brifysgol. Yn lle hynny, dyma hwy yn ei dinistrio. Mewn byd cyfiawn ni byddai'r bobl hyn yn beiddio dangos eu hwynebau liw dydd eto, 'rhag ofn yr holl adar'. Yn y byd a'r Gymru sydd ohoni, gallwn ddychmygu rhai ohonynt yn hwylio ymlaen at swyddi eraill, a mwy o deitlau ac anrhydeddau.

Gwna ddigon o lanast, a chei dy wobr. Mae'r hyn yr wyf yn ei ddweud yn berthnasol i fwyafrif mawr aelodau'r Cyngor; nid oes lle i gredu fod mwy nag un neu ddwy o eithriadau, ac ni ddaw dim drwy'r blacin i awgrymu nad oedd penderfyniad 21.10.11 yn unfrydol. Yn lle cynnal ystyriaeth bwyllog y diwrnod hwnnw, fe gynhaliwyd Te Parti Hetiwr Hurt.

Beth sydd i'w wneud?

Wrth ofyn y cwestiwn, cydnabyddwn mewn gofid fod llawer na ellir ei wneud mwyach. Yr ydym wedi ei cholli-hi. Ac wedi colli pethau eraill hefyd, ac mewn perygl o golli mwy, mewn cyfnod o danseilio a datgymalu. Ond gadewch inni weld.

(1) Er mwyn symud ymlaen oddi yma, mae un peth cwbl angenrheidiol i'w sicrhau, sef incwm rheolaidd digonol i'r pedwar 'sefydliad prifysgol' – y Wasg, y Geiriadur, y Ganolfan Uwchefrydiau a Gregynog. Rhydd hyn gyfrifoldeb mawr ar Gyngor Cyllido Addysg Uwch Cymru, corff sydd ei hun mewn proses o newid y dyddiau hyn, sef mynd yn rhan o'r llywodraeth yn hytrach na pharhau'n gwango. A barnu wrth ei agwedd dros rai blynyddoedd, dal i wadu'r cyfrifoldeb a wna'r Cyngor hwn hyd y gall, a dyna pam y mae'n bwysig fod rhyw gorff cyfrifol arall yn pwyso arno. Mi feddyliais ar un adeg y byddai hon yn dasg briodol i 'Gymdeithas Ddysgedig Cymru', a sefydlwyd yn 2010. Ond o wneud cwpl o ymholiadau gweddol dawel, caf ar ddeall na all neu na fyn hi wneud dim ynglŷn â'r mater. Erbyn meddwl, ni ddylai hyn fod yn siom nac yn syndod ychwaith, oherwydd yn y gymdeithas hynod hon fe geir casgliad gorau'r byd o brif awduron y broblem, yr academwyr hŷn a wnaeth job wirioneddol drylwyr, dros y deugain mlynedd diwethaf, o yrru'r hwch drwy'r siop.

(2) Ar draws pob gwahaniaeth barn mae cefnogaeth go gyffredinol i'r syniad o 'Gyngor Prifysgolion Cymru', wedi ei lunio o ba nifer bynnag o brifysgolion fydd yn sefyll wedi cwblhau'r ad-drefniad. (Nid awn ar ôl priodoldeb yr ad-drefniad hwnnw heddiw, dim ond atgoffa pawb sy'n annog 'unwch', y bu adeg pan oeddent yn un!) Gall y 'Cyngor Prifysgolion' fod yn gorff mwy cryno na'r 'Addysg Uwch Cymru' presennol, a chorff a fydd yn canolbwyntio mwy ar agweddau academaidd na'r Cyngor Cyllido. O weld ei ddyletswydd, gall 'Cyngor Prifysgolion Cymru' wneud ei ran tuag at ddiogelu'r 'pedwar sefydliad'. A wêl ef y ddyletswydd honno? Wrth alw am ddiddymu'r Brifysgol ar 5 Hydref, nid ymddengys fod y pum Is-Ganghellor yn malio botwm corn am ddyfodol y sefydliadau, nac yn cofio am eu bodolaeth. (Ac edrych yn ôl mewn hanes, gwelwn fod adroddiad y dad-ffederalwyr ym 1964 yn argymell yn glir greu 'Cyngor Cyffredin Prifysgolion Cymru', i gynnal a diogelu gwasanaethau'r Brifysgol a'i byrddau. Dyma rywbeth llawer gwell na dim sydd ar gynnig heddiw, ac fe dalai edrych eto ar dudalennau 37-43 o'r ddogfen *University Commission: Final Reports*, 1964.)

(3) Cymorth pellach fyddai creu 'Cyngor Ymchwil Academaidd' i Gymru, neu man lleiaf 'Gyngor Ymchwil y Dyniaethau', gyda'r cyfrifoldeb o gyfeirio nawdd at sefydliadau nad oes a wnelont yn uniongyrchol â dysgu. Mantais bellach i hyn fyddai bod y cymorthdaliadau'n cael eu pennu gan bobl yn gwybod rhywbeth am feysydd iaith, llenyddiaeth, hanes a diwylliant Cymru, yn hytrach na chan gasgliad mympwyol o academwyr o hyd a lled y Deyrnas, na wyddant mo'r gwahaniaeth rhwng Lewis Morris a choes brwsh. Yr un pryd fe ddylai fod ar y Cyngor hwn gynrychiolaeth o'r tu allan, fel atalfa ar ysfa'r Cymry i wneud drwg i'w gilydd.

(4) Yn sicr fe allwn, mewn egwyddor o leiaf, groesawu creu'r ymddiriedolaethau i fod yn gyfrifol am wasanaethau'r Brifysgol, ac am o leiaf beth o'i chyfalaf. Ond dylai'r rhain fod dan siarter ddiwygiedig Prifysgol Cymru, a byddai hynny'n golygu fod y siarter, a thrwy hynny y graddau, yn para mewn bodolaeth.

(5) Dylai fod ymchwiliad annibynnol i drafferthion 2011. Clywais awgrymu mai Gwrandawiad Barnwrol fyddai'r math mwyaf priodol o ymchwiliad ; ni wn ddigon am hynny i allu dweud beth fyddai ei fanteision. Yn sicr byddai'n iawn cael goleuni ar smonaeth y dilysu graddau, ond nid dyna'r peth pwysicaf erbyn hyn. Pwysicach yw'r ffaith yr aed yn groes i'r Siarter, y torrwyd y cyfansoddiad, wrth gymryd penderfyniad 21 Hydref 2011 heb ymgynghori â'r graddedigion. Mae gennym hawl i ofyn ac i fynnu ateb : pwy a benderfynodd y gellid gwneud hyn, ac ym mha hawl ? Ac os atebir, 'O, anghofio wnaethon ni,' bydd hynny yr un modd yn annilysu'r penderfyniad a phopeth sy'n deillio ohono. Ac am y rhai a anghofiodd, sef y Cyngor a'i swyddogion, sut y gellir ymddiried ynddynt i gofio dim byd byth eto ? Yn ei lythyr at y Brifysgol, 6.9.12, gofynnodd Hywel Roberts ddau gwestiwn syml : pa ymgynghori a fu â'r graddedigion (a) cyn a (b) ar ôl penderfyniad 21.10.11 ? Daeth ateb plaen i (a) : 'Ni chafwyd ymgynghori'.

Pa fath bobl ... ?

Pa fath bobl ydym ni, raddedigion Prifysgol Cymru a dinasyddion Cymreig, os na allwn wneud yn well na goddef yn ein libart bach ein hunain ffwlbri o'r math y ceisiwyd ei drafod yma ? Ni fydd Prifysgol Cymru : Y Drindod Dewi Sant byth yn olynydd teilwng i'r wir Brifysgol Cymru. Ni ddylai'r uno hwn ddigwydd. Mae'n anghyfansoddiadol o'r cychwyn. Cyfrifoldeb graddedigion Prifysgol Cymru – ei haelodau – yw ymorol na fydd yn digwydd.

I gloi ...

(1) Am berthynas braidd yn helyntus PC : YDDS â'r 'Egin', sydd i gartrefu pencadlys S4C, ni wn ddim tu hwnt i'r penawdau.

(2) Ddiwedd 2018 daeth y newydd fod Prifysgol Cymru a Phrifysgol Cymru : YDDS wedi dod i'r adwy â chyfraniad o hanner miliwn o bunnau tuag at helpu Coleg Iesu, Rhydychen i ddiogelu'r Gadair Geltaidd yno ac ailgychwyn y cwrs Astudiaethau Celtaidd a fuasai ar stop ers saith mlynedd. 'Un o'r cyfraniadau mwyaf', medd adroddiad ar y pryd. Diolchwyd yn llaes ar ran Rhydychen yn ei thlodi eithafol, a chyhoeddwyd creu 'cynghrair' newydd rhwng y derbyniwr a'r ddau roddwr i hyrwyddo efrydiau yn y maes. O'r hanner miliwn, a wyddom faint a ddaeth (a) gan Brifysgol Cymru a (b) gan Brifysgol Cymru : YDDS ? Bydd yr atebion, mae'n debyg, yng nghofnodion cynghorau'r ddwy brifysgol, ond petaem yn gofyn am gael gweld y rheini, oes berygl mai'r blac-led a fyddai'n ein hwynebu unwaith eto ?

(3) Yn holl groniclau ffars, a oes eitem i ragori ar y ddiwethaf ? Beth am hon ? Ers peth amser buasai Gregynog ('better known as Gregynog Hall', medd un wefan wrthym) â thrwydded i saethu ffesantod ar ei dir, ac adroddwyd fod 57,000 o'r adar wedi eu rhyddhau ar gyfer y gweithgarwch gwledig hwn. Bu protestio gan wrthwynebwyr hela, ond atebodd y Cynghrair Cefn Gwlad fod yma gyfraniad 'tuag at yr economi wledig, treftadaeth, diwylliant a'r iaith Gymraeg'. Er cryfed y ddadl hon (!) y gwrthwynebwyr a enillodd, a chyhoeddwyd fis Mawrth 2019 nad adnewyddir y drwydded. Dyna ni felly,

Y ffesant mwy gaiff lonydd
    Ym mherthi gwyrdd y plas,
A'r lwyd gwningen redeg
    Yn rhydd drwy'r borfa fras.

A dyna fan addas, mi gredaf, i gloi'r ysgrif hon, a'r gyfrol hon.

(Cyhoeddwyd fel pamffled, 2012, 2013. Ychwanegwyd yr adran olaf.)

Am y gyfrol
Camu'n Ôl a Storïau Eraill ...

'Prin iawn yw'r awduron sydd wedi gwneud i mi chwerthin yn uchel. Yn eu plith mae Wil Sam ac Eirwyn Pontsiân. At y rhain ychwanegwch Glyn Adda a'i gasgliad rhyfeddol o storïau byrion, *Camu'n Ôl a Storïau Eraill*. ... Mae'r un-stori-ar-bymtheg sydd yn y casgliad i gyd yn berlau. Dyma waith awdur sy'n berchen ar lygaid craff, clustiau meinion a dychymyg sy'n drên. Mae dychan a hiwmor cynnil – ac weithiau dynerwch atgofus – yn rhedeg drwy'r cyfan. ... Dyma werslyfr i unrhyw awdur sydd am fynegi ei hun yn glir a diamwys. Gall ein harwain fesul cam tuag at uchafbwynt o chwerthin neu weithiau i ddyffryn o ddwyster. Ond y geiriau allweddol yw dychan ac eironi. A dydi'r dyfeisgarwch byth yn troi'n glyfrwch bas, byth yn troi'n gimics. ... Dyma gyfrol y talai i bob egin awdur – ac ambell un sydd wedi ymsefydlu hefyd – ei darllen. Drwyddi mae'r Gymraeg yn llifo megis afon. Bu ei darllen yn bleser pur.' – Lyn Ebenezer, *Gwales*, a'r *Cymro*.

... Camu'n Ôl a Storïau Eraill

'Cyfrol ddoniol ydyw, ond hiwmor craff sydd yma, gyda dawn ddychanol yr awdur yn taro'r hoelen ar ei phen wrth ddychanu ffaeleddau pobl a sefydliadau ei fro a'i wlad. ... Mae'n deall ac yn disgrifio amrywiaeth eang o emosiynau dynol a'u holl gymhlethdodau, o'r ffyrnigrwydd a'r rhwystredigaeth sydd i'w gweld yn ei ddychan hyd at yr empathi a'r tosturi sydd ganddo tuag at rai o'i gymeriadau. Ac yn hynny o beth daw perthnasedd y ffug gyfenw Adda i'r amlwg. Nid darlunio Cwmadda na Chymru yn unig a wna'r awdur yma, ond darlunio'r ddynoliaeth, hil Adda, a'i holl ogoniannau ac amrywiaethau – a'i holl ddiffygion hefyd, wrth gwrs!' – Lisa Caryn Sheppard, *Tu Chwith*.

'Hoffais "Rhan Fach mewn Hanes" yn fawr. Ond toes yna gymaint o bobl hurt yn meddwl eu bod yn bwysig? Ac mae hanes y capel yn cau yn ardderchog, er na fedraf ddeall pam fod cau capel yn fy styrbio a minnau byth yn mynd ar y cyfyl nac yn credu mewn dim. Rydym yn genedl (os cenedl o gwbl) ddwl a di-ddeall ac yn cysgu gan adael i bopeth sâl ennill, – a brolio'r cyfan sobor â chelwyddau hyfryd. ... Dal ati Glyn Adda, a diolch amdanat.' – *Cwsmer Bodlon 1*.

'Prynais *Camu'n Ôl a Storïau Eraill* yn Siop y Pethe, a'i ddarllen ar ôl swper hyd berfeddion neithiwr gyda blas anghyffredin: ... gallaf ddweud heb os na ddarllenais ddim beirniadaeth wleidyddol-gymdeithasol ar y Gymru sydd ohoni mor finiog gan neb, ond yr hyn sy'n ardderchog hefyd yw bod y cymeriadau sy'n llefaru neu'n corffori'r feirniadaeth honno yn bobl fyw. Gwych, gwych.' – *Cwsmer Bodlon 2*.

'Bu i'r straeon dychanol fy mhlesio i'n fawr gan fod y dweud mor ddi-flewyn-ar-dafod a'r sylwadau ar y natur ddynol mor graff. Yn sicr, y mae hiwmor deifiol Glyn Adda wedi taro deuddeg i mi bob tro, ac mi wnes i chwerthin yn uchel yn aml iawn wrth ddarllen y storïau. ... Yr hyn sy'n nodweddu pob stori yn y casgliad yw Cymraeg eithriadol o groyw, naturiol a llyfn. Yn wir, mae sgrifennu o'r fath yn ymddangos yn ddawn mor ddiymdrech ar ran yr awdur fel bod y darllenydd yn tueddu i anghofio'r gamp sydd wedi'i chyflawni. ... Mi fedrwn ddal ati hyd syrffed i bentyrru ansoddeiriau am y gyfrol (*amlhaenog, direidus, dychmygus, dyfeisgar, gwreiddiol, heriol, myfyriol, treiddgar ...*). Ond y peth callaf y medraf ei wneud yw eich annog i'w darllen.' – *Cwsmer Bodlon 3*.

£15.00 Gan eich llyfrwerthwr neu gan dalennewydd.cymru

Am y gyfrol
O'r India Bell a Storïau Eraill

'O ran ei chynnwys, dyma löyn byw llenyddiaeth Gymraeg gyfoes, a'r ddiweddaraf gan awdur profiadol, uchel iawn ei barch a'i glod ym maes rhyddiaith. Ceir ynddi wyth stori i gyd, hynod ystwyth o ran arddull, llawn dychymyg a chyffro, a'r awdur wedi deall i'r dim wir anghenion stori dda, sef rhediad byrlymus, magu a chynnal diddordeb, a'n tywys ni oll tuag at yr atalnod llawn olaf, gan wybod inni fwynhau pob tamaid o'r daith er mwyn cyrraedd yno! Yn y gyfrol cawn y bryntni a'r llonder, ac yn anad dim byd arall storïau cyflawn sy'n fwrlwm o ddychan effeithiol, hiwmor a dawn dweud tra arbennig. Cyfrol i'w phrynu a'i thrysori.' – Dafydd Guto Ifan, *Eco'r Wyddfa*.

'Nid oes neb yn yr oes hon yn ysgrifennu fel Glyn Adda, *nom de plume* ai peidio. Cymro ymosodol, deifiol ei dafod sydd yma, un a duriodd ddwfn leoedd hanes a llenyddiaeth Gymraeg am athrylith ei waith ei hun, a thynnaf fy het iddo am wneud hynny gyda'r fath *pizzazz* ... Dau ddewis sydd wrth ddarllen y gyfrol hon; chwerthin neu grio. O dan y doniolwch a'r cyllyll, mae gwybodaeth ddofn o hanes, diwylliant, a llenyddiaeth Gymraeg yn eu holl arweddau. Mae cyfeirio at lên Cymru yn dod yn ail natur i Glyn Adda ac mae'n ei pharodïo'n llwyddiannus droeon a thro. ... Mae'r gyfrol yn gwneud cyff gwawd o'r "tswnami o nonsens sy wedi boddi ein gwlad oddi ar ddatganoli" ac yn enghreifftio "[g]wiriondeb diwaelod y ddynol ryw". Eto i gyd ni all dyn lai na meddwl mai oherwydd, ie ei rwystredigaeth, ond hefyd ei barch a'i gariad at y cyfryw bethau y gwna hyn oll, i'n cystwyo i gallio cyn ei bod yn nos ar ein cenedl.' – Rhiannon Ifans, *Barn*.

£8.00 Gan eich llyfrwerthwr neu gan dalennewydd.cymru

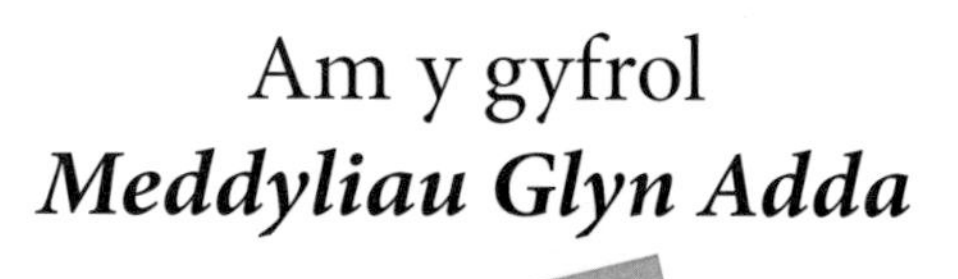

Am y gyfrol
Meddyliau Glyn Adda

'Braint yn wir oedd cael cyfle i ddarllen y gyfrol ddiweddara o wasg Dalen Newydd dan y teitl *Meddyliau Glyn Adda*, sy'n gasgliad o dros 90 o flogiau yn pontio'r blynyddoedd 2012-17. ... Er bod Glyn Adda yn awgrymu yn ei ragair mai 'cicio ceffyl marw yng Nghymru' y mae o a'i debyg, mae'n anhepgor ei fod o'n dal i bigo cydwybod cenedl sydd fel petai'n cerdded yn gyfoethog gyfforddus i ddifancoll

Er na fuaswn i yn gallu dweud Amen i bopeth y mae Glyn Adda yn ei ddweud, eto ni fedraf lai nag edmygu gallu'r awdur i gyflwyno'i neges drwy'r llifeiriant geiriol sy'n deillio o'i feistrolaeth drylwyr o'r Gymraeg ar ei chyfoethocaf a chan dynnu ar ei ddysg a'i grebwyll mewn modd sy'n perswadio rhywun ei fod o'n traethu'r gwirionedd. A dyna hanfod blogiwr neu golofnydd gwerth ei halen.'

Gwilym Owen, *Barn*.

£10.00 Gan eich llyfrwerthwr neu gan dalennewydd.cymru

Am y nofel ***Y Porthwll***

'Mae Elidir Jones wedi llwyddo i greu cyfrol lawn cyffro a drama. ... Buan iawn y cewch chi'ch sugno i ganol y stori (effaith y Porthwll, efallai ...). Mae'n nofel ddarllenadwy iawn, mae ganddi gymeriadau cryf ac mae'r plot yn symud yn ei flaen yn naturiol heb din-droi'n ormodol o amgylch un digwyddiad. ... Gobeithio'n wir y bydd Elidir Jones yn dal ati i sgwennu – dyma un maes lle mae dirfawr angen awduron Cymraeg.'
Dorian Morgan, *Gwales*.

'Cryfder y nofel ydi'r modd yr aethpwyd ati i ddangos y gwahaniaeth rhwng bydoedd Cai Un a Cai Dau a hynny heb fynd yn orgymhleth, Mân iawn ydi'r gwahaniaethau i ddechrau arni ond cyn bo hir dônt yn fwy dramatig. Gan fod y gwahaniaethau yn digwydd mor raddol ac wedi eu seilio ar agwedd Cai yn aml, mae darganfod sut y mae camgymeriadau bychain yn esgor ar ganlyniadau dybryd yn hynod o ddifyr. ...

Dyma nofel sy'n gyfraniad at y canon Cymraeg o ffuglen wyddonol heb os. Mae'n fan cychwyn da i unrhyw ddarllenwyr sy'n troi at sgrifennu fel hyn am y tro cyntaf, ac i ffyddloniaid y genre mae yna hen ddigon i'w fwynhau.'
Llŷr Titus, *Barn*.

£9.00 Gan eich llyfrwerthwr neu gan dalennewydd.cymru

DN
DALEN NEWYDD